Великая Отечественная: Неизвестная война

Андрей Бугаев

День «N»

Неправда Виктора Суворова

Москва
«ЯУЗА»
«ЭКСМО»
2007

ББК 63.3(0)62
Б 90

Оформление художника *П. Волкова*

Бугаев А.В.

Б 90 День «N». Неправда Виктора Суворова. — М.: Яуза, Эксмо, 2007. — 384 с. — (Великая Отечественная: Неизвестная война).

ISBN 978-5-699-23803-3

Что есть истина, а что — ложь? Прав или не прав Виктор Суворов? Собирался ли Советский Союз в 1941 году нанести превентивный удар по гитлеровской Германии — или это послевоенные измышления нечистоплотных псевдоисториков?

Новая книга Андрея Бугаева дает убедительный ответ на все эти вопросы.

Эта книга блестяще написана.

Это исследование, при всей его основательности и исторической достоверности, читается как увлекательный роман.

Это — жесткая критика Виктора Суворова, нелицеприятный разбор сочинений самого популярного и одиозного историка Второй мировой войны.

Если вы читали бестселлер «Правда Виктора Суворова» — вы имеете право ознакомиться и с противоположной точкой зрения.

Это нужно знать каждому!

ББК 63.3(0)62

ISBN 978-5-699-23803-3

Пролог

22 ИЮНЯ

В ту ночь мало кто спал на западном берегу Буга. Солдаты чувствуют приближение войны вернее разведчиков и полководцев. Во всяком случае, ночное построение и зачитанный перед строем ротных колонн приказ фюрера почти никого не удивил.

Артиллеристы привычно готовили орудия для стрельбы прямой наводкой по затаившимся русским погранзаставам. Пехота деловито и спокойно сосредотачивалась перед броском.

И уже слышен был гул выдвигавшихся из глубины непобедимых танковых дивизий.

И летчики Люфтваффе разогревали моторы, готовясь бомбить русские города.

Все было предусмотрено до мелочей. Намечены цели для короткого артналета, выявлены подвергнутые вскоре ожесточенной штурмовке советские фронтовые аэродромы, распределены между ударными группировками сектора и задачи. На сутки, на неделю, на кампанию...

Все было просчитано и, казалось, обеспечено наверняка непрерывными оглушительными победами, сравнимыми разве что с триумфом молодого Бонапарта. Не только среди генералитета, но и в строю уверенность в быстрой, легкой победе была почти абсолютной. Очевидцы говорят не о тревоге, напротив, о подъеме в войсках!

Никогда еще не был вермахт так силен и подготовлен, как в ту далекую июньскую ночь, самую короткую в году.

А на другой стороне реки армия стояла беспечными гарнизонами, нацеленная всезнающими вождями на бездействие. Готовая, как считалось, к подъемам по тревоге и марш-броскам, к строевым занятиям и учебным стрельбам, к политзанятиям и хозработам. Не готовая только лишь к неизбежно роковому просчету политического руководства. Утвердившийся за десятилетия бюрократизм, который *всегда** являлся ядром системы и главенствовал надо всем вне зависимости от жесткости лидеров, практически исключил проявление не только инициативы, но и чувства самосохранения не только у младших офицеров, но и у высшего командования.

Войска от развертывания и маршей, от армейских складов и трехлинеек отделяли неизданные приказы, непринятые решения, страшная боязнь чиновничества в погонах и без попасть не в такт. Отделяла бездна...

Разве что командиры погранзастав, невооруженным глазом различавшие на расстоянии ширины футбольного поля щитки полевых немецких пушек, усиливали наряды. Разве что безвестный лейтенант, наблюдавший, как чужие танки группируются прямо перед одним из многих, практически неохраняемым мостом, позвонил оперативному дежурному...

Говорят, командующие приграничными округами не спали. Может быть. Но на серьезные действия, нет, просто на что-либо они не решились. Сталин недвусмысленно указал – войны не будет. Незримо присутствовавший карательный аппарат готов был уничтожить любого, кто посмел бы в этом усомниться. Любого!

А перебежчики, люди, рисковавшие жизнью ради великой, как казалось десяткам миллионов, идеи, уже

---

* Здесь и далее, за исключением особо оговоренных случаев, курсив мой. – *А.Б.*

выбирались под настигавшими их пулями на советский берег.

Стаи самолетов с черными крестами на широких птичьих крыльях уже пересекли границу, и летчики, открывая бомболюки, встречали рассвет над Минском, Киевом, Севастополем, Одессой... «Мессера» носились на бреющем над застывшими шеренгами «И-16», легко поджигая все под собой. Страшные визгом своим, растопыренными шасси «Ю-87» пикировали, обрабатывая авангарды советских мехкорпусов.

Огромная бюрократическая машина, наконец-то получившая безнадежно запоздавший прямой приказ, только еще готовилась встрепенуться и что-то предпринять, а немецкая артиллерия в упор расстреляла не проснувшиеся заставы, и танковые клинья устремились на восток.

Война, самая жестокая, самая масштабная, потребовавшая напряжения *всех* сил ее участников и забравшая себе десятки миллионов жизней, началась.

...История терпелива и, если мы не принимаем ее уроков, готова повторять их вновь и вновь.

История осязаема, ведь все, что происходит сейчас, корнями своими уходит в то, *что произошло раньше*.

История доступна и открыта. Камень, брошенный в спокойный, тихий пруд, мгновенно скрывается из глаз и уже тихо покоится на неглубоком дне, но по кругам, пошедшим по воде, можно *точно* указать место падения.

И в одном нельзя не согласиться с В. Суворовым: для того чтобы представить, как оно было *на самом деле,* вовсе не обязательно *все* видеть самому (да это и невозможно), вовсе не обязательно проникать в сердце засекреченных архивов...

Достаточно объективно оценить последствия произошедшего, представить, как *должно* было быть, чтобы последствия стали именно такими, и как быть *не могло*...

И тогда *можно* воссоздать дела давно минувших дней. По крупицам выбирая информацию из многотомных официальных изданий и свидетельств очевидцев, «читая между строк», можно взглянуть на то, что говорили эти люди, и на самих этих людей, защитивших Родину и вынужденных лишь намеками обозначать окопную свою *правду,* по-другому. И недоговоренность, и замалчивание лишь оттенят правдивую информацию, а незатихающие идеологические споры в очередной раз докажут, что события того раннего утра не канули в Лету, и говорить о них – *необходимо.*

Глава 1

КАТАСТРОФА

К началу войны командование вермахта сосредоточило у наших границ в одном стратегическом эшелоне восемь немецких армий и четыре танковые группы, две финские, две румынские армии и венгерский корпус.

В финском Заполярье, нацеленная на Мурманск и Кандалакшу, разворачивалась германская армейская группа «Норвегия». В ее составе немецких: пехотная дивизия – 1 и горнострелковых – 3, финских: пехотных дивизий – 2. Прикрытие – 5-й воздушный флот Люфтваффе.

Для действий вдоль северного берега Ладожского озера с перспективой угрозы Петрозаводску сосредотачивалась финская Карельская армия в составе одной немецкой пехотной дивизии и финских: шести пехотных дивизий, двух пехотных и одной кавалерийской бригад. Северо-западнее Выборга – финская Юго-Восточная армия в составе восьми финских пехотных дивизий. Воздушное обеспечение осуществлялось финскими ВВС.

В северной части Восточной Пруссии в полосе от Мемеля (Клайпеда) до Голдапа была развернута группа армий «Север», которой по плану «Барбаросса» предстояло пробиться через Прибалтику к Ленинграду. В ее составе 16-я и 18-я полевые армии, 4-я танковая группа, 1-й воздушный флот. Немецких дивизий: пехотных – 20, танковых – 3, моторизованных – 3, охранных – 3.

Для основного стратегического направления в восточной Польше и в районе Сувалкского выступа в полосе от Голдапа до польской Влодавы сосредотачивалась самая мощная группа армий «Центр» в составе 4-й и 9-й полевых армий, 2-й и 3-й танковых групп, 2-го воздушного флота. Немецких дивизий: пехотных – 31, танковых – 9, моторизованных – 6, кавалерийская – 1, охранных – 3, моторизованных бригад – 2. Задача – окружение и разгром в районе между Минском и Белостоком основных сил Западного Особого военного округа с последующим наступлением на Смоленск и далее на Москву.

И, наконец, в полосе от Влодавы до румынской Сулины были развернуты основные силы группы армий «Юг» в составе немецких 6-й, 11-й и 17-й полевых армий, 1-й танковой группы, румынских 3-й и 4-й армий и венгерского корпуса. Воздушное обеспечение возлагалось на 4-й воздушный флот Люфтваффе и румынские ВВС. Немецких дивизий: пехотных – 26, танковых – 5, горнострелковых – 2, легких пехотных – 4, моторизованных – 4, охранных – 3; румынских: пехотных дивизий – 13, бригад пехотных – 2, горнострелковых – 3, кавалерийских – 3, моторизованная – 1; венгерских бригад: пехотная – 1, кавалерийская – 1, моторизованных – 2. Задача ударной группировки (17-я армия,1-я танковая группа) – прорыв из района Хелма к Киеву, задача правого крыла (румынских сил, цементируемых 11-й полевой армией вермахта) – прикрыть румынскую территорию с последующим давлением на Каменец и Могилев, а при необходимости прорывом нашей обороны на Пруте и продвижением в общем направлении на Винницу поддержать наступление 1-й танковой группы.

Кроме того, в резерве главного командования сухопутных войск находилось немецких дивизий: пехотных – 21, танковых – 2, механизированная – 1.

Немецкому и румынскому флотам отводилась второстепенная роль. Предполагалось уничтожить ВМФ СССР, захватив его базы с суши.

Указанная группировка вторжения включала в себя основные силы Германии и союзников. В ее соединениях насчитывалось 5,5 млн. личного состава, более 3500 танков и штурмовых орудий (из них 2800 средних, остальные легкие), около 47–200 орудий и минометов (без 50-мм минометов), более 4900 боевых самолетов (из них более 3900 – немецкие (60% боевых самолетов германской авиации) и около 1000 румынских, финских, венгерских)[1].

Группировке врага противостояли части и соединения Красной Армии, объединенные в 5 военных округов (Первый стратегический эшелон).

Войска Ленинградского Особого военного округа: 14-я армия, развернутая на рубеже от Петсамо (Печенга) до Ухты; южнее – 7-я армия; и, наконец, прикрывающая Карельский перешеек и подступы к Ленинграду 23-я армия; 1-й и 10-й мехкорпуса. В их составе дивизий: стрелковых – 15, танковых – 4, моторизованных – 2, авиационных – 8; стрелковая бригада – 1.

Войска Прибалтийского Особого военного округа: 8-я армия с приданным 12-м мехкорпусом и 11-я армия с приданным 3-м мехкорпусом, прикрывающие границу с Восточной Пруссией и часть Балтийского побережья; 27-я армия, расквартированная в районе между Валгой и Островом, оставалась в резерве. В составе войск округа дивизий: стрелковых – 19, танковых – 4, моторизованных – 2, авиационных – 5; стрелковая бригада – 1.

Войска Западного Особого военного округа: 3-я и 10-я армии с приданными 11-м, 6-м и 13-м мехкорпусами, сосредоточенные в Белостокском выступе; 4-я армия с приданным 14-м мехкорпусом, прикрывающая Кобрин и Брест; и 13-я армия с 17-м и 20-м мехкорпусами, остающаяся в резерве в районе Минска. В составе войск округа дивизий: стрелковых – 24, танковых – 12, моторизованных – 6, кавалерийских – 2, авиационных – 6.

Войска Киевского Особого военного округа: 5-я, 6-я, 26-я, 12-я армии с приданными 22-м, 15-м, 4-м, 8-м, 16-м мехкорпусами и имеющимися в резерве расквартированными в районе Бердичев – Новоград-Волынский – Проскуров 9-м, 19-м и 24-м мехкорпусами, прикрывали участок границы от Влодавы до Липкан. В их составе дивизий: стрелковых – 32, танковых – 16, моторизованных – 8, кавалерийских – 2, авиационных – 10.

Одесский военный округ: 9-я армия; 2-й и 18-й мехкорпуса, прикрывающие Измаил и молдавскую границу. В их составе дивизий: стрелковых – 13, танковых – 4, моторизованных – 2, кавалерийских – 3, авиационных – 3.

Кроме того, по Днепру от Кременчуга до Орши и по Западной Двине от Витебска до Дриссы разворачивались армии Второго стратегического эшелона: 22-я, 20-я, 21-я, 16-я и 19-я.

Черноморский и Краснознаменный Балтийский флоты были настолько сильны, что, как представлялось, вполне могли выполнять самостоятельные тактические операции. Северный флот был в состоянии побороться с противником на ставшими вскоре столь важными морскими полярными коммуникациями.

Сведения о численности войск в приграничных округах советской историографией попросту замалчиваются. Если опираться на данные фундаментальных изданий, то более-менее определенно можно говорить лишь о количестве образцов новой техники. Так, современных танков на 22 июня было 1475 («КВ» – 508, «Т-34» – 967)[2]. Правда, указывается, что «в войсках имелось *значительное* количество танков старых типов («БТ-5», «БТ-7», «Т-26» и др.), которые намечалось с течением времени снять с вооружения. Но многие *и*(!) из этих танков были неисправными. В целом по вооруженным силам СССР на 15 июня 1941 г. из танков старых типов нуждалось в капитальном ремонте и восстановлении 29 процентов, в среднем ремонте – 44 процента. Учитывая *медленное* освоение промышленностью новых танков, военные округа намечали отремонтировать танки старых образцов. С этой целью они дали промышленности заявки на запасные части. Но промышленные наркоматы приняли только 31 процент поступивших заявок, фактически предоставив к 1 июня 1941 г. только 11 процентов потребного количества запасных частей»[3].

Эта длинная цитата заслуживает внимания. Родилась она в начале шестидесятых, когда «ранний» Хрущев, громя сталинизм, шел напролом и искренне верил, что *можно* сказать народу хотя бы малую часть правды, и это будет работать на социализм. Но даже он и даже тогда не счел нужным разъяснить, сколько это – «значительное количество». И все как-то скрылось за нагромождением процентов. И вскользь, исподволь давалось лишь понять, что из-за безнадежной неисправности и непригодности подавляющего большинства из них принимать в расчет эти устаревшие танки просто не следует. Да и сам Хрущев, не способный принять «оттепель», менялся на глазах. И в выпущенной в последние месяцы его правления двухтомной «Истории Киева» говорится уже о более чем 9 тыс. танках в армии вторжения[4]. В последующих изданиях уже ничего не разъясняется. В лучшем случае авторы ссылаются на ограниченный моторесурс[5].

Но дело в том, что на самом деле советских танков было не просто больше, и даже не просто значительно больше. Всего в 20 мехкорпусах приграничных округов насчитывалось к началу войны 10 150 танков[6] (из них половина – танки «БТ» различных модификаций)[7]. К вопросу об их боевых качествах мы еще вернемся.

Данные о численном составе нашей авиации еще более расплывчаты. Вновь указано число лишь самолетов новых марок («Як-1», «ЛаГГ-3», «Ил-2», «Пе-2» и др.) – 1540 и «значительное количество машин устаревших конструкций»[8]. Но «хрущевские» историографы, тяготеющие к выявлению соотношений, утверждают следующее: «Готовность ВВС к войне была недостаточной, хотя наши новые самолеты имели ряд преимуществ перед немецкими. Но этих самолетов было мало, примерно *22 процента* от общего числа наличных самолетов в авиации

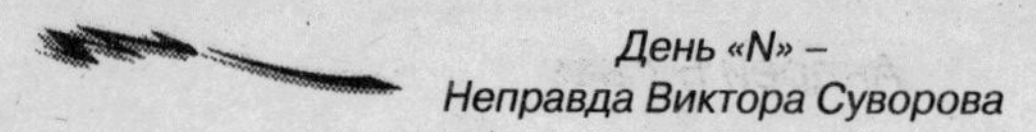

приграничных округов. Истребители преобладали, составляя около 64 процентов боевых машин»[9]. Произведя несложный подсчет, имеем ровно 7000 боевых самолетов в приграничных округах, из них 4480 истребителей. Указанные цифры явно не представляются завышенными.

Орудий и минометов было 34 695 (без 50-мм минометов)[10].

В пяти приграничных округах насчитывалось до 2,9 млн. человек личного состава[11].

Для наглядности сведем представленные выше данные в таблицу.

Соотношение сил и средств сторон на 22 июня 1941 г.

Войска и боевая техника	Армия вторжения			Армии прикрытия	Соотношение сил и средств
	Германия	Финляндия, Румыния, Венгрия	Всего	Войска ЛВО, ПОВО, ЗОВО, КОВО, ОВО	
Дивизии,	153	37	190	171	1,11 : 1
в т.ч. танковые	19	–	19	40	1 : 2,11
моторизованные	14	1,5	15,5	20	1 : 1,29
(механизированные)					
Личный состав, тыс. чел.	4600	900	5500	2900	1,90 : 1
Танки и САУ	3580	260	3840	10 150	1 : 2,64
Самолеты боевые	3900	980	4880	7000	1 : 1,43
Орудия и минометы (калибром свыше 50 мм)	42 000	5200	47 200	34 695	1,36 : 1

Согласитесь, несколько иначе воспринимаются следующие строки: «Сравнение боевого состава вооруженных сил Германии и ее восточноевропейских союзников, подготовленных для нападения на Советский Союз, и войск советских западных приграничных округов и флотов показывает, что агрессоры создали почти двойное общее численное превосходство в людях и значительное в артиллерии. Советские же войска имели *несколько* больше танков и самолетов»[12]. Всё они знали, эти люди, допущенные к секретным архивам, возможно, влюбленные в свое дело и наверняка мечтающие обнародовать столь о многом говорящие цифры. Обнародовать и сделать соответствующие выводы. Но, конечно, понимали, что этого не произойдет. И в полные надежд дни оттепели, и в безвременье застоя, не говоря уже о сталинской эпохе, выводы позволительно было делать лишь строго определенной группе людей. Не в этом ли корень всех наших трагических просчетов и поражений, нашей сегодняшней неустроенности?

Но вполне определенно можно сказать, что армии прикрытия, уступая противнику по количеству личного состава, *значительно* превосходили его в техническом оснащении. Да, собственно, и термин «армии прикрытия» к войскам пяти приграничных округов может быть применен с некоторой натяжкой. Глядя на соотношение самолетов и в особенности танков, напрашивается другое слово. Заслон, способный отразить любой удар любого противника, а впоследствии предпринять и наступательные действия.

Вот только почему-то большинство современников, настроенных враждебно, нейтрально и даже симпатизирующих СССР, предсказывали с началом военных действий скорый разгром Красной Армии. И поначалу, казалось, их пророчества недалеки от истины...

Приграничное сражение развивалось стремительно в крайне неблагоприятных для нас условиях. Уже на второй-третий день войны четко вырисовался замысел противника – изолировать и окружить в районе западнее Минска большую часть войск Западного фронта[13]. Эта задача возлагалась на группу армий «Центр».

Левый ее фланг своими действиями по захвату Прибалтики обеспечивала группа армий «Север». Правый – прогрызавшая себе дорогу к Ровно группа армий «Юг».

Результаты первых дней боев превзошли все ожидания. Немецкие танковые группы, ударная сила вермахта, воевали смело и решительно. Танковые командиры, вырвавшись на оперативный простор, не опасались отрываться от пехоты и обходить узлы сопротивления, что обеспечивало максимальный темп наступления. Это оказалось решающим.

Во многом успех противника обуславливался действиями его воздушных сил. Уже к полудню 22 июня советская авиация потеряла 1200 боевых машин, из них свыше 800 на аэродромах. Более половины всех потерь приходилось на Западный фронт – 528 самолетов на земле и 210 в воздухе. Авиация Юго-Западного фронта потеряла в первый день войны 277 машин[14]. Нельзя не отметить мужество советских летчиков, сумевших в воздушных боях сбить к концу дня до 200 самолетов противника[15]. И все же Люфтваффе удалось прочно и надолго завоевать *полное* господство в воздухе. Это позволило в последующем практически безнаказанно бомбить наземные части Красной Армии. Обработка с воздуха разворачивающихся советских танковых и общевойсковых соединений была столь интенсивной, что зачастую срывала не только их перегруппировку, но и сами контратакующие действия.

В Прибалтике события развивались следующим образом. 4-я танковая группа, с ходу преодолев сопротивление правого фланга 11-й армии Северо-Западного фронта[16], уже к концу первого дня войны продвинулась на 30–40 км в глубь советской территории и передовыми соединениями вышла на рубеж реки Дубисе в 35 км северо-западнее Каунаса. На следующий день продвигавшимися южнее соединениями 16-й полевой армии город был взят. От границы на север, тесня сохранившую боеспособность 8-ю армию, медленно наступала 18-я полевая немецкая армия. Ее 291-я пехотная дивизия, продвигаясь вдоль побережья, уже 22 июня вышла к Лиепае, но, встретив ожесточенное сопротивление, вынуждена была остановиться, блокировав город.

23 июня согласно директиве № 3 народного комиссара обороны[17] командование фронта предприняло контрудар, к которому сумело привлечь 12-й мехкорпус и одну дивизию 3-го мехкорпуса. Вообще следует отметить, что при столь глубоких прорывах танковых группировок противника в первый же день войны в бой были втянуты и некоторые дивизии расположенных во втором эшелоне мехкорпусов. Вывести их из боя для последующей перегруппировки и контрудара под непрерывными налетами вражеской авиации было невозможно. Тем не менее почти трое суток советские танкисты вели ожесточенные бои, сдерживая противника, и лишь потеря материальной части заставила их выйти из боя. 25 июня немцам удалось занять Тельшяй, 26-го – Шяуляй, 27-го пала Лиепая, и в тот же день 291-я пехотная дивизия вермахта ворвалась в Вентспилс. К 29 июня передовые части немцев были уже под Ригой. После разгрома 11-й советской армии и поражения 3-го мехкорпуса между флангами Северо-Западного и Западного фронтов образовался внушительный разрыв, закрыть который было нечем. 56-й моторизованный корпус 4-й танковой группы продвигался вперед, почти не встречая сопротивления, и уже 26 июня занял Даугавпилс и форсировал Северную Двину. Удалось захватить плацдарм на восточном берегу реки в районе Крустпилса и 41-му моторизованному корпусу, наступавшему северо-западнее. Здесь немцы были на короткое время остановлены подошедшими соединениями 27-й армии и контратаками подтягивающегося 21-го мехкорпуса. Не потеряла окончательно боеспособности и отошедшая к Риге 8-я армия. И все же прочную оборону организовать не удалось. Уже в начале июля столица Латвии пала, и немцы продолжили успешное наступление в Эстонии и на Псковско-Островском направлении.

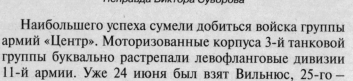

Наибольшего успеха сумели добиться войска группы армий «Центр». Моторизованные корпуса 3-й танковой группы буквально растрепали левофланговые дивизии 11-й армии. Уже 24 июня был взят Вильнюс, 25-го – Молодечно, 26-го передовые части 39-го моторизованного корпуса ворвались на окраину Минска. Здесь они встретили сопротивление выдвинувшихся соединений 13-й армии, до 28 июня успешно отражавшей танковые атаки.

Понимал ли генерал Павлов, что уже на второй день войны основные силы вверенного ему Западного фронта оказались по существу в полуокружении? Если и понимал, мог ли предпринять что-либо иное, чем контрудар против сувалкской группировки немцев? Вряд ли.

Доложил о создавшемся положении в Ставку[18] Б.М. Шапошников[19] и попросил разрешения на отвод войск из Белостокского выступа на линию старых укрепленных районов. Такое разрешение было получено, но к этому времени пути отхода были практически перехвачены немцами в районе Минска. Для намеченного же директивой № 3 контрудара предполагалось привлечь 6-й механизированный и 6-й кавалерийский корпуса 10-й армии и 11-й мехкорпус 3-й армии. Однако части 6-го кавкорпуса при выдвижении к рубежу развертывания подверглись массированным ударам с воздуха и понесли катастрофические потери. С 3-й армией, втянувшейся уже в бои на широком фронте, связь установить не удалось. Таким образом, в распоряжении заместителя командующего фронтом генерала И.В. Болдина, на которого было возложено общее руководство наступательными действиями, оказался лишь 6-й мехкорпус. И здесь советские танкисты, выдвинувшись под непрерывными бомбежками из района Белостока, сумели нанести южнее оставленного 23 июня Гродно сильный удар. И здесь очень скоро уничтожены были почти все наши танки, и соединения 3-й армии вынуждены были отступить на юго-восток и восток в сторону Налибокской пущи, на

Новогрудок. Отступить в обозначившийся к тому времени огромный котел.

Не лучше обстановка складывалась и на левом крыле Западного фронта. Рассеченная ударом 2-й танковой группы 4-я армия отходила вдоль Припяти на Пинск и Слуцк. Оказавшийся в глубоком тылу героический гарнизон Брестской цитадели отбил взятые с налета форты и готовился к смертельной схватке. Контрудар 14-го мехкорпуса даже не задержал продвижение противника. Уже к вечеру 22 июня немцы ворвались в Кобрин. 23 июня пала Береза, 26-го – Слуцк, 27-го – Барановичи и, наконец, 28 июня отклонившийся юго-восточнее 24-й моторизованный корпус 2-й танковой группы занял Бобруйск. В тот же день немцы овладели столицей Белоруссии, а на следующий день восточнее Минска замкнули кольцо окружения вокруг большинства дивизий 10-й и 3-й армий и части сил 13-й армии. Разрозненное сопротивление советских частей в районе Новогрудка продолжалось до 8 июля.

Совершенно по-иному развивались события в полосе Юго-Западного фронта[20]. И здесь моторизованным корпусам 1-й танковой группы удалось прорваться на стыке 5-й и 6-й советских армий. 23 июня был взят Новоград-Волынский, 25-го Дубно и Луцк. Но командованию фронта и представителю высшего командования Г. К. Жукову удалось стянуть для контрудара полностью или частично шесть мехкорпусов фронта (4-й, 8-й, 9-й, 15-й, 19-й и 22-й). В район боев подошли также три стрелковых корпуса (31-й, 36-й и 37-й). Удар по левому флангу 1-й танковой группы со стороны Луцка наносили 9-й и 19-й мехкорпуса, по правому – из района Броды на Берестечко 15-й, 8-й механизированные корпуса и танковая дивизия 4-го мехкорпуса.

8-му, 9-му и 19-му мехкорпусам для выхода на рубежи развертывания пришлось преодолеть под воздействием немецкой авиации от 200 до 400 км, что предопределило известную несогласованность и разновременность уда-

ров. Тем не менее с 23 по 30 июня в районе Луцк – Радехов – Броды – Ровно развернулись ожесточенные танковые бои. И шли они с переменным успехом. Так, подвижная группа 8-го мехкорпуса сумела даже выбить противника из Дубно. В этих боях советские мехкорпуса понесли тяжелые потери, но и немцы оставили немало разбитых и сожженных машин. Лишь 28 июня соединениям 3-го моторизованного корпуса удалось ворваться в Ровно[21]. В тот же день 6-я полевая армия вермахта овладела Ковелем, однако дальнейшее ее продвижение было остановлено соединениями 5-й советской армии[22]. Успешно действовали и стрелковые соединения Юго-Западного фронта. В районе Равы-Русской части 41-й стрелковой дивизии контратаковали противника и 23 июня, отбросив фашистов за государственную границу, продвинулись до 3 км в глубину польской территории. Под Перемышлем немцы встретили особо упорное сопротивление. Город был взят с ходу частями 17-й полевой армии, но к вечеру отбит и удерживался частями 99-й стрелковой дивизии до 27 июня[23]. В результате лишь к 29 июня немцы смогли выйти на ближние подступы к Львову. Все же в результате тяжелых оборонительных боев соединения фронта понесли тяжелейшие потери и оказались обескровлены. Мехкорпуса потеряли большую часть танков, а вместе с ними и способность к активным действиям. Ударную же силу группы армий «Юг» 1-ю танковую группу разгромить, конечно же, не удалось.

Можно по-разному относиться к итогам первой недели боев. Я знаю людей, которые искренне считали и считают, что уже тогда исход борьбы был предрешен. Знаю и других, чье мнение диаметрально противоположно: Советский Союз спасли от краха союзники, оттянувшие на себя часть сил вермахта. Сколько людей, столько и мнений.

И тогда, в начале июля, растерянные военные, державшие откатывающийся от границы фронт, и растерянные граждане огромной страны в глубоком тылу всё ждали, что же скажет о нагрянувшей войне Сталин. А он... молчал. Впервые за долгие годы вождь был поставлен в ситуацию, когда *невозможно* было обнародовать дежурную *полуправду*. И он все еще ждал чего-то и молчал. И молчание это красноречивее всех слов подтверждало масштабы произошедшей катастрофы.

Дело даже не в том, что за семь дней боев были потеряны Литва, большая часть Белоруссии, Латвии и немалая часть Западной Украины – мобилизационные ресурсы оставались еще огромными. Просто как-то уж очень легко немцам все удавалось, и грозные, казалось, мехкорпуса выходили из боя командами безмашинных экипажей, и авиационный парк таял на глазах, и армейские склады в лучшем случае были взорваны, а в худшем достались противнику нетронутыми, и поговаривали уже о сотнях тысяч пленных... А главное, очевидным казалось, что немцы перегруппируются, покончат с агонизирующими дивизиями Западного фронта и пойдут дальше. И кто их встретит? Кто прикроет мобилизацию и развертывание вновь прибывающих войск? И где гарантия, что этим новым частям и соединениям удастся больше, чем армии прикрытия?

И он молчал...

Как такое могло произойти? Почему годами укрепляемые Вооруженные силы, оснащенные, казалось, всем необходимым, оказались неспособными дать отпор агрессору в первые месяцы войны? Отчего кадровая армия, ради которой приходилось жертвовать столь многим, была «разметана в несколько недель»?[24]

Товарищ Сталин не любил подобных вопросов, да никому и не приходило в голову их задавать, во всяком случае, вслух.

Помню школьный учебник истории первых послевоенных лет, найденный в детстве среди старых нот. Растерзанный, растрепанный по странице. Помню раздел о причинах победы. На первом месте, разумеется, то, что руководил всем и вся он. Генералиссимус. Уже потом дежурные слова о партии и преимуществах социализма. Неужели не думалось никому, что если это – причины нашей победы, то ими же следует объяснить и разгром армий прикрытия?

Последователи его не могли, конечно, сказать о начале войны словами Солженицына: «...правительство, излюбленное Родиной, сделало все, что могло, для проигрыша войны: уничтожило линии укреплений, подставило авиацию под разгром, разобрало танки и артиллерию, лишило толковых генералов и запретило армиям сопротивляться»[25].

При Хрущеве[26] как-то вяло валили все на Сталина, будто тот был сам по себе, а не главный и единственный *хозяин* партии и государства. И по вполне понятным причинам на Жукова, который якобы «плохо разобрался в создавшейся военно-стратегической обстановке и не сумел сделать из нее правильных выводов о необходимости осуществления неотложных мер по приведению Вооруженных сил в боевую готовность»[27]. Вот еще одна любопытная фраза: «Все эти недостатки не смогли бы решающим образом *повлиять* на состояние обороны, если бы войска своевременно развернулись и подготовились к отражению немецко-фашистского нападения. Но советские войска так и не получили приказа о заблаговременном развертывании своих сил и занятии оборонительных рубежей вдоль западных границ СССР»[28]. Но почему же не получили своевременно войска столь важного приказа? Как же это всевидящий и непогрешимый друг всего прогрессивного на земле, культ личности которого якобы всего лишь «повлек за собой нарушения социалистической законности»[29], прозевал сосредоточение у границ *своего* государства ударной группировки кровавого маньяка? И где же были остальные, олицетворявшие собой ум, честь и совесть нашей эпохи? Ответа нет.

Впрочем, и при Брежневе, и позднее ответы на подобные вопросы как-то не находились, и тема оставалась открытой.

И вокруг всех этих мелочных недоговоренностей и въевшейся в мозг привычке ко лжи вдруг начали появляться новые «теории». Якобы агрессором-то являлся Советский Союз, а Гитлер – едва ли не решившаяся на безнадежную защиту жертва, якобы война вовсе и не была *Отечественной*. Эти воззрения вовсе не снимают *все* вопросы, просто переводят их в иную плоскость. Можно *попытаться* принять на веру «объяснения» полного разгрома нашей армии и отступления ее до Москвы и Сталинграда[30]. Непонятно только, почему, имея на границе столь заметное преимущество в танках и самолетах, мы были опрокинуты. А под Москвой, когда Сталин, говорят, не то что танки – противотанковые ружья распределял по армиям *лично и поштучно*, выстояли, заложив первый кирпич в фундамент грядущего перелома?

Я не знаком с В. Суворовым и могу судить об этом человеке лишь по изданным им книгам. Меня, конечно, настораживают некоторые детали его биографии, да и плохо скрытая, рвущаяся наружу симпатия к Сталину, к «сильному» человеку, стоящему над толпой и манипулирующему «слабыми» людьми, будто фишками на расчерченном поле, явное презрение к самой идеи демократии не могут мне импонировать, но главное не в этом.

В нашей истории, и древнейшей, когда князья ради власти резали друг друга рука об руку то с половцами, то с татарами, и новой, когда кучка людей, возомнивших себя земными богами, обрекла страну и народ на страшные лишения и потери, случалось немало мерзостей. Но были и светлые страницы. И одна из таких – Великая Победа. В Великой *Отечественной* войне. И ставить это под сомнение, на мой взгляд, все равно что плюнуть в лицо собственному народу.

Эмоциями мало что докажешь, да это и ни к чему. А вот поговорить о «доказательствах», которые приводит в своих работах В. Суворов, можно, даже необходимо. Поговорить беспристрастно и по возможности объективно.

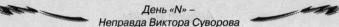

Надо отдать ему должное, Сталину. Он быстро сумел оправиться, и когда дело пошло о его собственной судьбе, куда только девались показные неторопливость и благодушие. Но не он вытянул войну, и даже не его чудовищный организационно-репрессивный аппарат.

Народ, осознавший, что речь идет не о территориальных потерях и даже не о национальном унижении, а о самом *праве на существование*, словно бы встряхнулся, будто и не было четвертьвекового кошмара, и, отбросив *все*, как казалось, до поры, сумел постоять за Отечество. И армия, которой довелось взять Вену и Берлин, была *не той* армией, что встретила фашистов у границы. Той вермахт был не под силу.

И я убежден, самую страшную войну в истории человечества нам удалось выиграть во многом потому, что была она войной *Отечественной*. Не только по названию, но и по сути.

Примечания

[1] Данные советской историографии о численности армии вторжения в различных фундаментальных изданиях, посвященных проблемам Второй мировой войны, противоречивы. Особенно это касается танковых войск вермахта. Так, если в 6-томной «Истории Великой Отечественной войны Советского Союза», изданной в бытность Генеральным секретарем Н.С. Хрущева, говорится о 3500 танках противника, в однотомном издании «Великая Отечественная война Советского Союза» (1970) – о 2800 средних танках («не считая легких»), то в капитальном 12-томном издании «История Второй мировой войны», вышедшем при Л.И. Брежневе в 1975 году, речь идет уже о 4300 танках. Эта же цифра («около 4300 танков») приведена и в энциклопедическом издании «Великая Отечественная война 1941–1945»). Летом 41-го вермахт имел в своем составе около 3580 средних и легких танков.

[2] История Великой Отечественной войны Советского Союза 1941–1945. Т. 1, с. 475.

[3] Там же.

[4] История Киева. Т. 2. Киев, с. 397.

[5] Великая Отечественная война Советского Союза 1941–1945, с. 54.

[6] Вот что пишет Н.Г. Кузнецов, в то время народный комиссар Военно-морского флота СССР, о переговорах военных миссий Великобритании, Франции и СССР, происходивших в середине августа 1939 года в Моск-

ве: «Начальник Генерального штаба Красной Армии Маршал Советского Союза Б.М. Шапошников сообщил, какими силами на случай агрессии в Европе располагает Советский Союз: 120 пехотных и 16 кавалерийских дивизий, 9–10 тысяч танков, более пяти тысяч орудий только крупного калибра, 5,5 тысячи самолетов» (Н.Г. Кузнецов. Накануне, с. 247). Думается, за два года количество боевой техники, по крайней мере, не уменьшилось.

[7] Шмелев И.П. Танки «БТ», с. 21.

[8] Великая Отечественная война Советского Союза 1941–1945, с. 54.

[9] История Великой Отечественной войны Советского Союза 1941–1945. Т. 1, с. 476.

[10] Великая Отечественная война Советского Союза 1941–1945, с. 54.

[11] Там же.

[12] История Второй мировой войны 1939–1945. Т. 4, с. 27.

[13] Образован 22 июня на базе Западного Особого военного округа в составе 3-й, 4-й, 10-й и 13-й армий. Командующий – генерал армии Д.Г. Павлов.

[14] История Великой Отечественной войны Советского Союза 1941–1945. Т. 2, с. 16.

[15] История Второй мировой войны 1939–1945. Т. 4, с. 35.

[16] Образован 22 июня на базе управления и войск Прибалтийского Особого военного округа в составе 8-й, 11-й и 27-й армий. Командующий – генерал-полковник Ф.И. Кузнецов.

[17] Маршал Советского Союза С.К. Тимошенко.

[18] Ставка Главного командования образована постановлением СНК СССР и ЦК ВКП(б) от 23 июня 1941 года под председательством С.К. Тимошенко. С 10 июля – Ставка Верховного командования (возглавил И.В. Сталин).

[19] Назначен вместе с Г.И. Куликом представителем высшего командования на Западном фронте 22 июня.

[20] Создан 22 июня в результате преобразования Киевского Особого военного округа в составе 5-й, 6-й, 12-й и 26-й армий. Командующий – генерал-полковник М.П. Кирпонос.

[21] 28–29 июня уже после отъезда Г.К. Жукова в Москву 1-й танковой группе удалось достичь оперативного прорыва фронта на стыке 5-й и 6-й советских армий.

[22] Следует отметить умелые действия 5-й армии, нависавшей над левым крылом группы армий «Юг» и тревожившей немцев почти что до самого окружения и разгрома Юго-Западного фронта.

[23] Перемышль и Рава-Русская были оставлены лишь по приказу Ставки в связи с отходом соседей и угрозой окружения обороняющих указанные города войск.

[24] Солженицын А. Малое собрание сочинений. Т. 5. Архипелаг ГУЛАГ. I–II, с. 169.

[25] Там же, с. 171.

[26] Сам Никита Сергеевич, уже отрешенный от власти, в «Воспоминаниях» высказывался куда точнее и категоричнее.

[27] История Великой Отечественной войны Советского Союза 1941–1945. Т. 2, с. 10. Имя Г.К. Жукова в указанном шеститомном капитальном издании упоминается всего 15 раз. Отношение Никиты Сергеевича к полководцу уже успело измениться.

[28] История Великой Отечественной войны Советского Союза 1941–1945. Т. 1, с. 480.

[29] Великая Отечественная война 1941–1945. Энциклопедия, с. 681.

[30] В. Суворов, положивший в основу своих книг идею о *подавляющем* преимуществе Красной Армии над вермахтом, в «Последней республике» вскользь, мимоходом объясняет причины неудач первых дней боев скученностью у границы и вследствие этого неспособностью к оборонительным действиям наших якобы готовящихся нанести 6 июля удар по Германии войск, а также профилактическими мероприятиями, связанными с подготовкой и соответственно разборкой и подтяжкой техники. К этому вопросу мы еще вернемся.

Глава 2

МИРОВАЯ РЕВОЛЮЦИЯ

Нравится нам или нет, но начало войны, как и многое другое, неразрывно связано с именем Сталина. Так уж сложилось, что к этому времени сосредоточил Иосиф Виссарионович в своих руках абсолютную власть. Так уж вышло, что все хоть сколько-нибудь важные решения принимал теперь практически в одиночку.

И вот какое стратегическое решение принял он накануне войны и, главное, почему, попробуем разобраться. А еще попробуем понять, что это был за человек. Чем был движим, к чему стремился, на что надеялся.

Вот некоторые высказывания о нем.

«Вы можете меня называть любыми словами, но я восхищен и очарован Сталиным. Это был зверь, кровавое дикое чудовище.

А еще – гений *всех времен и народов*»[1].

«В своих мягких кавказских сапогах Сталин умело отошел в тень истории, чтобы сейчас вновь замаячил на горизонте грозный образ. И павшая величайшая империя XX века все чаще вспоминает о своем создателе, и в облаке новых мифов возвращается в страну он – *Хозяин, Отец и Учитель*»[2].

И даже Черчилль, выступая в палате общин в день 80-летия Сталина (в 1959 году), сказал: «Большим счастьем было для России, что в годы тяжелейших испытаний страну возглавил *гений и непоколебимый полководец* Сталин».

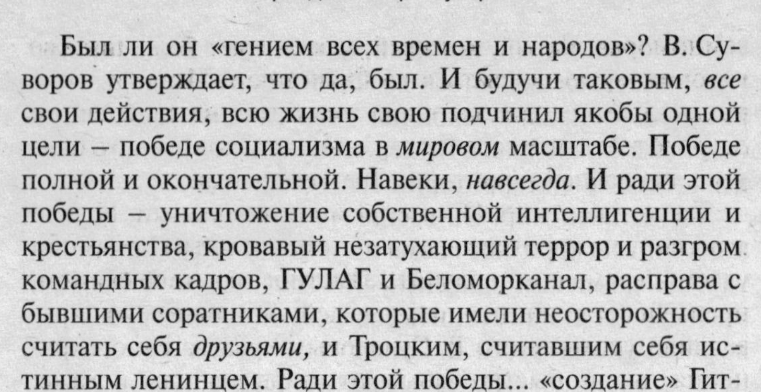

Был ли он «гением всех времен и народов»? В. Суворов утверждает, что да, был. И будучи таковым, *все* свои действия, всю жизнь свою подчинил якобы одной цели – победе социализма в *мировом* масштабе. Победе полной и окончательной. Навеки, *навсегда*. И ради этой победы – уничтожение собственной интеллигенции и крестьянства, кровавый незатухающий террор и разгром командных кадров, ГУЛАГ и Беломорканал, расправа с бывшими соратниками, которые имели неосторожность считать себя *друзьями,* и Троцким, считавшим себя истинным ленинцем. Ради этой победы... «создание» Гитлера.

Не будем пока оценивать возможностей «раннего» Сталина, *одного* из лидеров разбитой, лишь поднимающейся из руин, зажатой во враждебном окружении огромной страны, сколь-либо серьезно влиять на судьбы относительно благополучной Европы.

Проанализируем то, что пишет В. Суворов в «Ледоколе» и «Последней республике». И начнем с *мировой революции*. Кстати, зачем она, именно мировая? Как и всегда, в пространном рассуждении, приводить которое полностью попросту невозможно, В. Суворов поясняет: Советский Союз не мог существовать рядом с «нормальными» странами, любое сравнение было не в пользу коммунистического режима. Он должен был либо завоевать *всех* соседей, *всю* Европу, либо пасть. Он не мог остановиться на каких-то рубежах, а вынужден был якобы непрерывно расширяться[3]. А дальше следует решающий вывод. Вторая мировая война, как и все предыдущие войны новейшей истории, инспирирована Сталиным. Гитлер создан им, чтобы в качестве локомотива, «ледокола» проложить путь для захвата СССР Западной Европы. Не больше и не меньше.

Идея мирового господства, мягко говоря, не нова. Но то, что *никому и никогда* не удавалось ее осуществить, кое о чем говорит. Александр – отступил. Рим – даже и не пытался выйти за границы «цивилизованного» Средиземноморья. Батый, который, как считает большинство историков, *мог* ворваться во Францию и Италию, – не рискнул. Бонапарт закончил свои дни на крошечном острове в Атлантике, а Гитлер – на полу подземного бункера, последней территории Третьего рейха.

Так устроен мир. Он всегда многополюсный. И если агрессору на короткое время по тем или иным причинам удается временами получить заметное, военное скажем, преимущество и потеснить соседей, остальные, из справедливо упомянутого В. Суворовым чувства самосохранения, очень быстро забывают старые обиды и даже, если хотите, идеологические разногласия и организуют единый фронт борьбы. Но, на мой взгляд, даже не это главное. Диктатура и агрессия возникают на почве серьезного кризиса и неустроенности. И вначале диктатор и сподвижники его не имеют ничего, кроме неустойчивой власти в нищей стране. Но грядет победоносная захватническая война, и все меняется. Вновь становятся популярными средневековые титулы, и власть – вот она, в руках, глядит, будто из тысяч зеркал, с портретов и с заходящихся в экстазе уличных шествий. И гвардия – уже не нищие разбойники с большой дороги, а невзначай обзаведшийся ресторанчиками и пивными средний класс. И куда только девалась былая непобедимая ярость больших батальонов. А враги, напуганные участью ближайших соседей, подготовились к борьбе не на жизнь, а на смерть. И стоит ли ввязываться в новую драку, и так уже имея *все*? Сколько фанатиков приходится на тысячу нормальных людей? Один или даже меньше? Мне могут возразить, что рейх и Япония военных лет – не тот случай. Да тот. Просто не успели они дойти до стадии разложения. Им *не дали* успеть.

То, что Маркс и Энгельс считали возможной победу социалистической революции лишь *одновременно* в большинстве капиталистических стран, вполне объяснимо. Ведь революция могла произойти лишь в *наиболее отсталых*, наиболее слабых звеньях цепи, и чтобы

отбиться от вероятной реставрации капитализма извне, этих нестабильных звеньев должно было быть побольше. Но патриархам довелось коснуться вопроса лишь *теоретически*. Ленину же злой волей судьбы, невероятным стечением обстоятельств вошедшему во власть, пришлось столкнуться с пресловутым капиталистическим окружением лицом к лицу. И отношения с ним строить куда более прагматичные.

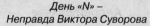

Первая ласточка – Брестский мир. Если следовать логике *настоящих* марксистов (и бывшего сотрудника Женевской резидентуры ГРУ В.Б. Резуна[4]), то Советская власть в российских городах – ничто в сравнении с перспективой *мировой революции*. И прав был товарищ Троцкий, провоцирующий немцев на вторжение и неизбежное, по его мнению, выступление германского пролетариата. Нимало не заботящийся о судьбе большевистского СНК. И немцы почти без сопротивления, в вагонах пассажирских поездов от Риги, Минска и Бессарабии в считаные дни докатились до Пскова, Белгорода, Ростова.

Но Ленин вовсе не стремился раздуть мировой пожар, а напротив, поспешил подписать «грабительский, похабный» мир, отдавший врагу территории общей площадью до миллиона квадратных километров с населением свыше 50 миллионов человек. И лишь по одной причине, которую *никто и никогда и не думал скрывать*. «Брестский мир был тяжелым бременем для Советской Республики. Но он не затронул *коренных завоеваний Октябрьской революции*... Страна... получила мирную передышку, необходимую для восстановления экономики, создания Красной Армии, упрочения *Советского государства*»[5]. Коренные завоевания революции – это свалившаяся в руки Ленина власть, и ничего больше. И власть эту «вождь мирового пролетариата» ценил куда дороже гипотетической мировой революции, и выпускать ее из рук не собирался. А ведь Германия уже тогда, в феврале 1918 года, стояла на грани военного краха. В самом деле.

Если, выведя из войны Россию и используя для своих нужд ресурсы оккупированных территорий, уже через три с половиной месяца после Брест-Литовска Германия вынуждена была признать свое поражение, что стало бы с ней, продолжи русская армия борьбу? «...задача России была проста: удержаться, устоять против такого же усталого и израненного противника. Ни для кого не было секретом, что предстоящее вступление в войну Соединенных Штатов *быстро* качнет весы победы в сторону Антанты»[6].

Мне могут возразить, в начале 1918 года большевики еще не укрепились, у них не было армии, время выхода на международную арену еще не пришло. Не будем спорить, поговорим о советско-польской войне, о новой предоставившейся возможности ворваться в Европу. В. Суворов называет события лета 1920 года «первой попыткой» и утверждает, что стратегической целью было «через труп белой Польши» прорваться в Европу. Вот что он пишет:

«...мало кто понимает, что они были близки к победе. Для победы требовалась вовсе не классическая оккупация – достаточно было поджечь. А поджечь – дело нехитрое. Истерзанная Первой мировой войной, разоренная, до крайнего предела истощенная, ослабленная Европа полыхнула бы»[7].

И еще:

«В случае падения Варшавы для Красной Армии дорога в Европу была бы открыта. В 1920 году, кроме Польши, сопротивляться в Европе было некому.

Пилсудский считал, что «эта война чуть не перевернула судьбу всего цивилизованного мира».

Пилсудский разгромил коммунистические армии под Варшавой... Если бы на месте Тухачевского оказался другой командир, который хоть немного разбирался бы в вопросах стратегии, то Красная Армия прорвалась бы в Германию. А в Германии политическая и экономическая ситуация была на грани анархии.

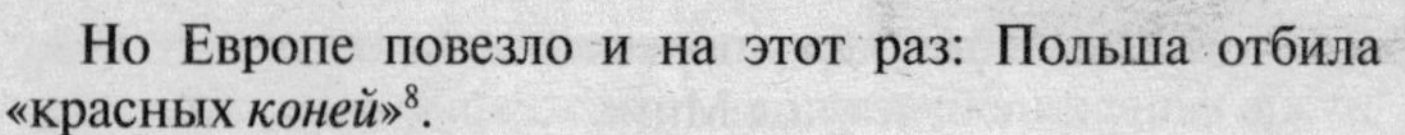

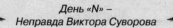

Но Европе повезло и на этот раз: Польша отбила «красных *коней*»[8].

И может показаться, что все это вполне серьезно, если бы не одно «но».

Почему же после серьезной, но отнюдь не решающей неудачи не подтянули силы, не возобновили наступление, не ворвались в Варшаву, не вышли к германским границам и «не подбросили сухих поленьев в тлеющие, ждущие угли костра немецкой социалистической революции»? Просто Ленин увидел воочию, что пролетариат соседних стран *вовсе не ждет* прихода Красной Армии, вовсе не стремится сбросить буржуазию, и любое вторжение на чужую территорию рассматривается ее населением не как освобождение от «ига капитала», но именно как «классическая» оккупация. И как-то вдруг отступающий к своим границам, почти бегущий, почти деморализованный враг, будучи прижатым к Висле, меняется на глазах. Откуда что берется? Самоотверженность и героизм солдат, простых крестьян, и национальный подъем, и готовность и решимость защитить *их Отечество* от *наших «освободителей»*, и толковые, неожиданно решительные действия бывшего австро-венгерского офицера[9], и даже элементы партизанской войны.

В таких условиях добиться решающего успеха можно либо с налета, либо обладая подавляющим преимуществом в технике и вооружении, чего, конечно же, в двадцатом году не было. Не мог не понять Ленин с его своеобразным, но мощным и гибким интеллектом, что продолжение войны с Польшей потребует напряжения всех сил, а это чревато самыми негативными последствиями и... просто рискованно. В тылу – разруха, уснувшие заводы и заброшенные шахты. В тылу уставшее от продразверстки, озлобленное крестьянство, разочарованный пролетариат, готовящийся к чему-то Кронштадт. В тылу Врангель.

Ленин и наиболее дальновидные его соратники осознали, что у Красной Армии под Варшавой в августе нет шансов, как не было их у польских легионеров под Киевом в июне и не будет под Минском в октябре.

Иное дело Врангель.

Когда белые вырвались с перешейков в Северную Таврию, для Ленина даже на секунду не встал вопрос, кого из *сопоставимых по силам* противников добивать. На западе за воодушевленными нежданным почти успехом[10] конными польскими дивизиями – Белосток, Варшава, германская граница и перспектива мировой революции. На юге – Врангель с «Вооруженными силами юга России», последними формированиями, угрожающими самому существованию власти большевиков. И вновь *власть* перевешивает, и переброшенная с польского фронта Первая Конная, ворвавшись в Крым, довершает Гражданскую войну в европейской части России. А Польша получает Западную Украину, Западную Белоруссию и солидную контрибуцию в 30 миллионов рублей золотом. Мировая же революция опять откладывается. На потом, на потом...

Но мы же не о Польше, а о Германии, которая якобы готова была вспыхнуть от первой спички, и о Европе, где, кроме Польши, якобы некому было сопротивляться.

Не дошли «красные кони» до Кенигсберга[11] и Берлина, и не дано нам знать, что бы с ними стало, если бы дошли. Но история всегда предоставляет достаточное количество аналогов для размышления.

В конце 1918 года начавшая набирать силу Красная Армия вошла в Латвию. 18 декабря советской стала Валка, 22-го – Валмиера, 23-го – Цесис. 3 января была взята Рига[12]. Однако никакой вспышки «революционного подъема» среди населения не наблюдалось. Напротив, все разношерстные, враждующие друг с другом антибольшевистские силы сумели на время забыть о распрях, и уже 22 мая 1919 года *немецкая* дивизия Р. фон дер Гольца совместно с местным ландсвером заняли столицу Латвии. В начале января 1920 года советская власть в этом прибалтийском государстве пала.

Можно по-разному относиться к действиям «железной» дивизии в Прибалтике. Можно воспринимать это как оказание помощи в борьбе с большевиками или же как политику аннексии Курляндии. Но факт остается фактом – именно *немецкие добровольческие* части составили то ядро, вокруг которого объединились поначалу антисоветские группировки.

И если уже тогда, зимой 1919 года, через два-три месяца после Компьенского перемирия[13], после катастрофического поражения и тяжелейшего хронического кризиса в экономике, после недолгих берлинских беспорядков, так и не обернувшихся гражданской войной, навстречу приблизившейся Красной Армии Германия выслала не революционных солдат и матросов, вестников *мировой революции*, а железные полки, эту армию отбросившие, то почему то же самое не могло повториться и летом 1920 года? Я убежден, организуй Тухачевский, при благоприятном развитии событий, наступление на Берлин, как «классический оккупант» или же как «поджигатель немецкой революции», но с оружием в руках, немецкий народ воспринял бы это именно как «классическую оккупацию» и ответил бы адекватно. И пришлось бы молодой Красной Армии воевать на несколько фронтов, что, конечно же, было ей не под силу.

И самое главное. Совершенно непонятно, почему В. Суворов, признавая способность польской армии и польского народа оказать сопротивление агрессору и защитить национальные интересы, отказывает в этом народам и государствам Западной Европы, поднимающейся из краха Германии и победившей Франции[14].

Из всего сказанного можно сделать следующие выводы.

Первое. Принести революцию на штыках возможно, лишь преодолев сопротивление широких народных масс, справедливо рассматривающих войска «армии-освободительницы» как интервентов. Найти внутри революционизируемой страны ту или иную социальную группу – союзника в условиях национального подъема чрезвычайно затруднительно. Более того. Если даже государство-сосед по тем или иным причинам разваливается, и условия для *социалистической* революции и неизбежной гражданской войны созрели, ввод войск для «оказания интернациональной помощи» вовсе не обязательно поможет победить *угнетаемым* классам, а очень даже запросто способен резко сократить социальную базу революции и в конечном счете привести к ее поражению. Войска «дружественного социалистического государства» вышвыриваются при этом обратно, а о новой революции приходится забыть надолго.

Большевики все это апробировали, и Ленин не мог этого не понять. Продолжать в условиях разрухи и всеобщего, мягко говоря, недовольства попытки вооруженного вторжения в соседние оформившиеся государства равносильно добровольному отречению от власти[15]. Равносильно политическому самоубийству.

Но понял он и другое. В равной степени и по тем же причинам невозможно принести на штыках и *контрреволюцию*. Новой интервенции Антанты не будет. Оградив Советскую Россию «санитарным кордоном», благополучная Европа оставила ее в покое. Можно наконец-то заняться тем, ради чего все и затевалось, переустройством гигантской страны.

Ленин грезил мировой революцией в 1918 году, когда был уверен, что без победы ее хотя бы в Германии, без красного Берлина и поддержки железных германских дивизий его режим не удержится. После Крыма, после окончания Гражданской войны в европейской части России, когда стало ясно, что большевики победили и устояли, мысли о походе на Берлин ушли куда-то на второй план. Возможно, до поры, но ушли.

И второе. Главное. Когда Ленину приходилось выбирать между властью и чем бы то ни было еще, Ленин *всегда* выбирал власть. Любые действия, которые содержали в себе хоть крохотную угрозу потери власти, мнимую или реальную, отвергались Лениным с ходу. И в этом он не боялся ошибиться.

Отдал обессиленному врагу свыше миллиона квадратных километров территории, разом переведя собственную страну в разряд второстепенных держав. Ради власти.

Физически уничтожил немалую, наиболее активную и трудоспособную часть собственного народа. Вышвырнул цвет интеллигенции за пределы страны. Ради власти.

Довел богатые хлебные территории до голода и *людоедства*. Уничтожил крепкое зажиточное крестьянство «как класс». Ради власти.

Создал бюрократическую, ничем не ограниченную диктатуру, которая не могла не кончиться *Сталиным*. Ради власти.

Это потом уже – ради великого эксперимента, а прежде всего – *ради власти*.

И никогда властью этой, столь легко и нежданно свалившейся им в руки, Ленин и его соратники рисковать не стали бы. Никогда и ни при каких обстоятельствах.

Им мировая революция нужна была ради сохранения *их власти*, а не власть ради инициирования мировой революции.

Мне все же возразят, так это же все – Ленин.

А Сталин? Сталин – *тем более*.

Примечания

[1] Суворов В. Последняя республика, с. 197.

[2] Радзинский Э. Сталин, с. 11.

[3] Суворов В. Последняя республика, с. 44, 46, 47.

[4] Виктор Суворов – литературный псевдоним писателя. Настоящее имя – Владимир Богданович Резун.

[5] Гражданская война и военная интервенция в СССР. Энциклопедия, с. 74.

[6] Волкогонов Д. Ленин. Кн.1, с. 340.

[7] Суворов В. Последняя республика, с. 51, 52.

[8] Там же, с. 53, 54.

[9] Юзеф Пилсудский во время Первой мировой войны командовал 1-й бригадой Польских легионов в австро-венгерской армии.

[10] В Польше удавшийся контрудар под Варшавой называли «чудом на Висле».

[11] В ходе закончившейся поражением Варшавской операции 3-й кавкорпус, 4-я армия и две дивизии 15-й армии, прижатые к границе, не сумели пробиться на восток, отошли на территорию Восточной Пруссии, где отнюдь не пытались вызвать революционные выступления трудящихся, и были интернированы.

[12] Гражданская война и военная интервенция в СССР. Энциклопедия, с. 322.

[13] Заключено в Компьенском лесу 11 ноября 1918 года между Германией и государствами антигерманской коалиции. В 1919 году заменено Версальским мирным договором.

[14] Не сразу, исподволь подводит В. Суворов читателя к мысли о том, что в войне не имеет особого значения, кто является «фактическим» агрессором, на чьей территории ведутся боевые действия, справедлива ли война для той или иной стороны.

[15] Нет ничего странного в том, что чем прочнее становилось положение большевиков внутри страны, тем меньше у них наблюдалось желания вновь попытаться разжечь «мировой пожар». Они уже почувствовали вкус власти и рисковать ее потерять отнюдь не спешили. А мировая революция?.. Да бог с ней.

Глава 3

СТАЛИН И ГИТЛЕР

Любая олигархия всегда склонна к внешней агрессии. Видимо, немалую роль в этом играет психология диктатора, которому требуется время от времени демонстрировать народу и себе самому свою силу. Преподнести людям если не достаток, то завоеванные территории. Почему-то людям это нравится. Почему-то часто готовы они обменять на захваченные земли даже собственное благополучие.

Не стал исключением и сталинский режим. В. Суворов выделяет его в какую-то особую категорию. А это была типичная тоталитарная держава со своим наделенным неограниченной властью государем[1], своими дворянами и опричниками, своей псарней и своими крепостными. Такой была Россия со времен Ивана Грозного, при котором, кстати, бегство за ее рубежи наиболее деятельной части дворянства приобрело известный размах.

Словно по лестнице с разбитыми в щепы ступенями поднималась страна из бездны, понемногу, по чуть-чуть пытаясь подтянуться к просвещенной Европе. Временами с разбега преодолевая целые пролеты, временами обрываясь вниз, в кровь разбивая тело. Удивительно жизнестойкое национальное самосознание народа не раз отбрасывало внешнего врага и позволяло парировать смертельные, казалось, удары. Жаль только, власть всегда использовала патриотизм народных масс в своих лишь интересах, пытаясь любой ценой сохранить их вековую закрепощенность. И удивительное дело, победы иногда тормозили развитие страны, а страшные унизительные поражения действовали как неизвестный науке катализатор. Быть бы России мощной благополучной державой, конституционной монархией или парламентской республикой, но развитым, сильным и богатым демократическим государством. Как принято сейчас говорить, гарантом мира и безопасности.

Но страна не выдержала мировой бойни, в первую очередь психологически не выдержала. Война дала большевикам шанс, и они не преминули им воспользоваться и сломать ход истории. И отбросили Россию далеко назад. В Средневековье.

Специфика сталинской олигархии в том, что построена она на во многом сохранившемся костяке старой России, с ее поистине неисчерпаемыми ресурсами, с ее огромными техническими и культурными традициями и потенциалом.

Советский Союз всегда *мог* остановиться, более того, *всегда останавливался*. А стремление к территориальному расширению обусловлено, на мой взгляд, отнюдь не желанием уничтожить «последнюю республику», а скорее инстинктами диктаторского режима, как принято сейчас говорить, пиар-акциями, пусть специфическими. И даже если представить на минуту, что коммунизм сумел бы подчинить своему влиянию *всю планету*, что, на мой взгляд, нереально, долго бы он не просуществовал. Даже если не принимать в расчет неизбежные кровавые разборки внутри «планетарного» коммунистического правительства с бесконечным переделом власти, следует признать, что государство с преобладающим принудительным трудом, с затратной экономикой нежизнеспособно. Независимо от наличия «передовых» соседей, поддерживаться оно может лишь террором.

Но нельзя же долго жить в условиях стресса. Рано или поздно, как правило, значительно раньше, чем думалось, и как-то сразу все начинает рассыпаться. Экономика угасает, общество деградирует, и карательные органы уже *не в состоянии* давить выступления недовольных. Вот уже ореол божественности спадает с недавних «полубогов», и все ясно видят, что ими управляла едва ли не шпана. Все кончено. И все начинается вновь.

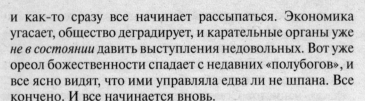

Пытались ли большевики провоцировать революции в Европе и в мире в перерыве между двумя войнами? Вне всякого сомнения. Но о вооруженном вторжении не могло быть и речи[2]. Подкармливали зачастую крошечные, не имеющие ни малейшего влияния, но отличавшиеся завидным аппетитом компартии. В лучшем случае, старались наладить разведывательную сеть.

Что же касается более-менее серьезных выступлений, неизвестно еще, кто являлся их инициатором, «кремлевские мечтатели» или с тоской взирающие на них и рвущиеся к власти местные экстремисты[3].

Также не следует забывать, что Сталин вплоть до конца 20-х годов был всего лишь «один из многих», а если учесть ту роль, которую играли в Коминтерне Бухарин и тот же Зиновьев, невольно задаешься вопросом, а выгодна ли была *лично* ему победа социалистической революции в любой европейской стране? Не укрепила бы она положение его *внутренних* противников?

Да и позднее, в середине 30-х, имел ли Сталин гарантию, что вчерашние финансируемые им ставленники, ставшие в одночасье руководителями такой страны, как, скажем, Германия[4], станут и в дальнейшем выполнять его указания? Как показывает опыт, далеко не все национальные коммунистические лидеры согласились на роль сталинских вассалов. Все это, конечно, гипотезы, но, победи в 33-м году в Германии коммунисты и пойди они «своим путем», говорить о каких-то акциях возмездия со стороны Советского Союза по отношению к «заблуждающимся товарищам» даже и не пришлось бы[5].

Вернемся к В. Суворову. Вот что он пишет: «Даже самая агрессивная армия сама войн не начинает. Нужен,

кроме всего, фанатичный, безумный лидер, готовый начать войну. И Сталин сделал очень многое для того, чтобы во главе Германии оказался именно такой лидер. Как Сталин *создал* Гитлера, как помог ему *захватить власть* и укрепиться – отдельная большая тема... пришедших к власти нацистов Сталин упорно и настойчиво толкал к войне...[6]

Еще до прихода его к власти **советские лидеры** нарекли **Гитлера** тайным титулом – **Ледокол Революции**. Имя точное и емкое. Сталин понимал, что Европа уязвима только в случае войны и что Ледокол Революции сможет сделать Европу уязвимой[7]. Адольф Гитлер, *не сознавая того*, расчищал путь мировому коммунизму»[8].

Теперь понятно, для чего нужна «гениальность» Сталина. По Суворову выходит, что Сталин уже в середине 20-х, после «пивного путча» разглядел Гитлера, вычислил, что тот придет к власти и завоюет Европу, которую с легкостью необычайной сложит к ногам своего «создателя».

Куда до него Нострадамусу и современным прорицателям и всевозможным «белым магам», у которых все расплывчато, не поймешь сразу, о чем они, и указано с точностью до столетия. Тут все четко. 19 августа, 6 июля. А что 19 августа 1939 года? По Суворову – начало Второй мировой войны. Товарищ Сталин *принял решение* о целесообразности нападения Гитлера на Польшу[9]. Ну, хорошо, а 6 июля 1941 года что? Естественно, «День М». Именно к этой дате Гитлер закончит завоевание Европы, и наступит его, Сталина, черед.

Желательно, конечно, ударить фашистов со спины, но при необходимости можно и в лоб. Все равно сокрушивший всех и вся, в том числе версальских победителей, Гитлер против Красной Армии, *в современной крупномасштабной войне не участвовавшей и дня*, не устоит. И уже через несколько недель *вся Европа*, а вскоре и весь мир станут коммунистическими. Идиллия, да и только.

И все это он предвидел и осуществил? А что вы хоти-

те, сколько десятков страниц исписал В. Суворов, чтобы доказать, что Сталин – «гений всех времен и народов», а не дьявол-параноик.

Удивляюсь, как это идеи В. Суворова не нашли до сих пор поддержки в рядах нынешних левых. Разве в сути своей они не созвучны их помыслам? Бессмертный образ Великого вождя. Заботливый, строгий, но справедливый *хозяин*. Беззаветный, *умелый* борец за дело угнетенных всего мира против тогдашнего сионизма и реакции. И даже *«малой кровью, на чужой территории»*. Как говорится, если и наблюдаются некоторые идеологические разногласия, то они непринципиальны и легко преодолимы.

Насчет умелости нашего борца – чуть позже.

Попытаемся разобраться, как это ему удалось *сделать*, создать Гитлера. Для этого обратимся вновь к В. Суворову.

«Вот расклад политических сил в Германии на конец 1932 года: гитлеровцы – 11,8 миллиона голосов, социал-демократы – 8,1 миллиона, коммунисты – 5,8 миллиона[10]...

Ситуация: у партии Гитлера нет больше денег на штурмовиков, на коричневые рубахи, на сапоги, на знамена и факелы, на барабаны и листовки, на выпуск литературы, на проведение новой предвыборной кампании, на содержание партийного аппарата...

В конце 1932 года песня Адольфа Гитлера была спета, и как политик он уже был кончен. Он пока оставался *самым популярным* политиком Германии, но партия – в долгах, платить нечем. Германский национал-социализм был обречен. Гитлера могло спасти чудо. Но чудес не бывает.

Гитлера спас Сталин...

Демократия так устроена, что в решающих, поворотных моментах истории основную роль играет *меньшинство...*

Именно такая ситуация сложилась в Германии в конце 1932 года: гитлеровцы, как мы помним, на первом месте, социал-демократы – на втором, коммунисты – на третьем. Но ни гитлеровцы, ни социал-демократы, ни тем более коммунисты прийти к власти не могут.

В этой ситуации судьбы Германии, Европы и всего мира оказались в руках меньшинства – германских коммунистов. Поддержат коммунисты социал-демократов – и гитлеризм рухнет и больше *никогда* не поднимется. А если коммунисты поддержат гитлеровцев, рухнет социал-демократия»[11].

Далее автор убеждает читателя в том, что Эрнст Тельман, готовый уже пойти на союз с социал-демократами, вынужден был, разумеется, по прямому приказу Сталина, сохранять нейтралитет. «Потому победил Гитлер»[12]. Ну и далее – те же пространные рассуждения о предвидении Сталиным всего и вся, о том, что уже тогда, в начале 1933 года знал он, когда Гитлер ударит и в какую сторону и с какой легкостью завоюет *для Сталина* Европу.

Попытаюсь возразить. Во-первых, не стоит преувеличивать масштабы кризиса, якобы охватившего НСДАП буквально накануне ее триумфа. Удивительное совпадение, за период с 1924 по 1932 год кризис случается именно перед решившими судьбу Германии выборами. Не стоит придавать большого значения и словам самого Гитлера[13]. Он вообще склонен был к мистицизму и в силу этого представлял дело так, будто тогда, в 1932 году, все висело на волоске, но он, Гитлер, победил[14]. Финансирование нацистов, которое осуществлял отнюдь не Сталин, не прекращалось и не прекратилось бы даже в случае поражения на выборах. Слишком много было вложено средств, чтобы с ними порывать.

Во-вторых, был ли возможен блок коммунистов с социал-демократами в принципе? На мой взгляд, нет. И вот почему. Он *мог* обеспечить сиюминутный результат, не допустить Гитлера к власти, но в перспективе не сулил ни немецким коммунистам, ни тем более товарищу Сталину ничего хорошего. С укреплением в стране демократии в любом случае происходило бы повышение жизненного уровня, становление среднего класса и, как следствие, уменьшение числа людей, коммунистов поддерживающих. Да и ориентироваться социал-демократическое правительство стало бы скорее на благополучный Запад, чем на СССР. Что касается Гитлера, то он был темной лошадкой. Кто же думал, что он *всерьез?!* Политики, в том числе и коммунисты, привыкшие уже к демократическим свободам, вполне могли рассчитывать, что катастрофой для НСДАП, для пустых, по их мнению, крикунов, станет именно приход нацистов во власть с неизбежным провалом и окончательной потерей популярности. Если так, то люди эти жестоко просчитались.

Не следует также забывать, что, как справедливо замечает В. Суворов, НСДАП и партия Ленина, а следовательно, получается, и КПГ были – «близнецы-сестры»[15]. Одна, или почти одна, у них и социальная база. И даже последуй прямой приказ Сталина о союзе с социал-демократами, чего, по-моему, быть не могло, и выполни его верхушка германской компартии безоговорочно, еще неизвестно, каким образом разделились бы голоса рядовых прокоммунистически настроенных избирателей. Не исключаю, что немалая их часть отошла бы в этом случае к Гитлеру, и как знать, не получил бы он *абсолютного* большинства?

В-третьих, выборы есть выборы. Они непредсказуемы сегодня, тем более, заранее говорить о чьей-то гарантированной победе тогда, в 1932-м, никто бы не решился. Всегда остается надежда, она, как известно, умирает последней. А власть есть власть, ради нее стоит и рискнуть.

В общем, нравится кому-то или нет, но приход нацистов к власти был обусловлен прежде всего *внутренними* причинами, внутренней расстановкой политических сил[16]. Будь иначе, ни Сталин, даже если бы очень захотел, даже будь он сверхгениален, и никто другой не смог бы привести их к власти. И уж конечно, создал Гитлера не Сталин, а словно одурманенный массовым психозом немецкий народ, которому потом пришлось расплачиваться за роковую ошибку едва ли меньше остальных.

С середины 30-х годов отношения между фашистской Германией и СССР резко ухудшаются. Диктаторы заняты, в общем-то, одним делом, искореняют все, мало-мальски напоминающее оппозицию. При этом Гитлеру вместе с лидерами социал-демократии приходится сажать в лагеря и «всех этих, предварительно прогревшихся на крымских пляжах, Тельманов... своих, прикормленных (Сталиным, естественно. – *А.Б.)* и послушных ребят»[17]. За несколько месяцев самая многочисленная, организованная, активная и, что немаловажно, твердо стоявшая на позициях марксизма-ленинизма, иными словами, признающая главенствующую роль СССР и ВКП(б) компартия была разгромлена практически до основания. Роль ушедших в подполье, чудом уцелевших звеньев ее свелась к разведывательной деятельности в пользу Советского Союза.

В Европе у большевиков появился жесткий, уверенный в себе конкурент. Новый удар нанес он по самолюбию Сталина в Испании[18].

В. Суворов утверждает, что военно-промышленный потенциал Германии – творение рук Сталина[19]. Не спорю, были периоды в истории наших двух стран, во второй половине 20-х годов и после подписания пакта о ненападении, когда СССР проводил подготовку на своей территории немецких офицеров-танкистов, поставлял Германии стратегическое сырье и. т. д. Но в середине 30-х, после избиения ГКП, все это прекратилось. И теперь уже немало усилий прилагал к вооружению Германии Запад, наивно возомнивший, что Гитлера можно рассматривать *всего лишь* как противовес, заслон против Сталина. Этим, кстати, объясняется и уступчивость Запада при занятии нацистами демилитаризованной Рейнской зоны[20], и аншлюс[21], и безумие Мюнхена[22].

Сталин, кстати, собирался оказать помощь Чехословакии вполне искренне. Прими Бенеш эту помощь, и *при любом* раскладе Сталин остался бы в выигрыше. Судите сами. Воевать против прекрасно вооруженных, занявших горные укрепления чешских дивизий, поддерживаемых танками и авиацией, Красной Армии, имея в тылу всю мощь Антанты, было бы безумием. На сопротивляющейся Чехословакии фашизм мог поломать зубы. Но даже если Гитлер и отступил бы, Сталин все равно не оставался внакладе. Авторитет СССР, а следовательно, и европейских компартий неизбежно возрастал, а главное, войска, введенные в Центральную Европу, вовсе не обязательно было поспешно выводить. Со всеми вытекающими отсюда последствиями.

Однако Запад сделал ставку на Гитлера и жесточайшим образом просчитался. В последующем вскоре дележе Чехословакии приняла участие и Польша. Скоро, очень скоро разделят и ее территорию.

Попробуем поставить себя на место Сталина. В Европе – три приблизительно равных, как он считает, по силам соперника. Англия и Франция с ориентирующейся на них, связанной с ними оборонительным договором Польшей. Гитлер. И он, Сталин. Настоящий, направленный против Гитлера союз с западными демократиями невозможен. СССР не имеет с Германией общих границ, а Польша Красную Армию не пропустит через свою территорию ни при каких обстоятельствах. Иными словами, заключение подобного договора с англо-французами ровным счетом ничего ему, Сталину, не давало[23].

Совершенно иные последствия влекло за собой подписание договора о ненападении с немцами. Ни к чему СССР не обязывая, он открывал широкие перспективы.

В самом деле, случись нападение немцев на Польшу, и при любом итоге СССР оставался в выигрыше. Неизбежное вступление в войну Англии и Франции, гарантов польского суверенитета и безопасности, автоматически превращало войну в *мировую*. А мировая война, по мнению всех без исключения экспертов, война двух практически равных группировок, *должна* была быть *затяж-*

ной[24], с неизбежным ослаблением, истощением сторон[25]. И, отсидевшись в стороне, через год-два, подобрав в руку оставшийся козырь, можно было бы смело вступать в игру. Склонись победа на сторону союзников, он, Сталин, – ни при чем. Разгроми Гитлер Польшу и втянись в затяжные кровавые бои вдоль линии Мажино, Западная Украина и Белоруссия, Финляндия и большая часть Прибалтики автоматически пополнят число «братских» республик[26].

Вот что пишет Суворов:

«После подписания договора Сталин радостно кричал: «Обманул! Обманул Гитлера!»[27] Сталин действительно обманул Гитлера так, как никого в XX веке не обманывал. Уже через полторы недели после подписания пакта Гитлер имел войну на два фронта, т.е. Германия с самого начала попала в ситуацию, в которой она могла только проиграть войну (и проиграла).

Другими словами, уже 23 августа 1939 года **Сталин выиграл Вторую мировую войну – еще до того, как Гитлер в нее вступил.**

Только летом 1940 года Гитлер понял, что его обманули. Он попытался переиграть Сталина, но было слишком поздно. Гитлер мог рассчитывать на блестящие тактические победы, но стратегическое положение Германии было катастрофическим. Она снова оказалась между двумя жерновами...»[28]

С этими утверждениями при всем желании согласиться невозможно. Гитлер не имел войну на два фронта осенью 1939 года. Не способные изменить тупиковый курс, так и не пожелавшие посмотреть правде в лицо, лидеры западных демократий объявили войну напавшей на Польшу Германии, но и пальцем не шевельнули, чтобы помочь захлебывающейся в собственной крови, погибающей польской армии.

И уж точно не оказалась Германия «между двумя жерновами» летом 1940 года. С поразительной легкостью, едва ли не десантом захватил Гитлер Данию и Норвегию.

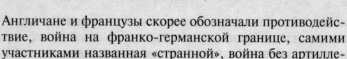

Англичане и французы скорее обозначали противодействие, война на франко-германской границе, самими участниками названная «странной», война без артиллерийской стрельбы, без авиационных налетов, почти без жертв, продолжалась.

Сталин же был *союзником*. Сталин практически без сопротивления занимал отведенные ему территории. До тех пор, пока одна из жертв не посмела огрызнуться.

После роковой неудачи в Финляндии, я уверен, он уже *боялся* Гитлера[29]. Когда же за месяц без малого с Францией, считавшейся *сильнейшей военной державой* на континенте, было покончено, Сталина охватила паника. Все его расчеты рухнули, как карточный домик. Повторюсь, это нам известно, сколько у будущих противников было орудий, танков и самолетов. Сталин этого не знал, он знал другое. Менее чем за год непрерывных боев Германия с минимальными потерями завоевала почти всю Европу, сокрушив при этом недавних своих победителей. За тот же срок Красная Армия с неимоверным трудом и ценой страшных потерь захватила в буквальном смысле залитую кровью ее солдат крошечную полосу Карельского перешейка.

«Он (Сталин. – *А.Б.*) находился в таком состоянии, которое не вносило бодрости и уверенности в том, что наша армия достойно встретит врага. Он как-то опустил руки после разгрома Гитлером французских войск и оккупации Франции. Я (Хрущев. – *А.Б.*) был как раз у него во время капитуляции Франции. Тогда он выругался сочно, по-русски, узнав об этом, говорил: видите, *столкнули нас лбами*[30]. Гитлер *развязал* себе руки на Западе...[31]

Понимали мы и его нервозность. Сталин лучше нас знал состояние Красной Армии и, видимо, сделал тогда вывод, что мы не подготовлены к «большой» войне. Об этом свидетельствовала наша «малая» война с Финляндией. Она была очень кровавой, очень тяжелой для нас. Мы с трудом разбили Финляндию и понесли огромные потери... положив огромное количество людей. А мы должны были бы, если уж воевать, с ходу разбить финнов и таким образом продемонстрировать боеспособность нашей армии. А мы продемонстрировали как раз обратное, малые способности и слабость наших ударных сил...»[32]

Не стоит искать особых, сверхоригинальных объяснений происшедшего, тем более подгонять под них факты и выдавать особенности характера, а зачастую пристрастия и капризы тех или иных политических деятелей, за первопричину судьбоносных исторических событий.

Все предельно просто. Мог Сталин рассчитывать на победу, и если мог, то за счет чего? За счет тысяч танков и самолетов? Но у Гитлера тоже были танки и самолеты и, как он полагал, не хуже наших. За счет обеспечившей молниеносные победы тактики ведения войны? Но вермахт эту тактику уже освоил и принял на вооружение, а останки советских военных теоретиков, которые говорили о глубоких рассекающих ударах и решающей роли взаимодействия танков и авиации еще в середине 30-х годов, как и останки десятков тысяч их боевых товарищей, давно уже покоились в земле. Тогда, может быть, за счет патриотизма масс? Но ведь он, Сталин, лично сделал все возможное, чтобы каленым железом выжечь из людей все чувства, кроме страха и бездумной преданности ему, вождю. Он так презирает этих людей, превращенных в винтики и шурупы огромной машины.

Ответ очевиден, Сталин на победу и *не рассчитывал*. Единственным выходом в создавшейся ситуации виделась ему демонстрация миролюбия и открытости западной границы. Почему-то он решил, что, если сумеет продемонстрировать Гитлеру *небоеготовность* частей прикрытия, тот *не нападет*. И, надо признать, Сталин сделал все возможное, чтобы части не просто выглядели небоеготовыми, но таковыми и являлись, чем значительно облегчил совершенно в этом не нуждавшемуся вермахту жизнь.

«...он был парализован Гитлером, как кролик – уда-

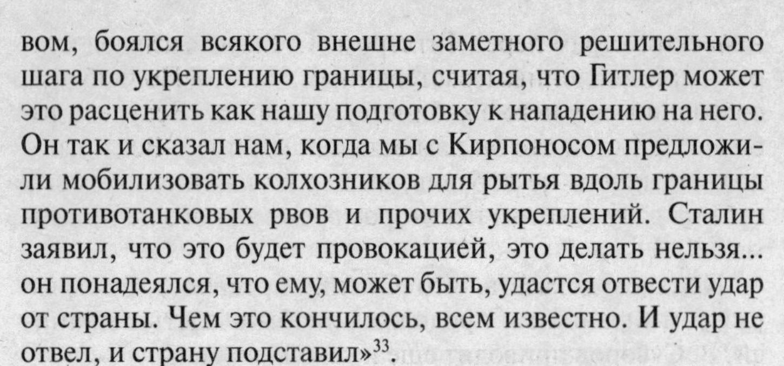

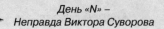

вом, боялся всякого внешне заметного решительного шага по укреплению границы, считая, что Гитлер может это расценить как нашу подготовку к нападению на него. Он так и сказал нам, когда мы с Кирпоносом предложили мобилизовать колхозников для рытья вдоль границы противотанковых рвов и прочих укреплений. Сталин заявил, что это будет провокацией, это делать нельзя... он понадеялся, что ему, может быть, удастся отвести удар от страны. Чем это кончилось, всем известно. И удар не отвел, и страну подставил»[33].

Что еще можно добавить к сказанному? Приведу аналогию. Молодой боксер из провинции, кровь с молоком, не без таланта и напористости, приезжает покорять столицу. Первый бой. Соперник – не из сильнейших, к тому же едва ли не вдвое легче. С огромным трудом, заработав лиловый, чрезвычайно болезненный синяк под глазом, побеждает новичок лишь по очкам. А в финале – рвущийся к пьедесталу безжалостный профессионал. Он вызвал на ринг *сразу всех остальных* претендентов, сумел стравить друг с другом и разделался с ними поодиночке, едва ли не шутя, а предыдущего чемпиона послал в нокаут в первом же раунде. Звучит гонг, противник смотрит новичку в глаза с холодной уверенной усмешкой, обнажающей клыки вампира. Играют стальные мускулы. Сейчас начнется избиение. Или кто-то все же сомневается?

Сталин не сомневался, и его поведение в первые дни войны лишь подтверждает это. Привожу слова Хрущева: «Я часто вспоминаю рассказ Берии о поведении Сталина 22 июня 1941 года, когда ему доложили о начале войны. Сначала он не хотел в это поверить и цеплялся за надежду, что это провокация, приказывал даже не открывать огня, надеялся на чудо, пытаясь спрятаться за собственные иллюзии. Затем военные доказали ему, что прятаться поздно, и ему пришлось поверить, что действительно началась война с Германией. Ему стали докладывать о победоносном продвижении гитлеровских войск. Тут-то открыто проявилось то, что он скрывал от всех, – его панический страх перед Гитлером. Сталин выглядел старым, пришибленным, растерянным. Членам Политбюро, собравшимся у него в кабинете, он сказал: «Все, чего добился Ленин, и что он нам оставил, мы про... Все погибло». И, ничего не добавив, вышел из кабинета, уехал к себе на дачу, а потом некоторое время никого не принимал»[34].

Пытаясь доказать, что Сталин предвидел быстрый разгром Франции и продолжал якобы владеть ситуацией, В. Суворов приводит еще и такой аргумент:

«До Второй мировой войны Германия не имела общих границ с Советским Союзом и потому не могла напасть, тем более – внезапно...

...Для того чтобы советско-германская война могла состояться, необходимо было создать соответствующие условия: сокрушить барьер нейтральных государств и установить общие советско-германские границы...

...Гитлер обратился к Сталину с предложением совместными усилиями сделать пролом в разделительной стене. Сталин с восторгом принял такое предложение и с огромным энтузиазмом ломал польскую стену, прорубая коридор навстречу Гитлеру...

Проломав коридор в разделительной стене, Гитлер посчитал это достаточным и занялся своими западноевропейскими, африканскими, средиземноморскими, атлантическими проблемами...

Гитлеру одного пролома в стене было достаточно. Сталину – нет. И Сталин своего добился. Всего через десять месяцев после подписания пакта «о ненападении» усилиями Сталина разделительный барьер был полностью сокрушен от Ледовитого океана до Черного моря. Нейтральных государств между Сталиным и Гитлером больше не осталось, и тем самым были созданы условия для нападения»[35].

Разберемся по порядку. Начнем с Польши, границу которой части Красной Армии перешли лишь 17 сентября. Сталин отнюдь не спешил «влезть в авантюру» и занял отведенную ему согласно секретным соглашениям территорию, когда судьба Польши была решена, вермахт, по сути, покончил с организованным сопротивлением польских вооруженных сил. Одна только Варшава продолжала еще борьбу, да под Львовом передовые части немцев получили неожиданный отпор. Уверен, закрепись поляки на Висле, начни союзники продвижение в глубь Германии, Сталин не сдвинулся бы с места. Но Польша была разбита в две недели[36], французские дивизии сидели в своих бункерах и в бой не рвались.

Мог ли Сталин в создавшейся ситуации отказаться от «освободительного похода»? Нет, конечно. Любое приращение территории, тем более бескровное, работало на укрепление его авторитета и личной власти внутри страны. К тому же *тогда* он еще не боялся Гитлера. Молниеносный разгром Польши прозвучал первым тревожным звоночком, не более. «Прогнившее», как ему думалось, польское государство, вероятно, оказалось слишком слабым. К тому же Сталин не знал еще, чего *по-настоящему* стоит Красная Армия. Ему очень хотелось верить, что вермахту она мало в чем уступает[37].

Очень скоро эти иллюзии развеяла крохотная Финляндия. Сталин получил отпор, разом изменивший его взгляды. И хотя, ценой страшных потерь, советским войскам удалось прогрызть линию Маннергейма и взять Выборг[38], дальше Сталин не пошел. Что его остановило? Резкое заявление Черчилля[39] и французского премьера Даладье о мнимом или реальном намерении оказать Финляндии военную помощь? Или очевидная готовность отошедшей, но не разбитой финской армии продолжать борьбу за независимость Родины до последнего? Или десятки, если не сотни тысяч погибших, пропавших без вести, обмороженных, не одна тысяча пленных красноармейцев? Или же все эти факторы, вместе взятые?

Важно другое. Там, где Гитлер шел напролом, Сталин – отступал. Ему «большая» драка с большим, но весьма сомнительным успехом была не нужна. Он вполне довольствовался малым. Выход из столь неудачной войны с приобретением новых территорий, перемещение границы от пригородов Ленинграда западнее Выборга позволило ему спасти лицо.

Мог ли Сталин *не занять* Прибалтику? Если да, то каким образом? Что он должен был сказать Гитлеру? Извините, дорогой коллега, но, когда мы с вами подписывали эти в высшей степени легкомысленные соглашения, вы еще не успели разделаться с Францией. А теперь я вас, простите, опасаюсь, со своими экспансионистскими замашками порываю и от права первой ночи в отношении стран Балтии отказываюсь. По целому ряду причин этого произойти не могло.

Представим на секунду, что Сталин отказался от присоединения к СССР прибалтийских государств. И что, им удалось бы сохранить свою независимость? Да нет, конечно. Гарантом их суверенитета вольно или невольно выступали западные демократии[40]. С их поражением, но никак не раньше, участь Эстонии, Латвии и Литвы была решена. Не займи их Сталин, тут же в той или иной форме были бы включены они в сферу влияния рейха.

«28 июня после получения согласия румынского правительства Красная Армия начала Освободительный поход в Бессарабию и Северную Буковину»[41]. Вопрос был решен чуть раньше. «Германия, еще 23 июня поставленная правительством СССР в известность о советских требованиях к Румынии, была вынуждена заявить, что она не заинтересована в Бессарабском вопросе»[42]. Не очень понравилось Гитлеру подобное требование. Но предпринять что-либо в защиту будущего союзника в условиях, когда большая часть вермахта еще вела бои во Франции, он, конечно, не мог[43]. Видимо, тогда, в середине лета 40-го впервые всерьез задумался Гитлер о ставшем неизбежным столкновении с СССР...

Так что упоминаемый В. Суворовым барьер нейтральных государств *не мог не быть разрушен*. Два хищника *не могли не идти навстречу друг другу* и в движении своем *не могли не встретиться*. Вряд ли кто-то будет спорить, что Прибалтику поглотил Сталин, но также очевидно и то, что это стало возможным лишь благодаря непрерывным, коренным образом изменившим политическую карту Европы победам Гитлера.

Сталин, конечно же, не победил «заранее», в конце августа 1939 года. Он, как и все остальные, даже и не представлял, *как оно все будет дальше* и *с каким* противником в самом недалеком будущем придется иметь дело Европе. Возможно, смутное беспокойство посетило вождя, ведь чувство самосохранения развито было у Сталина в достаточной мере. Но еще не скоро сменится оно тревогой, а затем и обреченностью. Гитлер переиграл и его и лидеров Запада и добился главного, *сумел избежать войны на два фронта*. Переиграл, воспользовавшись их близорукостью, безответственностью, трусостью, в конце концов. Удалось это Гитлеру, конечно же, еще и потому, что воссозданный вермахт оказался куда сильнее, чем кто-либо мог предугадать. Сталин в том числе, да разве один только Сталин?

Напоследок мне возразят, ведь СССР имел больше всех в мире танков, и среди них лучшие в мире «Т-34» и «КВ». И огромное количество боевых самолетов. И мощную индустриальную базу в тылу.

Все это так, но из этого вовсе не следует, что Сталин рискнул бы напасть первым. Он действительно готовился к войне, но к войне такой, в которой заранее имел бы решающее преимущество. В которой противник, либо уже выдохшийся, либо вынужденный распылять силы для действий на других фронтах, не представлял серьезной опасности. Но в середине лета 1941 года сложилась диаметрально противоположная ситуация – все лучшее, что у него имелось, вермахт сосредоточил на советско-германской границе[44].

Сколько людей, столько и мнений. Можно рассматривать исторические события под разными углами и судить о происшедшем по-разному.

При желании можно разглядеть во множестве секций ОСОВИАХИМа подготовку *миллиона* парашютистов, в скромном, мало кому известном «Су-2» – суперштурмовик «Иванов», а в «бэтушках» с 13-миллиметровой броней – танк прорыва. В чудовищных репрессиях, почти уничтоживших командные кадры армии и руководство ГРУ[45], – меры по усилению вооруженных сил и разведки, а в трусости, некомпетентности и отрешенности «отца народов» – гениальное предвидение. В контрударах мехкорпусов – верные признаки наличия сколь грандиозного, столь и засекреченного плана вторжения, и, наконец, в страшном разгроме войск Первого эшелона – их *несомненную* якобы готовность уже в августе 41-го раздавить вермахт и форсировать Одер...

Вот только факты – упрямая вещь.

Нравится кому-то или нет, но, если бы Сталин в самом деле собирался напасть на Гитлера, лучшего времени, чем начало лета 1940 года[46], для этого шага невозможно было и придумать. Тогда *все* силы вермахта вели поначалу вовсе не легкие бои в Бельгии и на севере Франции. Путь на Сувалки, Варшаву и Плоешти был свободен. Нанеси Сталин удар в спину нацистам тогда, и Гитлер *действительно* имел бы войну на два фронта, действительно мог лишиться румынской нефти, и кто знает, как бы оно все повернулось. Но Сталин ограничился расширением «семьи братских республик», и год спустя ему пришлось схватиться с лучшей армией мира один на один, в условиях, когда даже намека на второй фронт не было и в помине[47].

Мне кажется, он как-то верил в свою счастливую звезду. Весь опыт предыдущей мировой войны говорил о том, что серьезное столкновение великих держав, Германии с англо-французами, не может закончиться *скоротечным* поражением одной из сторон. Даже после Дюнкерка[48] все еще теплилась надежда, что французы остановятся под Парижем, нароют окопы, опутают фронт колючей проволокой, *устоят*. И, как и четверть века назад, начнется взаимное истребление противников, на которое он, Сталин, будет смотреть со стороны, выжидая, когда можно будет выступить *безо всякого риска*.

Иллюзии имеют свойство рассеиваться...

Примечания

[1] Хрущев называет его *Иосифом I*.

[2] Прибалтика – это не столько результат революционной деятельности, сколько тщательно подготовленный и гарантированный Пактом о ненападении захват чужих, беззащитных после разгрома Франции территорий.

[3] На мой взгляд, после многих мирных лет, когда Европа уже начала приходить в себя, если и были шансы у европейских коммунистов на победу, то только в одной-двух странах и только мирным, парламентским путем. Это поняли коммунисты, но очень скоро это понял и Гитлер.

[4] Привожу в примере эту страну не потому, что плохо отношусь к немцам, совсем наоборот. А просто в то время Германия, по-видимому, была подвержена коммунистическому влиянию в наибольшей степени.

[5] Не следует забывать, что между Германией и СССР непроходимым барьером лежала Польша, которая не пропустила бы Красную Армию ни при каких обстоятельствах. Тито не отделяло от Сталина ничего. А он, надо отдать ему должное, рискнул и устоял.

[6] Право слово, создается впечатление, что пришедшие к власти нацисты упирались, как могли, придерживались едва ли не пацифистских взглядов и развязали агрессию и оккупировали большую часть Европы лишь под давлением Сталина.

[7] Как поясняет В. Суворов, понял это Сталин сразу же, как прочитал «Майн кампф» (Последняя республика, с. 67). Только то ли читал он невнимательно, то ли отвлекся на что, запустил, скажем, помидоркой в Никиту Сергеевича, но главы, посвященные предстоящему походу на Восток и отношению к славянской нации, как-то пропустил.

[8] Суворов В. Ледокол, с. 12,13. Надо полагать, особенно преуспел в этом «доверчивый» Адольф на пространстве между Брестом и Сталинградом.

[9] Там же, с. 19.

[10] Характерно, что источник этих цифр автором не указан. Но не будем спорить и примем на веру, что на выборах 1933 года число голосовавших за коммунистов и социал-демократов в сумме было несколько большим, чем число сторонников НСДАП.

[11] Суворов В. Последняя республика, с. 109–113.

[12] Там же, с. 114.

[13] Вот что он говорил: «Хуже всего обстояли дела в 1932 году... От имени НСДАП подписывал эти долговые обязательства, сознавая, что если деятельность НСДАП не увенчается успехом, то все потеряно» (Генри Пикер. Застольные разговоры Гитлера. Запись от 5 мая 1942 года).

[14] Для того чтобы понять, что Гитлер вполне мог преувеличить масштабы предвыборного «кризиса», достаточно вспомнить, как он надеялся на чудо, на возрождение из пепла в апреле 1945 года. Как хотел он, чтобы последствия смерти Рузвельта были в той или иной мере аналогичны последствиям смерти русской императрицы Елизаветы, спасших Фридриха II от полного разгрома в Семилетней войне.

[15] Суворов В. Последняя республика, с. 56.

[16] Суворов В. вынужден возводить в абсолют влияние на явления внешнего воздействия, иначе вся его «теория» рассыпается, как карточный домик. Однако думается, что сущность явления заложена все же внутри его самого. Говорить же о том, что «источники силы германских коммунистов находились вовсе не в Германии, а в коммунистической России» (Последняя республика, с. 99), на мой взгляд, почти наивно.

[17] Суворов В. Последняя республика, с. 103,108.

[18] Уверен, после Испании Сталин начал рассматривать Гитлера как сильного и очень опасного врага, сильного не только в военном плане, но и с достаточно эффективной, до предела агрессивной идеологией. Поражение республиканской Испании, которому отнюдь не помешала чрезмерная активность ОГПУ-НКВД в этой стране, не могло не прозвучать для Сталина первым тревожным звонком. Уже тогда начал он сомневаться, сумеет ли победить в схватке один на один.

[19] При этом он ссылается на книгу Ю. Дьякова и Т. Бушуевой «Фашистский меч ковался в СССР».

[20] 50-километровая демилитаризованная зона по правому (восточному) берегу р. Рейн в нарушение Версальского договора была ремилитаризована Германией 7 марта 1936 года.

[21] Захват Австрии фашистской Германией произошел без единого выстрела в период с 11 по 14 марта 1938 года.

[22] Мюнхенское соглашение, подписанное представителями Англии, Франции, Германии и Италии 29 сентября 1938 года, предусматривало передачу Судетской области Чехословакии и, по сути, предопределило последующее вскоре расчленение этой страны.

[23] В лучшем случае такой договор мог остановить Гитлера. Но был ли подобный поворот событий для Сталина *лучшим*? Сомневаюсь. Европа постепенно вооружалась. Сталин прекрасно понимал, что рано или поздно все это оружие в дело пойдет. Но против кого? Сейчас-то очевидно, Гитлер не смог бы объединиться с Западом против СССР. Но Сталин этого достоверно не знал. Ему очень было на руку спровоцировать фашистов на *серьезную* войну с Западом. Впрочем, и провоцировать не пришлось.

[24] Такой была Первая мировая. Почему бы, думалось Сталину, таковой же не стать и Второй?

[25] Наибольшую выгоду из итогов Первой мировой войны извлекли для себя большую часть ее остающиеся вне конфликта и ввязавшиеся в драку последними Соединенные Штаты. Однако урок извлекли не только они. Пытался остаться в стороне Сталин. Но к тому же всеми средствами стремились и Франция с Англией. На этом их стремлении удалось сыграть Гитлеру при вторжении в Польшу. Он был уверен, что в сентябре 1939 года воевать, *по-настоящему воевать*, на два фронта не придется. Так оно и случилось.

[26] Переход указанных территорий «в сферу влияния» СССР был оговорен в секретных протоколах, приложении к пакту Молотова – Риббентропа.

[27] Характерно, что Хрущев в своих «Воспоминаниях» говорит о несколько иных словах Сталина: «Обману, обману Гитлера» (с. 195). Согласитесь, разница есть.

[28] Суворов В. Ледокол, с. 54.

[29] Мы знаем то, чего Сталину и Гитлеру, да и всем другим участникам войны, знать было не дано, – как оно все будет дальше, имеем представление о соотношении сил. Кажется очевидным, более благоприятного случая для нанесения удара в спину фашистской Германии, чем начало июня 1940 года, у Сталина уже не было. Он не рискнул, ограничился возвращением Молдавии. И дело тут не только в том, что Сталин, не желая отойти от своей политики выжидания, все еще надеялся на затяжной характер войны, на то, что Франция, как в *предыдущий* раз, сумеет выстоять и стабилизировать фронт. Он *боялся*.

[30] Традиционная привычка советских лидеров – искать виновника неудач где угодно, только не в себе самом. Любопытно только, кто же столкнул их с Гитлером. Может быть, Франция, ценой оккупации и национального унижения, сравнимого с унижением 1871 года?

[31] До середины 42-го года активных действий в Европе англичане не предпринимали. Причем речь идет лишь об авианалетах на промышленные центры Германии, которые стали возможными во многом благодаря успехам возмужавшей советской авиации. Таким образом, говорить о войне Германии на два фронта и в 1941–1942 годах можно лишь с большой натяжкой.

[32] Хрущев Н.С. Воспоминания, с. 92, 93.

[33] Там же, с. 243.

[34] Там же, с. 239, 240.

[35] Суворов В. Ледокол, с. 36–41.

[36] К 17 сентября части вермахта вышли на линию Львов – Любомль – Брест – Белосток – Сувалки. Дальше на восток немцы не пошли. Большая часть польских вооруженных сил была уничтожена в первую же неделю войны западнее Вислы. Сталину нечего было бояться, противостояли ему лишь деморализованные заслоны. Немногие польские командиры рискнули оказать Красной Армии вооруженное сопротивление.
28 сентября пала Варшава, 30-го – Модлин. Все было кончено.

[37] А если бы Сталин все-таки не вошел в Польшу? Что же, нетрудно догадаться, кто тогда оккупировал бы Западную Украину и Белоруссию.

Барьер *все равно* был бы разрушен. Вот только западная граница СССР проходила бы при этом на 200–300 километров ближе к Москве.

[38] Финны оставили Выборг в 12 часов 13 марта, когда, согласно подписанному днем ранее в Москве мирному договору, военные действия прекратились.

[39] Был в то время военно-морским министром Англии.

[40] «Добровольное» вступление в семью советских народов Эстонии, Латвии и Литвы было закреплено седьмой сессией Верховного Совета СССР в начале августа 1940 года. Но обратите внимание на дату ввода в Латвию и Эстонию частей Красной Армии – 17 июня. В этот день Петен в своем выступлении по радио заявил о том, что обратился к Гитлеру с просьбой прекратить военные действия. Это заявление окончательно деморализовало разбитую французскую армию. Не правда ли, удивительное совпадение.

[41] «Известия» от 29.06.40.

[42] История Великой Отечественной войны Советского Союза. 1941–1945. Т. 1, с. 281.

[43] Говорить о разрушении барьера на юге СССР и вовсе не приходится. Граница как была советско-румынской, так, отодвинувшись на запад, таковой и оставалась.

[44] Те несколько дивизий, которые немцы, спасая от разгрома союзника, вынуждены были перебросить в Северную Африку, не идут ни в какое сравнение с группировкой Красной Армии на Дальнем Востоке.

[45] Главное разведывательное управление.

[46] И уж последний шанс был упущен Сталиным в апреле-мае 41-го, когда значительные силы немцев и их союзников (до 80 дивизий) были отвлечены для захвата Балкан и Крита. Здесь никаких иллюзий относительно возможного затяжного характера кампании быть уже не могло.

[47] То, что англичане ограничатся обороной далекой африканской провинции, сомнений не вызывало. Добейся Гитлер решающих побед на востоке, он не позволил бы английским войскам высунуться с островов. Прими бои затяжной характер, как оно и произошло, англичанам и вовсе незачем было бы торопиться. Теперь уже они заняли позицию почти стороннего наблюдателя, позицию, о которой мечтал и которую готовил *для себя* Сталин. Теперь они смогли, наконец, перевести дух и впервые посмотреть в будущее с оптимизмом. Два их недруга сошлись в смертельной схватке и уничтожали друг друга на совесть, как могли.

[48] С прорывом 20 мая 1941 г. немецких танковых дивизий к Амьену и Абвилю северная группировка союзников оказалась отрезанной от основных сил в районе Дюнкерка на Атлантическом побережье. Англичане, опасавшиеся за безопасность метрополии, начали эвакуацию. После недели боев не сумевшие эвакуироваться французские войска капитулировали.

Глава 4

ДАЛЕКАЯ КРАСНАЯ АРМИЯ

Из множества факторов, определяющих силу армии, можно выделить три:

1) техническая оснащенность войск;

2) выучка и подготовленность как командного звена всех степеней, так и личного состава;

3) моральный дух армии и народа.

И если вооружение Красной Армии в целом отвечало современным требованиям, то с выучкой и особенно моральным состоянием войск налицо были серьезные проблемы.

В. Суворов утверждает: части прикрытия потерпели поражение ***только лишь*** потому, что, готовясь напасть сами, скучились у границы и подверглись массированному воздействию вначале артиллерии и авиации, а затем и танковых частей вермахта. Если хотя бы раз взглянуть на карту расположения войск сторон на 21 июня 1941 года, становится очевидной существенная разница между нами и немцами. Все четыре танковые группы вермахта подтянуты непосредственно к границе. Замысел немецкого командования просматривается как на ладони. Не нужно знать детали плана «Барбаросса», чтобы понять, куда устремятся танковые клинья. Группа армий «Центр» сделает все возможное, чтобы в кратчайший срок окружить и уничтожить войска Западного фронта. Группа армий «Север», обеспечивая ее левый фланг, устремится в Прибалтику. Группа армий «Юг», обеспечивая правый фланг центральной группировки, станет прорываться на Ровно и Житомир с перспективой, с выходом к Днепру, охвата войск Южного фронта с севера.

Наши же армии растянуты вдоль границы. Не просматривается ни одной компактной группировки. Более того, *ни один* из мехкорпусов не находится в первом эшелоне. Все они – в тылу и удалены от границы зачастую на сотни километров. В. Суворов пытается доказать, что существовал некий план наступательных действий Красной Армии. Оставим пока без внимания тот факт, что о плане «Барбаросса» известно *все*, а о гипотетическом плане советского наступления *ничего никому* не известно.

Подумаем лучше вот о чем. Современная война, предложенная вермахтом, предполагала рассматривать наступление не столько как способ захвата чужой территории, но в первую очередь как средство окружения и уничтожения живой силы и техники противника.

И если представить себе, что Красная Армия способна была вести *современную* войну и действительно готовилась нанести превентивный удар, то необходимо принять во внимание следующее. Конфигурация западной советской границы неумолимо диктует организацию ударов по сходящимся направлениям из Белостокского выступа и из района Львова на Радом или Петркув[1]. Завершись такая операция успешно[2], и в окружение попадают две танковые группы и две полевые армии вермахта. Но если так, то за две недели до предполагаемого В. Суворовым наступления в районе под Белостоком и под Львовом должны быть сосредоточены *бросающиеся в глаза* ударные танковые группировки, а этого нет и в помине.

Мне возразят, советские военачальники – большие оригиналы. Они могли наступать и в других направлениях. Пусть так, но все равно где-то у границы должны быть сосредоточены ударные группировки[3]. Они должны быть различимы. А их не видно[4]. От Гродно до Липкан во втором эшелоне армий прикрытия растянулись вдоль границы советские мехкорпуса *практически равномерно*. Лишь в Прибалтике и, как ни странно, в Молдавии их меньше, да в силу топографических условий стык Западного и Юго-Западного фронтов не прикрыт. Мехкорпуса не объединены в ударные группировки, напротив, каждой армии прикрытия подчинено по мехкорпусу. Очевидно, их предназначение – контрудар и ликвидация возможного прорыва противника.

Позвольте, но ведь подобным образом войска располагаются *в обороне*. О том и речь. Если не принимать во внимание преподносимую В. Суворовым гипотетическую, в течение двух недель произведенную, принципиальную перегруппировку и *переподчинение* мехкорпусов и их гипотетический же удар 6 июля 1941 года в 3 часа 30 минут по московскому времени[5], то к началу войны группировка советских войск носила чисто оборонительный характер. Стрелковые дивизии прикрывали границу, мехкорпуса готовы были нанести встречные удары по прорвавшемуся противнику[6].

Так оно и должно было быть. *Так оно и было*.

Теперь поговорим о выучке войск, умении Красной Армии воевать, готовности ее частей и соединений к *современной* войне. Казалось бы, очевидно, откуда этой готовности взяться, если в упомянутой современной войне Красная Армия не участвовала и часа. Жуков, Василевский, может быть, Шапошников, еще десяток-другой высших командиров в силу своего опыта, знаний, своих убеждений, в конце концов, *догадывались*[7], какой она будет, война с фашизмом. Остальные, подавляющее большинство командного состава, в лучшем случае прослушали на занятиях информацию о «рассекающих ударах немцев» и «очевидной слабости французской обороны». Впрочем, проблемы немалого числа офицеров Красной Армии лежали совершенно в иной плоскости. Удивительно, но факт. Иные *просто не умели командовать*...

Вот что пишет о первых днях войны занимавший в то время должность заместителя командира 25-го стрелкового корпуса[8] А.В. Горбатов:

«Однажды утром я услышал далекую канонаду в стороне Витебска, обратил на нее внимание командира корпуса и получил разрешение поехать для выяснения обстановки. На шоссе я встречал небольшие группы солдат, устало бредущих на восток. Получая на вопросы: «Куда? Почему?» – лишь сбивчивые ответы, я приказывал им вернуться назад, а сам ехал дальше. Все больше видел я военных, идущих на восток, все чаще останавливался, *стыдил*, приказывал вернуться. Предчувствуя что-то очень нехорошее, я торопился добраться до командира полка: мне надоело останавливать и спрашивать солдат – хотелось поскорее узнать, что здесь случилось.

Не доехав километра три до переднего края обороны, я увидел общий беспорядочный отход по шоссе *трехтысячного* полка. В гуще солдат шли растерянные командиры различных рангов. На поле изредка рвались снаряды противника, *не причиняя вреда*. Сойдя с машины, я громко закричал: «Стой, стой, стой!» – и, после того как все остановились, скомандовал: «Всем повернуться кругом». Повернув людей лицом к противнику, я подал команду: «Ложись!» После этого приказал командирам подойти ко мне. Стал выяснять причину отхода. Одни отвечали, что получили команду, переданную по цепи, другие отвечали: «Видим, что все отходят, начали отходить и мы». Из группы лежащих недалеко солдат раздался голос: «Смотрите, какой огонь открыли немцы, а наша артиллерия молчит». Другие поддержали это замечание.

Мне стало ясно, что первой причиной отхода явилось воздействие артогня на необстрелянных бойцов, второй причиной – провокационная передача не отданного старшим начальником приказа на отход. Главной же причиной была *слабость командиров*, которые не сумели остановить панику и сами подчинились стихии отхода.

В нескольких словах разъяснив это командирам, я приказал собрать им солдат своих подразделений...

Одного из комбатов я спросил, где командир полка. Получил ответ: утром был в двух километрах отсюда в сторону Витебска, слева от шоссе, а теперь – неизвестно. Я проехал еще километра полтора вперед, дальше пошел пешком. Ни справа, ни слева не было никого. Наконец я услышал оклик и увидел военного, идущего ко мне. Это был командир 501-го стрелкового полка Костевич; из небольшого окопчика невдалеке поднялись начальник штаба полка и связной – ефрейтор. На мой вопрос командиру полка: «Как вы дошли до такого положения?» – он, беспомощно разведя руками, ответил: «Я понимаю серьезность случившегося, но ничего не мог сделать, а потому *мы* решили здесь умереть, но не отходить без приказа».

На его груди красовались два ордена Красного Знамени. Но, недавно призванный из запаса, он был оторван от армии много лет и, по-видимому, совершенно утратил командирские навыки. Верно, он действительно был способен умереть, не покинув своего поста. Но кому от этого польза? Было стыдно смотреть на его жалкий вид.

Понимая, что о возвращении полка на прежнюю позицию нечего и думать, пригласил командиров идти со мной, посадил их в машину и привез в полк. Указал Костевичу место для его НП, посоветовал, как лучше расположить батальоны и огневые средства. Приказал *разобраться* в подразделениях и установить связь с НП батальонов.

В лесу, справа от шоссе, я нашел корпусной артиллерийский полк и обнаружил, что его орудия не имеют огневых позиций, а у командиров полка, дивизионов и батальонов нет наблюдательных пунктов. Собрав артиллеристов, *пристыдил* их и дал необходимые указания, а командира артиллерийского полка связал с командиром стрелкового полка Костевичем и установил их взаимодействие. Кроме того, Костевичу приказал выслать от каждого батальона взвод в боевое охранение, на прежнюю линию обороны...

Возвратясь, доложил подробно командиру корпуса о *беспорядке* в передовых частях, но, к своему удивлению, увидел, что на него это произвело не больше впечатления, чем если бы он услышал доклад о благополучной выгрузке очередного эшелона[9]... Такое отсутствие чувства реальности меня удивило, но не обескуражило. Я решил действовать сам. Переговорил с командиром 162-й стрелковой дивизии, спросил его – знает ли он о случившемся в подчиненном ему 501-м стрелковом полку? *Он не знал...* Вызвал к себе командующего артиллерией корпуса и спросил его: где находится и что делает корпусной артполк? Он ответил, что артполк стоит на огневой позиции за обороняющимся 501-м полком 162-й стрелковой дивизии на витебском направлении.

– Уверены вы в этом?

– Да, мне так доложили, – промолвил он уже с сомнением в голосе.

– Вам должно быть очень стыдно. Вы не знаете, в каком положении находится непосредственно подчиненный вам корпусной артполк. Нечего и говорить, что вы не знаете, как выполняют артиллерийские полки дивизий свою задачу. А вам положено контролировать работу всей артиллерии корпуса!

Командир корпуса слышал мои разговоры, *но не вмешивался* в них»[10].

Если думаете, что история со злосчастным этим полком, побежавшим *до соприкосновения с противником*, на этом благополучно и закончилась, то вы жестоко ошибаетесь. Читаем дальше:

«После 13 часов снова послышалась канонада с того же направления. Позвонил командиру 162-й стрелковой дивизии, спросил его, слышит ли он стрельбу, а если слышит, то почему он еще не выехал в 501-й стрелковый полк. Не ожидая ответа, я добавил:

– Не отвечайте сейчас. Доложите мне обо всем на

шоссе, в расположении пятьсот первого стрелкового полка, я туда выезжаю.

На этот раз не было видно отходящих по шоссе групп, хотя снаряды рвались на линии обороны полка. Я уже льстил себя надеждой, что полк обороняется, и подумал: оказывается, не так много нужно, чтобы полк начал воевать! Но, внимательно осмотрев с только что прибывшим командиром дивизии участок обороны, мы присутствия полка нигде не обнаружили. Комдив высказал два предположения: первое, что полк, возможно, хорошо замаскировался[11], и второе – что полк занял свою прежнюю позицию, в трех километрах впереди. Решили оставить машины на шоссе и пошли вперед по полю к редкому березовому перелеску. Когда мы, пройдя около километра, стали подниматься на бугор, сзади раздались один за другим три выстрела и мимо нас просвистели пули...

Мы вернулись и пошли на выстрелы. Нам навстречу, как в прошлый раз, поднялся из окопчика командир полка Костевич, а за ним верные ему начальник штаба и ефрейтор.

– Это мы стреляли, – сказал командир полка смущенно. – Не знали, что это вы.

Он доложил, что полк снова отошел, как только начался артобстрел, – «но не по шоссе, а вон по той лощине, лесом». Костевич невнятно оправдывался, уверяя, что не мог заставить полк подчиниться его приказу. На этот раз я оставил его на месте, пообещав возвращать к нему всех, кого догоним.

По лощине пролегала широкая протоптанная полоса в высокой и густой траве – след отошедших. Не пройдя и трехсот шагов, мы увидели с десяток солдат, сушивших у костра портянки. У четверых не было оружия. Обменявшись мнением с командиром дивизии, мы решили, что он отведет эту группу к Костевичу, потом вызовет и подчинит ему часть своего дивизионного резерва, чтобы прикрыть шоссе, а я с адъютантом поеду по дороге и буду возвращать отошедших.

Вскоре мы стали догонять разрозненные группы, идущие на восток, к станциям Лиозно и Рудня. Останавливая их, я стыдил, ругал, приказывал вернуться, смотрел, как они *нехотя* возвращаются, и снова догонял следующие группы. Не скрою, что в ряде случаев, подъезжая к голове большой группы, я выходил из машины и тем, кто ехал впереди верхом на лошади, приказывал спешиваться. В отношении самых старших я преступал иногда границы дозволенного. Я сильно себя ругал, даже испытывал угрызения совести, *но ведь порой добрые слова бывают бессильны...*

Первый день вступления полка в бой подтвердил мои опасения, возникшие задолго до войны, еще на Колыме...

Доложив командиру корпуса обстановку, я предложил немедленно отстранить командира 501-го стрелкового полка и предупредить командира дивизии. Командир корпуса не возражал против предложенных мер, *но и не сказал ничего вообще*. Внешне он был невозмутим, внутренне – не знаю...»[12]

О каком превентивном ударе, о какой «Висло-Одерской операции в августе 1941 года»[13] речь?!

Не правда ли, после этих строк уже не столь удивительной кажется та легкость, и даже шаблонность, с которой танковые клинья вермахта рассекали нашу оборону? Раз за разом. До Москвы. Легкость, с которой оказывались в окружении и гибли *фронты*.

А ведь это были люди, не подвергшиеся гибельной бомбардировке, не успевшие даже и увидеть врага. От нескольких едва ли не случайных разрывов бросили они позиции. Все три тысячи человек. *Вместе с офицерами*!

На границе в первые часы такое, конечно же, вряд ли было возможно. Там были собраны лучшие, кадровые части и лучшие оставшиеся командиры. Но, когда первый эшелон прикрытия был немцами опрокинут, когда подошел и вступил в дело второй...

Мне возразят. Бывает, в семье не без урода. Согласен. Но чем этот 501-й стрелковый полк лучше других? Чем он *хуже?..*

«В сообщении Информбюро, в котором рассказывается о первой реакции на речь Сталина[14], одновременно подчеркивалась сила нашего сопротивления немцам: «Повсюду противник встречается с упорным сопротивлением наших войск, губительным огнем артиллерии и сокрушительными ударами советской авиации. На поле боя остаются тысячи немецких трупов, пылающие танки и сбитые самолеты противника».

Слово «повсюду» не отражало всей сложности положения. Немцы встречали упорное сопротивление наших войск, но *не повсюду*»[15].

Я вовсе не хочу сказать, что вермахт продвигался вперед без проблем. Напротив, с первых же дней фашисты убедились, что война на Востоке отличается от войны на Западе[16]. Были летчики, таранившие самолеты противника, и танкисты, бросающиеся в яростные контратаки, пограничники не сдавшихся застав и артиллеристы, неделями обороняющие оказавшиеся в глубоком тылу доты... Были Брест и Лиепая. А будут еще Могилев, Смоленск, Киев. «...За первые шестьдесят дней на Восточном фронте немецкая армия лишилась стольких солдат, сколько она потеряла за предыдущие шестьсот шестьдесят дней на всех фронтах, то есть за время захвата Польши, Франции, Бельгии, Голландии, Норвегии, Дании, Югославии, Греции, включая бои за Дюнкерк и в Северной Африке»[17]. Но, к сожалению, героическое сопротивление отдельных частей и соединений не могло заменить организованных действий всей армии. И если та или иная дивизия стояла насмерть, неумелые действия, а иногда и бегство с поля боя других приводили к прорыву нашей обороны, и вырывавшиеся на оперативный простор немецкие танковые корпуса проходили, не встречая серьезного сопротивления, десятки, а иногда и сотни километров.

Там, где войсками управляли волевые, инициативные командиры, вермахт получал надлежащий отпор. Вот только командиров таких не много оставалось в строю к середине 1941 года. И без них необстрелянные, зачастую и необученные красноармейцы оказывались беспомощными против грозного, уверенного в себе противника.

Убежден, одна из главных, если не главная, причин неудач приграничного сражения, да и всего первого периода войны, – в сталинских репрессиях второй половины 30-х, нанесших РККА едва ли не смертельную рану.

Вот что говорит об этом тот же А.В. Горбатов: «Считалось, что противник продвигается столь быстро из-за внезапности его нападения и потому, что Германия поставила себе на службу промышленность чуть ли не всей Европы. Конечно, это было так. Но меня до пота прошибли мои прежние опасения, как же мы будем воевать, лишившись стольких опытных командиров еще до войны? Это, несомненно, была, по меньшей мере, одна из главных причин наших неудач, хотя о ней не говорили или представляли дело так, будто 1937–1938 годы, очистив армию от «изменников», увеличили ее мощь»[18].

Говорили об «увеличении мощи» лишь до начала весны 1953 года[19], позднее подобную версию, насколько я знаю, отстаивал лишь маршал Конев. Вот его слова: «Из уничтоженных командиров: Тухачевский, Егоров, Якир, Корк, Уборевич, Блюхер, Дыбенко... Современными военачальниками можно считать только Тухачевского и Уборевича. Большинство были под стать Ворошилову и Буденному. Это герои Гражданской войны, конармейцы, жившие прошлым. Блюхер провалил Хасанскую операцию[20], Ворошилов провалил финскую войну. Если бы они (репрессированные маршалы и комкоры, надо полагать, а не Ворошилов, который формально во главе армии и находился. – *А.Б.*) находились во главе армии, война сложилась бы по-другому»[21].

Даже В. Суворов, отнюдь не ставя под сомнение якобы позитивные результаты избиения командных кадров[22], не рискует высказываться столь прямо. Вот что он пишет: «...документально подтвержден прием, используемый чекистами в Киеве во времена красного террора. Не отвечающего на вопросы чекисты без лишних слов клали в гроб и зарывали в землю. А потом откапывали и продолжали допрос.

В принципе «в предвоенный период» Сталин делает то же самое: в годы великой чистки тысячи командиров[23] попали в ГУЛАГ, некоторые из них имеют смертные приговоры, другие имеют длительные сроки и отбывают их на Колыме... жизнь тут совсем не лучший вариант в сравнении с расстрелом. И вот людей, уже простившихся с жизнью, везут в мягких вагонах, откармливают в номенклатурных санаториях, дают в руки былую власть и возможность «искупить вину»... Можем ли мы представить себе, как все эти комбриги и комдивы рвутся в дело? В настоящее дело![24]

Попробуйте невинного приговорить к смерти, а потом дайте ему работу, за выполнение которой последует прощение и восстановление на былой высоте. Как вы думаете, постарается он выполнить работу?»[25]

А вот о разведчиках. Впрочем, нижеизложенное автор относит и к армии.

«Постоянная, волна за волной, кровавая чистка советской военной разведки *не ослабляла ее мощи.* Наоборот, на смену одному поколению приходило новое, более агрессивное. Смена поколений – вроде как смена зубов у акулы. Новые зубы появляются целыми рядами, вытесняя предшествующий ряд, а за ним виднеются новые и новые ряды. Чем больше становится мерзкая тварь, тем больше зубов в ее отвратительной пасти, тем чаще они меняются, тем длиннее и острее они становятся...

Сталин устраивал ночи длинных ножей... против генералов, маршалов, конструкторов, разведчиков. Сталин считал, что получать от своей разведки портфели, набитые секретами, – очень важно, но еще важнее – не получить от своей разведки портфеля с бомбой. Сталину никто в критической ситуации под стол не сунул бомбу, и это не случайность[26]. Постоянным целенаправленным террором против ГРУ Сталин не только добился очень высокого качества добываемой секретной информации, но и гарантировал высшее руководство от «всяких неожиданностей в моменты кризисов»[27].

Если допустить на минуту, что ценой избиения армии, последовавших вскоре страшных поражений, ценой жизни *двадцати семи миллионов* советских людей он и вправду гарантировал свою и «высшего руководства» безопасность, то *не велика ли этой безопасности цена?*

Мне скажут, без Сталина мы войну бы не выиграли. Верно. Она бы просто не началась. Фашисты бы не рискнули. Учитывая территорию, традиции, наш военный и промышленный потенциал.

А после кровавых событий конца тридцатых годов, после своих на удивление легких побед на Западе, германский генералитет не сомневался, что и кампания против СССР будет столь же скоротечной и легкой. Уж немецкие генералы прекрасно понимали, что бывает с армией, потерявшей больше половины своих командиров.

Чтобы читатель представил себе масштабы организованной Сталиным и его подручными катастрофы, приведу следующие цифры[28]:

В Красной Армии перед войной	
было:	**репрессировано:**
– Маршалов Советского Союза – 5 (Ворошилов, Тухачевский, Егоров, Блюхер, Буденный)	– 3 (Тухачевский, Егоров, Блюхер)
– армейских комиссаров первого ранга – 2	– 2
– флагманов флота первого ранга – 2	– 2
– флагманов флота второго ранга – 2	– 2
– флагманов первого ранга – 6	– 6
– флагманов второго ранга – 15	– 9
– командармов первого ранга (что соответствует современному званию генерал армии) – 4	– 9

Продолжение таблицы

В Красной Армии перед войной	
было:	**репрессировано**:
– командармов второго ранга – 12	– 12
– комиссаров второго ранга – 15	– 15
– командиров корпусов – 67	– 60
– корпусных комиссаров – 28	– 25
– командиров дивизий – 199	– 136
– дивизионных комиссаров – 97	– 79
– командиров бригад – 397	– 221
– бригадных комиссаров – 36	– 34

При этом репрессии не ограничились высшим командным составом. Карательные органы, будто изголодавшись, только и ждали сигнала, чтобы развить инициативу центра на местах. Иных брали за связь, истинную или мнимую, с опальными командирами. Иных – по доносу пользующихся случаем, делающих быструю карьеру подонков. А зачастую сводились и личные счеты. Вот, например, при каких обстоятельствах был отстранен от должности (что явилось прелюдией к скорому аресту) А. Горбатов: «...в начале 1937 года командир нашего 7-го кавкорпуса[29] Петр Петрович Григорьев был срочно вызван в Киев, командиры дивизий насторожились.

...Назавтра мы узнали, что Григорьев арестован. В тот же день во 2-й дивизии был собран митинг, где во всеуслышание объявили, что командир корпуса «оказался врагом народа»...

На митинге было предоставлено слово и мне. Я сказал, что знаю товарища Григорьева более четырнадцати лет... Это – один из лучших командиров во всей армии... Верю, что следствие разберется, и невиновность Григорьева будет доказана.

Выступавшие после меня ораторы подчеркивали чрезмерную, как они говорили, придирчивость Григорьева[30], то есть его деловую требовательность, и выискивали недостатки в его работе. *Мой голос как бы потонул в этом недобром хоре.*

А дня через два до меня дошли слухи, что командир 7-го кавалерийского полка нашей дивизии отдал своего прекрасно выезженного коня, завоевавшего первенство на окружных соревнованиях, уполномоченному особого отдела, который почти не умел ездить на лошади. Никогда не мог бы я прежде подумать, чтобы этот командир *мог унизиться* до такого поступка.

Вызвав его в штаб, я сказал:

– Вы, по-видимому, чувствуете за собой какие-то грехи, а потому и задабриваете особый отдел? Немедленно возьмите обратно коня, иначе он будет испорчен не умеющим с ним обращаться всадником!

На другой день комполка доложил мне по телефону, что мое приказание выполнено.

Прошел еще месяц. Приказом командующего округом я был освобожден от командования дивизией, а вскоре и исключен из партии штабной парторганизацией «за связь с врагами народа»[31].

За короткий срок из армии было уволено около 44 тысяч человек командно-начальствующего состава, причем, как свидетельствует В. Карпов, *почти все* они были после ареста расстреляны, немало уцелевших умерли в заточении[32].

А маховик репрессий все раскручивался[33], остановить его было уже невозможно. Кровавая вакханалия достигла таких размеров[34], что специально созванный в начале 1938 года Пленум ЦК принял постановление, направленное на ограничение масштаба репрессий, однако они не прекращались.

Для становления комбата требуется не один год, а тут был почти уничтожен костяк армии. «В целом в период сталинских репрессий было истреблено высшего и старшего командного состава больше, чем мы потеряли его *за все четыре годы* войны»[35].

Реабилитировали в лучшем случае десятки. Те из них,

кто оказался не сломленным, воевали действительно не за страх, а за совесть[36]. Но не из-за желания выслужиться перед Сталиным. Неужели и мысли не допускает В. Суворов, что люди эти, как и миллионы других, доживших до Победы и не доживших, дошедших до конца и не дошедших, упавших и не поднявшихся, там, в окопах думали не о чинах и наградах, а о чести и самом существовании терзаемой врагом Родины?

И немногие вернувшиеся перед самой войной из лагерей комбриги не могли, конечно, сделать погоду в разгромленной собственными правителями армии.

Должности замещались в экстренном порядке. «Вынуждены были назначать командиров небольших звеньев сразу на очень ответственные должности. Так, например, капитан Ф.Н. Матыкин, бывший командир батальона, был назначен сразу командиром стрелковой дивизии; капитан И.Н. Нескубо, начальник полковой школы, назначен сразу командиром стрелковой дивизии; майору К.М. Гусеву, командиру эскадрильи, присвоено звание комдива, и он сразу же был назначен командующим ВВС Белорусского военного округа; старший лейтенант И.И. Копец получил воинское звание *полковника* и был назначен замкомандующего ВВС Ленинградского военного округа, а к началу войны он уже *генерал* – командовал ВВС Западного фронта...[37]

За 1937–1938 годы были сменены все (кроме Буденного) командующие войсками округов, 100% заместителей командующих войсками округов и начальников штабов округов, 88,4% командиров корпусов и 100% их помощников и заместителей; командиров дивизий и бригад сменилось 98,5%, командиров полков – 79%, командиров батальонов и дивизионов – 87%, состав облвоенкомов сменился на 100%; райвоенкомов – на 99%.

К началу войны Красная Армия и Военно-Морской Флот пришли с *почти истребленным основным костяком армии...*»[38]

На смену сформировавшимся, знающим службу командирам зачастую приходили едва ли не случайные люди. Дисциплина резко упала. Боевая подготовка находилась в плачевном состоянии. Не стоит забывать и о той атмосфере, которая сложилась в войсках, когда в 1939 году репрессии наконец пошли на убыль. Как свидетельствует маршал Жуков, «в стране создалась жуткая обстановка. Никто никому не доверял. Люди стали бояться друг друга, избегали встреч и разговоров, а если нужно было – старались говорить в присутствии третьих лиц – свидетелей. Страх породил небывалую по размерам клеветническую кампанию. Клеветали зачастую на кристально честных людей, а иногда на своих близких друзей. И все это делалось из-за страха оказаться человеком, подозреваемым в нелояльности. И эта тяжелая обстановка продолжала накаляться.

Большинство людей от мала до велика не понимали, что происходит, почему так широко распространились среди нашего народа аресты. И не только члены партии, но и беспартийные люди с недоумением и внутренним страхом смотрели на все выше поднимающуюся волну арестов, и, конечно, никто не мог открыто высказать свое недоумение, свое неверие в то, что арестовывают *действительных* врагов народа и что арестованные действительно занимались какой-либо антисоветской деятельностью или состояли в контрреволюционной организации. Каждый честный советский человек, ложась спать, не мог твердо надеяться на то, что его не заберут этой ночью в тюрьму по какому-нибудь клеветническому доносу»[39].

Удивительное дело, бюрократические проявления в армии после чистки возросли многократно. Но иного *и быть не могло.* Вновь обратимся к воспоминаниям Г.К. Жукова. «Недели через две мне удалось детально ознакомиться с состоянием дел во всех частях корпуса[40], и, к сожалению, должен был признать, что в большинстве частей корпуса *в связи с арестами* резко упала боевая и политическая подготовка командно-политического состава, понизилась требовательность и, как следствие, ослабла дисциплина и *вся служба* личного состава. В ряде случаев демагоги подняли голову и пытались *терроризировать* требовательных командиров, пришивая им ярлыки «вражеского подхода» к воспитанию личного состава...

Находились и такие, которые занимались злостной клеветой на честных командиров[41] с целью подрыва доверия к ним со стороны солдат и начальствующего состава. Пришлось резко вмешаться в положение дел, кое-кого решительно одернуть и поставить вопрос так, как этого требовали интересы дела. Правда, при этом лично мною была допущена повышенная резкость, чем немедленно воспользовались некоторые беспринципные работники корпуса. На другой же день на меня посыпались донесения в округ с жалобой к Ф.И. Голикову[42], письма в органы госбезопасности «о вражеском воспитании кадров» со стороны командира 3-го конного корпуса Жукова.

Через неделю командир 27-й кавалерийской дивизии В.Е. Белокосков сообщил мне, что в дивизии резко упала дисциплина и вся служба. Я спросил его: а что делает лично командир дивизии Белокосков? Он ответил, что командира дивизии сегодня вечером разбирают в парторганизации, а завтра наверняка посадят в тюрьму...»[43]

Не надо иметь сильного воображения, чтобы представить, что чувствовали тюрьмы избежавшие. Нетрудно также догадаться, что нашлось, мягко говоря, немало таких, кто посчитал, что вовсе не добросовестная служба, а лишь демонстрация личной преданности вождю и налаженные отношения со вполне определенными органами дают гарантию сытой жизни и быстрой карьеры. Какое дело было им до боеспособности войск, если *за все отвечал* вождь? Естественно стремление этих людей, воспринимавших армию как личную кормушку, избавиться от случайно уцелевших честных, требовательных, да просто квалифицированных командиров.

Какая-либо инициатива снизу практически исключалась, невозможно было даже просто высказать свою точку зрения. Случись ее несоответствие с официальной «линией», и не в меру инициативного командира ждали лагеря. Понятно, что все, что не было санкционировано непосредственно сверху, попросту сворачивалось. А наверху безраздельно распоряжался Ворошилов, от проблем боевой подготовки и строительства *современных* вооруженных сил, мягко говоря, далекий.

Помните, за что арестовали комбрига Серпилина в симоновских «Живых и мертвых»? Он всего лишь высказался в том смысле, что завоевавшие Европу немцы – *сильный и опасный* противник[44]. Этого оказалось достаточно для доноса и скорого ареста. И это был *типичный* случай. Участь тех, кто имел неосторожность делать самостоятельные выводы о причинах побед вермахта, была печальна. Но и оставшимся, тем, кто затаил все в себе, и тем, кто старался не думать ни о чем, или даже был не способен проанализировать ситуацию, повезло немногим больше. Немцы напали, и их мощь, их умение воевать оказались столь неожиданными, что многие из этих людей просто не выдержали.

Репрессии катком прошлись и по Академии Генштаба. В 1937 году были репрессированы крупнейшие ученые, создатели военных трудов – Верховский, Вакулич, Свечин, Алкснис, Баторский, Алафузо, Малевский, Жигур, Михайлов, Циффер, многие другие. Другие академии также не избежали арестов профессорско-преподавательского состава. Но об этих людях, пострадавших, видимо, лишь за хорошее знание истории создания собственной армии, В. Суворов умалчивает. Упоминается им лишь В.К. Триандафиллов[45]. Слов нет, этот человек внес немалый вклад в развитие военной науки. Говорят, Гудериан держал его труды на своей книжной полке. Триандафиллов еще в конце 20-х годов говорил и писал о прорыве обороны противника на большую глубину, о «глубокой операции», и эти его идеи действительно опередили время.

Но, во-первых, он – один из многих. А во-вторых, был человеком своего времени и, совершив гениальную догадку о будущем характере войны, имел все же представление о средствах прорыва и обороны лишь образца Первой мировой войны. Развитие ударных сил, как и армии в целом, не стояло, конечно, на месте. В самом деле, разве можно сравнивать конные армии и корпуса Гражданской войны, дивизии легких танков середины 30-х и армии прорыва Великой Отечественной, с массированным применением тяжелых танков, артиллерии и авиации. Наброски именно такого взаимодействия можно было наблюдать на Киевских маневрах РККА 1935 года.

Не стало Триандафиллова, но советская военная наука продолжала развиваться. Можно с уверенностью говорить о том, что именно в СССР были сделаны теоретические разработки передовых, революционных методов ведения войны... Но на практике первой применила все это не Красная Армия, а немцы. И неудивительно. 1937 год если и не уничтожил военную науку совсем, то отбросил ее на десятилетие в прошлое. Многие из тех, кто остался, возводили в абсолют позиционную войну, и за их заблуждения пришлось вскоре расплачиваться большой кровью.

Обращаясь к теме репрессий конца тридцатых годов в армии, нельзя, конечно, обойти вниманием Тухачевского. И дело не только в том, что последний, занимая ответственный пост[46], в течение ряда лет фактически руководил строительством вооруженных сил. В конце концов, именно с его именем связано начало арестов.

Свое отношение к маршалу В. Суворов раскрывает в следующих строках: «...Никому не объяснишь, что был Тухачевский палачом и убийцей, а в вопросах стратегии разбирался слабо, вернее – никак не разбирался. Чтобы это понять, надо просто прочитать два тома «сочинений» этого самого Стукачевского[47]... Тухачевский был авантюристом, карьеристом, трусом... «гениальные» его творения годились только в качестве пособия на уроках политграмоты, а на большее не тянут и *не тянули*... его предложения по перевооружению армии – чистый бред»[48].

Был ли он трусом? Не думаю. Во всяком случае, признаков трусости не проявлял. В июле 1918 года был арестован командующим Восточным фронтом Муравьевым, но не растерялся и, проведя агитацию среди бойцов охраны, привлек их на свою сторону. Да и после катастрофы под Варшавой сумел стабилизировать откатившийся к Минску фронт и сохранить руководство войсками. Если В. Суворов имеет в виду, что М.Н. Тухачевский не выдержал допросов с пристрастием, оклеветал себя и подчиненных, то кто из высших военачальников выдержал, кто не оклеветал? Таких – единицы...

Что касается авантюризма... К числу авантюристов можно отнести любого военачальника, просчитавшегося или не сумевшего учесть решающих факторов и проигравшего. Но разве были полководцы, не знавшие неудач? Все же думается, что действия войск Западного фронта в Варшавской операции связаны скорее с неоправданным риском, нежели с авантюризмом. Во всяком случае, действия Клейста[49] или Гудериана[50] на первом этапе войны выглядели куда более авантюрными, однако блестящие победы их оправдали. М.Н. Тухачевский к власти не рвался и *никогда* не предпринимал действий, шедших вразрез с указаниями Центра. Так что авантюристом его не назовешь.

Был ли он карьеристом? А какой *хороший* офицер не заботится о росте? Конечно, занимаемые им должности рядовыми не назовешь, но, с другой стороны, не сам же себя назначал он на столь ответственные посты.

А вот что касается «палача и убийцы», тут В. Суворов сгустил, конечно, краски. Но в чем-то прав. Кронштадтский мятеж и восстание крестьян в Тамбове были подавлены Тухачевским с предельной жестокостью. Но это говорит в том числе и о его решительности и преданности новой власти, вне которой маршал, вероятно, себя не мыслил. Один раз сделал он выбор и, надо признать, выбору этому не изменил.

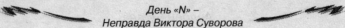

Но нас, конечно, прежде всего интересует его компетентность. Признаюсь сразу, судить о том, насколько соответствовал М.Н. Тухачевский требованиям современной[51] войны, не берусь. Все предыдущие заслуги, все удачи и поражения, все теоретические разработки – не в счет. Потому что *та* война, на которой не удалось проявить себя М.Н. Тухачевскому, отличалась от войн предыдущих, как небо и земля. Ее даже и сравнивать не с чем. И предугадать заранее, кто из командиров проявит на полях ее сражений свои лучшие качества, а кто – окажется не на высоте, было, конечно же, невозможно[52]. Но утверждения В. Суворова о бездарности маршала лишены всякого основания. Достаточно остановиться лишь на двух проведенных им операциях времен Гражданской войны, чтобы признать – этот человек шел в ногу со временем.

10 января 1920 года части 1-й Конной армии очистили от деникинцев Ростов-на-Дону. 16 января на базе Юго-Западного фронта был образован Кавказский фронт[53] во главе с В.И. Шориным. Комфронта, посчитав, что противник уже сломлен и что кратчайший путь к победе проходит по прямой, 17 января предпринял наступление на нижнем Дону вдоль трассы Ростов – Екатеринодар. При этом части 1-й Конной армии, переправившись по тонкому льду на левый берег Дона, завязли в болотистой пойме под Батайском и понесли большие потери. Возникла угроза потери инициативы, и 24 января временно исполняющим обязанности комфронтом был назначен Тухачевский. Под Ростовом Деникин сосредоточил лучшие свои силы – Добровольческий корпус. Здесь белые сами готовили контрудар. И Тухачевский, уяснив бесперспективность наступления на этом направлении, отказался от лобовой атаки. 1-я Конная была скрытно переброшена восточнее, в район станицы Платовской.

Совместно с 10-й советской армией форсировала Маныч и нанесла сильный удар по правому флангу деникинских войск. 21 февраля добровольцы ворвались в Ростов, но угроза флангового охвата заставила Деникина отказаться от дальнейших наступательных действий. Спешно переброшенные под Торговую конные резервы белых после недолгих ожесточенных боев были разбиты. Фронт покатился на юг, к Екатеринодару и Новороссийску. По существу, скорый разгром деникинских войск на Северном Кавказе был предопределен блестящим маневром, задуманным и осуществленным комфронта Тухачевским.

Столь же смело и решительно действовал он и во время Варшавской операции Западного фронта. Планировалось *главными силами фронта* совершить глубокий охват левого фланга противника и ворваться в польскую столицу с северо-запада. Нельзя не признать, что задумать и попытаться осуществить подобный маневр мог лишь человек, в стратегии и оперативном искусстве *разбирающийся*. И поражение под Варшавой обусловлено, по-видимому, изменением соотношения сил и средств[54], не в меру растянутыми коммуникациями Западного фронта, не в последнюю очередь полным истощением шестой год воюющей, разоренной братоубийственной войной и разверстками страны, упадком боевого духа[55], но никак не ущербностью самого плана операции. Конечно же, Тухачевский недооценил противника, конечно же, непростительно было не позаботиться о резервах[56], но, повторюсь, замысел был отнюдь не плох.

Чтобы не быть голословным, последую совету В. Суворова и обращусь непосредственно к первоисточникам. Вот что писал Тухачевский: «...нет возможности неприятельскую силу уничтожить одним быстрым решительным движением. Неминуемо приходится вести операцию за операцией, удар за ударом, нанося противнику непрерывные потери...»[57] Не правда ли, сказанное вполне может быть отнесено к наступательным операциям Красной Армии в кампании 1944 года? А вот строки о развитии оперативного искусства: «Новые средства борьбы, и в первую очередь *авиамотомеханизация* создают и *новые возможности* в вопросах уничтожения вооруженных сил противника. Нарождаются формы глубокого сражения, создающего предпосылки для нового этапа военного искусства, обеспечивающего возможность нанесения противнику решающих, непоправимых для него поражений»[58]. Согласитесь, сказанное не потеряло своей актуальности и поныне.

Наконец, обратимся к человеку, чье свидетельство представляется особо весомым. Вот как отзывается о М.Н. Тухачевском маршал Жуков. «К тому же времени[59] относится начало публикации работ одного из *самых талантливых* наших военных теоретиков – М.Н. Тухачевского. Ему принадлежит много прозорливых мыслей о характере будущей войны. М.Н. Тухачевский глубоко разработал новые положения теории, тактики, стратегии, оперативного искусства...»[60]

Повторюсь, каким бы он был в войне с немцами, знать мне не дано. Знаю другое. Маршал Тухачевский и его соратники не допустили бы снижения боеспособности Красной Армии уже в силу того, что были закалены и дисциплинированы суровыми сражениями Гражданской войны. Это была *их* армия, и не привыкли они перекладывать ответственность за нее на чужие, пусть даже и «хозяйские» плечи. Эти люди строили *современные вооруженные силы*[61], и вряд ли, слепо поверив Сталину, не приняли бы они никаких мер по отражению очевидно неизбежного вторжения, вряд ли немцам удалось *так* застать их врасплох.

Не стоит удивляться той пока еще скрытой, как подводная часть айсберга, силе, которую набрала советская бюрократия[62], и тому обстоятельству, что все, к чему она прикасалась, в скором времени, прогнивая изнутри, разваливалось до основания.

Представляется также очевидным, что, уничтожив костяк армии, Сталин, возможно, и застраховался от попыток государственного переворота[63], но ослабил ее боеспособность на несколько порядков.

Когда пришла пора кусаться, в распоряжении «мерзкой акулы» оказались по большей части молочные зубы.

И Иосиф Виссарионович вскоре сам в этом убедился[64].

Примечания

1 Пытаться в самом начале войны отсечь Восточную Пруссию наступлением с Белостокского выступа вдоль ее насыщенной фортификационными сооружениями южной границы с последующим выходом к морю в районе Гданьска было бы безумием. Части Красной Армии в этом случае сами втягивались в мешок, гораздо больший, чем тот, в котором погиб Западный фронт в конце июня 41-го.

2 Она, конечно же, не могла завершиться успешно *тогда*. Красная Армия не была готова к подобным широкомасштабным операциям. Дело тут не в недостатке техники, а в отсутствии опыта современной войны. Но, согласитесь, тактически подобный удар напрашивается не в меньшей степени, чем прорыв немецких 2-й и 3-й танковых групп к Минску.

3 И если кто-то скажет, что Сталин подтянул бы мехкорпуса за два-три дня до «дня М», не верьте. Любое перемещение крупных танковых соединений не осталось бы незамеченным для противника и *точно* указало полосу будущего наступления.

4 А если подобных группировок нет и создание их не предвидится, мехкорпуса что, пойдут в наступление «сплошным фронтом», с тех позиций, где они находились, – на запад? Но это не вчерашний и даже не позавчерашний день. Не день даже – сумерки.

5 Суворов В. Ледокол, с. 334.

6 Насколько надежно прикрывали и насколько были готовы, вопрос иной.

7 Именно, лишь догадывались. В докладной записке Жукова и Василевского о перспективах превентивного удара по Германии, представленной ими Сталину в середине мая 1941 года (была и такая!), о решительных рассекающих ударах с прорывом на большую глубину и окружением значительных группировок противника – ни слова.

8 Дивизии корпуса, входящего во Второй стратегический эшелон советских войск, сначала были сосредоточены в лесах у Киева, но в связи с катастрофическим развитием событий под Минском были возвращены на левый берег Днепра, погружены в эшелоны и переброшены на Западный фронт. К моменту их выгрузки в районе юго-восточнее Витебска последний был немцами уже взят.

9 Как знать, возможно, комкор просто лучше только что вернувшегося в строй из лагеря своего заместителя знал состояние дел в армии, знал, что невозможно в несколько оставшихся до встречи с немцами дней

сделать командира полка из человека, которому необходимо указывать о боевом охранении, и комбатов – из других людей, спешащих вместе с личным составом покинуть линию обороны при первом же, едва ли не случайном разрыве...

Но, скорее всего, его просто приучили не высовываться, что не могло не обернуться в конце концов безответственностью и бессилием. Не исключено, кстати, и то, что комкор все никак не мог решить для себя, как вообще относиться к столь инициативному недавнему «врагу народа», какая линия его поведения в создавшейся ситуации покажется соответствующим органам наиболее правильной. Не думал же он, в конце концов, что в полутора десятках километров от немецких окопов его пытаются подсадить!

[10] Горбатов А.В. Годы и войны, с. 167–169.

[11] Если бы не прорывающаяся горечь этих строк, такое предположение могло бы претендовать на не лишенную остроумия шутку.

[12] Горбатов А.В. Годы и войны, с. 169–171. Думаю, читатель простит мне столь пространное цитирование, но, честное слово, ничего подобного читать в официальных изданиях, увидевших свет в разгар застоя, мне не приходилось. Разве что К. Симонову, А. Генатулину, В. Кондратьеву, В. Богомолову, Василю Быкову и некоторым другим авторам, которых, поверьте, совсем немного, хватило гражданского мужества написать о минувшей войне так же ярко, *правдиво* и смело!

[13] Суворов В. Ледокол, с. 338.

[14] Речь идет об обращении Сталина к народу 3 июля 1941 года, первого с начала войны публичного выступления вождя.

[15] Симонов К. С/с. Т. 8, с. 63.

[16] Было бы удивительно, если бы огромное тоталитарное государство с мощной военной индустрией, с тысячами самолетов и танков, на разработку и постройку которых денег не жалели, с вековыми военными традициями терпело поражения совсем уж без сопротивления. Даже в тяжелейших условиях, в которых по вине «великого и мудрого вождя» армиям прикрытия пришлось вступать в бой.

[17] Симонов К. С/с. Т. 8, с. 63.

[18] Горбатов А.В. Годы и войны, с. 165.

[19] 5 марта 1953 года умер Сталин.

[20] Стыдно признаться, но я впервые столкнулся со вполне определенным суждением о «провале» Хасанской операции. Вряд ли ее задачи выходили за пределы выдворения японцев с советской территории, чего, вне всякого сомнения, достичь удалось.

[21] «Комсомольская правда» от 10.06.97, с. 4. Последняя фраза просто вызывает растерянность. Как – *по-другому?* С еще большим разгромом кадровой армии, с еще большими людскими и территориальными потерями. Получается, что страшные поражения обескровленной чисткой армии, отступление до Волги, миллионы погибших и изувеченных, миллионы пленных – это ***не худший вариант развития событий на первом этапе войны?!***

[22] Трагические события конца тридцатых годов не вписываются в теорию В. Суворова. Если Сталин еще в 1933 году *создал Гитлера* и уже тогда начал готовить войну в Европе и к войне готовиться, он не мог допустить уничтожения командного состава накануне начала военных действий. Стоит лишь признать, что Иосиф Виссарионович ради не то чтобы сохранения своей власти, а просто по подозрению, истинному или очевидно мнимому, и даже, как ни кощунственно это звучит, *в профилактических целях* готов был репрессировать до 45% командного состава, и о превентивном ударе, о «дне М», да что там, о «гении всех времен и народов» следует забыть... И приходится доказывать, что *и это* – составная часть «гениального» плана.

[23] *Десятки тысяч.*

[24] Я думаю, представить, что должен был чувствовать человек, прошедший через допросы с пристрастием и три-четыре года лагерей, не так уж и сложно. Эти по необходимости возвращенные в строй люди зачастую оказывались сломленными и уже не способными полностью проявить себя на поле боя. Те же, кого сломать не удалось, не сомневаюсь, пронесли через всю войну плохо скрываемую к товарищу Сталину ненависть. Так что неудивительны и послевоенные репрессии, в ходе которых немало фронтовиков отправлены были в лагеря и по второму разу. Но неудивительна и поддержка, которую получил Хрущев, громивший сталинизм, и та легкость, с которой Жуков нашел немало преданных людей, рискнувших и пожелавших принять участие в аресте Берии.

[25] Суворов В. Ледокол, с. 242. Обратите внимание, автор все же нигде не утверждает, что чистка укрепила боеспособность армии. Он просто говорит, что последствия ее в чем-то даже позитивны. Получается, что Сталин отправил лучшую часть командного состава на лесоповал для того лишь, чтобы, выйдя оттуда, они «лучше воевали». Автор забывает о том, что большая часть этих людей погибла, а те, кого выпустили перед самой войной и в первые ее месяцы, в большинстве своем, за редким исключением, к командной работе оказались уже неспособны.

[26] 20 июля 1944 года в рамках попытки осуществления антифашистского переворота было организовано покушение на Гитлера. На совещании в Растенбурге (Восточная Пруссия) начальник штаба Резервной армии полковник Штауффенберг сумел, предварительно покинув помещение, оставить в непосредственной близости от фюрера портфель с бомбой замедленного действия. Произошел довольно мощный взрыв, но Гитлер, отделавшись шоком, практически не пострадал. Можно, конечно, проводить параллели, но думается, что, во-первых, кризис, поразивший фашистскую Германию в середине лета 1944 года, был куда тяжелее положения Советского Союза в 1941 году. Во-вторых, сталинское окружение, да и вся обслуживающая его власть, бюрократическая машина были связаны с вождем куда теснее, чем офицерский корпус вермахта с Гитлером. И физическое устранение Сталина в октябре-ноябре 41-го, когда немцы стояли у ворот Москвы, означало неизбежное и скорое ее, чиновничьей бюрократии, собственное падение.

[27] Суворов В. Ледокол, с. 304, 305. Иными словами, рабский подневольный труд, труд под угрозой смерти более эффективен и производителен, чем труд свободного человека. Если бы это было так, олигархи и саму мысль о демократии давно смели бы с лица земли.

[28] Приведенные ниже данные взяты из книги В. Карпова «Маршал Жуков, его соратники и противники в годы войны и мира». Впрочем, подсчеты эти, сделанные также отсидевшим не один год генералом Тодоровским, приводились неоднократно и в других источниках, и в их достоверности сомневаться не приходится.

[29] В состав 7-го кавкорпуса входила и 2-я кавалерийская дивизия. Командир дивизии – А.В. Горбатов.

[30] Неудивительно, что в первую очередь были репрессированы наиболее сильные, требовательные командиры. Неудивительна и слабая выучка войск во многих подразделениях накануне войны.

[31] Горбатов А.В. Годы и войны, с. 117–119.

[32] Карпов В. Маршал Жуков, его соратники и противники в годы войны и мира. Роман-газета, 1991, №11, с. 30.

[33] Сталину даже не пришлось инспирировать процессы на местах. Местные органы НКВД организовывали их по собственной инициативе. Мог ли он остановить репрессии? Видимо, да, но, как известно, лучше перестраховаться. Разве остановит дирижер оркестр только потому, что тот исполняет лучше, чем предполагалось? Что ему были несколько десятков тысяч кадровых военных, Сталин и его подручные повинны в гибели десятков миллионов. О внешней угрозе, о войне в далеком 37-м году Сталин вряд ли и думал. Он все выискивал, и находил, и уничтожал истинного или мнимого врага внутреннего, *ближнего*.

[34] Ведь брали не только военных, а буквально всех подряд. После смерти Сталина в начале 1954 года по требованию Хрущева для него была подготовлена справка о репрессированных по контрреволюционным обвинениям. Этот «официальный документ» называет 3 777 380 осужденных, из них 642 980 – расстрелянных. Только эпидемии или мировая война могли произвести подобные опустошения.

[35] Карпов В. Маршал Жуков, его соратники и противники в годы войны и мира. Роман-газета, 1991, №11, с. 30.

[36] А.В. Горбатова репрессии не сломали. Не сломали и Рокоссовского, и некоторых других, сумевших занять на войне подобающее им место. Но не следует забывать, что у органов была в тот период едва ли не единственная задача – уничтожать людей. Не только физически. И, надо признать, дело свое они знали. Вот что пишет в своей книге «В походах и боях» П.И. Батов: «...некоторые из возвращенных в строй товарищей оказались морально сломленными настолько, что работа в качестве старших начальников уже была им не по плечу. Это не их вина, это их беда была. Но ведь шла война, и расплачиваться приходилось кровью» (с. 23).

[37] В первые дни войны, чувствуя на себе ответственность за катастрофические потери в авиационной технике, И.И. Копец застрелился.

[38] Карпов В. Маршал Жуков, его соратники и противники в годы войны и мира. Роман-газета. №11. 1991, с 30.

[39] Жуков Г.К. Воспоминания и размышления. Т. 1, с. 229, 230. Не старайтесь разыскать эти строки в «доперестроечных» изданиях. Цензура их не пропустила.

[40] Речь идет о 3-м конном корпусе, командиром которого был назначен Г.К. Жуков. Назначен взамен арестованного в 1937 году и почти сразу же расстрелянного предыдущего его командира, героя Гражданской войны, конармейца Д. Сердича.

[41] Будь требовательный командир кристально чист, всегда мог возникнуть вопрос: «Если в *мирное* время ты стараешься сохранить твердое руководство личным составом, увеличить боеспособность вверенного соединения, то... *против кого*?»

[42] Был в то время членом Военного совета Белорусского Особого военного округа.

[43] Жуков Г.К. Воспоминания и размышления. Т. 1, с. 234, 235.

[44] Мне возразят – это же литературный персонаж. Верно. Но ведь не случайно автор дал своему герою именно *такую* биографию.

[45] Чтобы понять, почему В. Суворов «признает» Триандафиллова, по существу игнорируя других теоретиков военного искусства, достаточно открыть Советскую военную энциклопедию и взглянуть на дату его смерти. В.К. Триандафиллов не был и не мог быть репрессирован Сталиным, так как погиб в авиакатастрофе в 1931 году.

[46] М.Н. Тухачевский с 1936 года до дня ареста занимал должность первого заместителя наркома обороны. Если учесть, что наркомом был в те годы К.Е. Ворошилов, становится понятным, кто находился во главе армии.

[47] Так автор, подчеркивая свое негативное отношение, называет покойного маршала.

[48] Суворов В. Последняя республика, с. 15,16.

[49] Был командиром ударной силы группы армий «Юг» – 1-й танковой группы. 22 июня танковые дивизии Клейста нанесли удар в стык между 5-й и 6-й армиями Южного фронта и в первые же дни войны, несмотря на более чем трехкратное превосходство в танках наших войск, прорвались к Ровно. Танкисты Клейста действовали смело и инициативно, не боялись отрываться от пехоты и оголять фланги. По свидетельству очевидцев, в первые дни войны наши и немецкие соединения перемешались, и их расположение напоминало слоеный пирог. При этом на флангах группы висели шесть советских мехкорпусов. Тем не менее Клейст сумел не только выдержать их контрудары, но так и не дал сомкнуть фланги 5-й и 6-й советских армий и к середине июля прорвался к Киеву.

[50] Один из создателей танковых войск вермахта. В 1941 году командовал 2-й танковой группой. В первую неделю войны моторизованные корпуса Гудериана, прорвав фронт, далеко оторвавшись от пехотных соединений и не обращая внимания на фланги, устремились к Минску. Инициативные действия немецких танкистов, их быстрое продвижение

вперед обеспечили окружение и уничтожение одиннадцати советских дивизий Западного фронта в котле восточнее Минска. Еще более смело действовал Гудериан в сентябре 1941 года. Оставив почти без прикрытия свой левый фланг, он сумел совместно с 1-й танковой группой Клейста перерезать пути отхода оборонявшим Киевский выступ войскам Юго-западного фронта, что привело к скорому их окружению и разгрому.

[51] Имею в виду, конечно же, Вторую мировую войну и то новое, что привнесли в развитие оперативного искусства немцы и что впоследствии столь блестяще удалось применить против их самих Красной Армии – прорыв фронта на большую глубину, массированное применение танков и авиации и т.д.

[52] Были, разумеется, и исключения. Был Г.К. Жуков. Но был и К.Е. Ворошилов. Об их роли в будущей войне, пожалуй, можно было знать заранее.

[53] В него вошли 9-я, 10-я, 11-я армии и Сводный конный корпус Юго-Западного фронта и 8-я и 1-я Конная армии Южного фронта.

[54] Чтобы представить себе обстановку на советско-польском фронте в июле-августе 1920 года, достаточно обратиться к воспоминаниям С.М. Буденного. В своей книге «Пройденный путь» автор ярко и правдиво описывает трудность и ожесточенность боев, развернувшихся между Ровно и Дубно.

[55] Пока армии наступали, бойцы держались. После того как войска перешли этнографическую границу Польши и сопротивление врага приобрело особенно ожесточенный характер, у бойцов не могло не возникнуть вопроса, ради чего рискуют они жизнью? Ради того, чтобы их семьи умирали от голода в тылу?

[56] Для продолжения наступления потребовалось бросить в бой *все*. Тухачевский рискнул... и проиграл. Любопытно, что девятнадцать лет спустя в похожей ситуации оказались и немцы. Прорывавшиеся от границы к Варшаве дивизии армий «Познань» и «Поможе» нанесли внезапный удар по оголенному флангу 8-й немецкой армии южнее Кутно. Вермахт также почти не имел резервов (все было в деле), и полякам удалось форсировать реку Бзуру и даже создать угрозу тыловым коммуникациям и резервам. По словам Манштейна, создалась угроза кризиса. Но... немцы были на порядок сильнее. На пятый день польского контрудара их войска были окружены подошедшими соединениями 8-й, 4-й и 10-й армий. После недели ожесточенных боев последняя боеспособная группировка польских войск была разбита.

[57] Тухачевский М.Н. Избранные произведения. Т. 1, с. 141.

[58] Вопросы стратегии и оперативного искусства в советских военных трудах (1917–1940 гг.), с. 120.

[59] Речь идет о конце 20-х годов.

[60] Жуков Г.К. Воспоминания и размышления, с. 169.

[61] Вряд ли станет спорить и В. Суворов, что именно при Тухачевском, до начала репрессий, а отнюдь не после их спада, были созданы танковые бригады, прообраз будущих мехкорпусов. Именно при нем взаимодейст-

вие родов войск и отработка на учениях будущих «глубоких операций» стали реальностью. При Тухачевском было налажено и массовое производство вполне современной по тому времени боевой техники. Сталин, уничтожая людей, не стремился, конечно, разделаться также с мехкорпусами и авиацией. Однако пока неопытные вновь пришедшие командиры научились должным образом ими распоряжаться, большую часть самолетов и танков уничтожили немцы.

62 Чистка, вне всякого сомнения, способствовала усилению региональных элит, которым фактически принадлежала *вся* власть на местах. Сталин мог, конечно, уничтожить этих людей, но «следующий ряд зубов», пришедшие им на смену чиновники, вне всякого сомнения, были бы *еще более надсмотрщиками* и *еще менее специалистами*. И когда началось, многие из них так и не приняли того очевидного факта, что им требуется не следить, чтобы «быдло» оставалось в загоне, а отражать немцев. Справедливости ради следует отметить, что армии это коснулось все же в меньшей степени.

63 Существует версия, согласно которой военные *действительно* готовы были предпринять попытку отстранения Сталина от власти. Мне подобные воззрения представляются надуманными. Эти люди сделали свой выбор задолго до 1937 года. Беззаветное служение РККА дало им все, превратив из безвестных фельдшеров и прапорщиков в комбригов и командармов. Они повязаны были с новой властью. Залитым кровью Кронштадтом и сожженными, стертыми с лица земли тамбовскими деревнями повязаны. Думается, что организоваться в реальную силу в условиях тотальной слежки было весьма затруднительно. В любом случае вычленить *правдивую* информацию о *реальных* подпольных группах сопротивления, даже если таковые и были, сейчас, по прошествии стольких лет вряд ли возможно.

64 В конце 1939 года германский Генеральный штаб дал РККА убийственную характеристику: «Эта в количественном отношении гигантская структура по своей организации, оснащению и методам управления находится в неудовлетворительном состоянии. Принципы командования нельзя назвать плохими, но командные кадры *слишком молоды и неопытны*. Система связи и транспорта никудышная, качество войск весьма различное, *нет личностей*, боевая ценность частей *в тяжелых сражениях* весьма сомнительна». Все так. Три года только тем и занимались, чтобы личностей в армии, да и в стране не осталось и в помине. И старшие лейтенанты не могли, конечно же, в одночасье превратиться в комдивов. И связь даже и в июне 1941 года оставляла желать лучшего. Одного не учли немецкие генштабисты. Когда танковые клинья растрепали кадровую армию, на защиту страны поднялся народ. Прямо на полях сражений, извлекая уроки из катастрофических поражений и страшных потерь, создавалась *другая армия*. Та, которая в конце концов дошла до Берлина.

Глава 5

ВОЙНА, КОТОРАЯ БЫЛА.
КОНФЛИКТ С ФИНЛЯНДИЕЙ

Война с Финляндией – тот барьер, взять который Сталин не смог. Рубикон, к которому вождь подошел, замочил ноги, постоял в раздумье на теплом мелководье и вернулся на берег. И дело не только в весьма ощутимых даже для Советского Союза с его неистощимыми людскими ресурсами потерях. Сталин неожиданно для себя открыл, что проводить политику аннексии чужих территорий дело непростое, а главное, весьма и весьма рискованное. Гитлер идет напролом. Что ж? Это его дело. Он, Сталин, рисковать *всем* не станет.

Бытует мнение, что Гитлер и Сталин, СССР и фашистская Германия – *одно и то же*. Думается, это не совсем так. Гитлер был фанатиком, он искренне верил в бредовые, человеконенавистнические идеи о превосходстве арийской расы. Верил настолько самозабвенно и искренне, что сумел одурманить униженную Версалем и потому готовую откликнуться на его призыв Германию[1]. В том, что вермахт в течение двух-трех лет завоюет всю Европу, фюрер даже *и не сомневался*. И те действия Гитлера, которые принято называть авантюрами, с его точки зрения были единственно правильными, дающими быстрый и ошеломляющий результат.

Да, политическая обстановка, упорное нежелание англо-французов одернуть агрессора способствовали его усилению. Да, он сумел увлечь за собой верхушку жаждавшего реванша генералитета, целую плеяду блестящих военных, создавших сильнейшую армию, разработавших и применивших в бою единственно для Германии приемлемую стратегию молниеносных сокрушительных ударов. Но одной из главных причин успехов, на мой взгляд, является дьявольское чутье Гитлера и его способность к риску. Блефовал он, иного слова не подберешь, вступая в демилитаризованную зону, когда «Франция без помощи своих прежних союзников могла бы вторгнуться в Германию и снова оккупировать ее почти без серьезных боев»[2]. Рисковал, когда входил в Австрию. Все еще был куда слабее англо-французов, шантажируя Чехословакию. Но... все получалось. Каждый новый захват лишь увеличивал мощь Германии. Версальские победители, напротив, на глазах теряли авторитет, союзников и подавляющее поначалу военное превосходство.

«До середины 1936 года агрессивная политика Гитлера и нарушение им договора[3] опирались не на силу Германии, а на разобщенность и робость Франции и Англии... Каждый из его предварительных шагов был рискованной игрой, и он знал, что в этой игре он не сможет преодолеть серьезного противодействия. Захват Рейнской области и ее последующее укрепление были самым рискованным ходом. Он увенчался блестящим успехом. Противники Гитлера были слишком нерешительными и не могли дать ему отпор... Когда правительства Франции и Англии поняли, какие ужасные изменения произошли, было уже слишком поздно»[4]. Они наконец-то заявили о своей решимости отстоять мир *силой оружия*. Но Гитлера подобные, безнадежно запоздавшие, предупреждения остановить уже не могли, вермахт перешел польскую границу на всем ее протяжении.

И Сталин не мог не подумать: а чем он, «гений всех времен и народов», хуже? Рисковать он, конечно же, не собирался, не тот это был человек. Но если Гитлер, имея *лишь создающуюся* армию, без борьбы занял Центральную Европу, то Сталин в любой момент мог выставить не один миллион хорошо вооруженных бойцов. Если Гитлеру удалось в две недели раздавить польское государство и англо-французы, несмотря на все их заверения, не тронулись с места, что могло помешать Сталину «помочь финскому пролетариату взять власть в свои руки»?[5] Если Польша, имевшая куда более многочисленную, нежели финская, армию, куда больший потенциал и могущественных союзников, не устояла против вермахта, РККА должна была бы, как представлялось, подавить сопротивление финнов едва ли не в несколько дней. Так думал Сталин, *в это хотелось ему верить*, и никто, конечно, не возражал.

Военный конфликт с Финляндией, являясь одним из звеньев в цепи довоенных аннексионистских устремлений Советского Союза, все же стоит особняком и имеет свою предысторию.

Первое давление на финское правительство было оказано в апреле 1938 года, когда «посольство в Хельсинки... заявило правительству Финляндии о настоятельной необходимости улучшения советско-финляндских отношений и принятии таких мер, которые укрепили бы безопасность как Советского Союза, так и Финляндии. Финляндское правительство признало закономерной такую постановку вопроса и согласилось на соответствующие переговоры»[6]. При этом финны надеялись на содействие СССР в разрешении вопроса о ремилитаризации Аландских островов[7]. Советское правительство, по существу, потребовало предоставить ему план будущих оборонительных сооружений, и диалог завершился.

«В марте 1939 г.[8] все эти вопросы вновь были подняты в ходе советско-финляндских переговоров, протекавших через обычные дипломатические каналы. Советское правительство выдвинуло следующие предложения: СССР гарантирует неприкосновенность Финляндии и ее морских границ; предоставит Финляндии обязательства помощи против агрессии, вплоть до военной помощи;

заключит с Финляндией выгодный для нее торговый договор; *поддержит ходатайство финляндского правительства о пересмотре статуса Аландских островов*. Финляндия, со своей стороны, даст Советскому Союзу обязательство сопротивляться любой агрессии, отстаивать свой суверенитет и независимость[9], оказать Советскому Союзу содействие в укреплении безопасности Ленинграда, как с суши, так и с моря. Это содействие могло бы выразиться в предоставлении Финляндией Советскому Союзу аренды на острова в Финском заливе Сурсари (Гогланд), Лавансари, Сейскари, Тиуринсари сроком на тридцать лет.

Финляндское правительство не приняло советских предложений, а вопрос о ремилитаризации Аландских островов внесло на рассмотрение Лиги Наций»[10].

И финнов можно понять. За перспективу вооружения расположенных у побережья нейтральной мирной Швеции островов пришлось бы расплачиваться возникновением советских военно-морских баз[11] у своего подбрюшья.

Заключительный раунд переговоров состоялся в октябре. Теперь, после падения Польши и раздела ее территории, советская сторона требовала уже обмена Карельского перешейка на вдвое большую территорию в Карелии и аренды полуострова Ханко. Подобный обмен был невозможен. Карельский перешеек был превращен к этому времени в мощную оборонительную линию. С переходом основной и единственной оборонительной полосы в чужие руки Финляндия становилась беззащитной. «13–14 октября в Финляндии была объявлена мобилизация запасных и введена всеобщая трудовая повинность, началась эвакуация населения Хельсинки, Выборга, Тампере, зоны Карельского перешейка и побережья Финского залива. Управление страной перешло к военному кабинету... Не ограничиваясь *вызывающими действиями на дипломатическом фронте*, правительство Финляндии приступило к осуществлению ряда военных мероприятий»[12]. Сталин понял, что процесс «мирного присоединения», столь успешно развивающийся в Прибалтике[13], здесь не пройдет. Но он еще не верил, что это – *серьезно*.

Последняя попытка «договориться», по существу, представляющая собой ничем не прикрытый шантаж, была предпринята в конце октября. 26-го числа на Карельском перешейке в районе деревни Майнила в результате короткого артналета было убито четверо и ранено девять советских солдат и офицеров. В тот же день В. Молотов[14] направил финской стороне ноту, в которой предложил финляндскому правительству «незамедлительно отвести свои войска подальше от границы на Карельском перешейке – на 20–25 километров...». Подобный отвод войск означал бы оставление укреплений линии Маннергейма пустыми как раз в тот момент, когда угроза вторжения становилась реальностью. В ответной ноте финское правительство утверждало, что орудийный огонь по советским позициям *был произведен из советского же тыла,* и предлагало произвести совместное расследование. Финны даже соглашались на отвод войск, но с обеих сторон. Однако Сталин посчитал, что разговаривать уже не о чем. Ослабить Финляндию перед вторжением не удалось, *задавим и так*. «...На границу с Финляндией был послан замнаркома обороны и начальник Главного артиллерийского управления Г.И. Кулик, который должен был произвести артиллерийский обстрел территории Финляндии. *Предполагалось*, что после этого обстрела Финляндия сразу же спасует и запросит пощады. Но после наших выстрелов финны тоже ответили артиллерийским огнем»[15].

30 ноября 1939 года Красная Армия перешла границу. «Вера в то, что война будет завершена буквально в течение нескольких дней, у Сталина была настолько сильна, что *начальника Генерального штаба даже не поставили в известность о ее начале*: Шапошников в это время был в отпуске»[16]. И эта уверенность базировалась, конечно

же, на подавляющем превосходстве в силах и средствах. Все население Финляндии, немногим больше трех миллионов человек, не превышало населения Ленинграда[17]. При этом не следует забывать, что в боевых действиях приняла участие значительная часть кадровой армии, почти вся авиация, Балтийский и Северный флоты. Вот что пишет по этому поводу один из непосредственных участников прорыва линии Маннергейма К.А. Мерецков[18]: «Когда я стал говорить, что несколько недель на операцию такого масштаба не хватит, мне заметили, что я исхожу из возможностей ЛВО (Ленинградский военный округ. – *А.Б.*), а надо учитывать силы всего Советского Союза в целом»[19].

Вдоль границ Финляндии было развернуто четыре армии: 14-я в составе двух стрелковых дивизий – в Заполярье, 9-я (три стрелковые дивизии) – в Карелии, 8-я (четыре стрелковые дивизии) – северо-восточнее Ладожского озера, 7-я (шесть стрелковых дивизий и части усиления[20]) – на Карельском перешейке[21].

И если на севере несколько сот финнов не могли противостоять двум стрелковым дивизиям РККА и вынуждены были отступать в глубь страны, то наступление 8-й и 9-й советских армий развивалось не столь успешно. Вот как описывает тактику немногочисленных финских отрядов сам В. Суворов: «Советская колонна танков, мотопехоты, артиллерии. Вправо и влево сойти нельзя – мины. Впереди – мост. Саперы проверили – мин нет. Первые танки вступают на мост и вместе с мостом взлетают в воздух: заряды взрывчатки были вложены в опоры моста еще во время строительства... Итак, советская колонна во много километров длиной, как огромная змея, остановлена на дороге. Теперь наступает очередь финских снайперов. Они не спешат: хлоп, хлоп. И снова все тихо в лесу. И снова: хлоп, хлоп... Снайперы бьют только советских командиров: хлоп, хлоп. И комиссаров тоже. Прочесать лес невозможно: мы же помним – справа и слева от дороги непроходимые минные поля. Любая

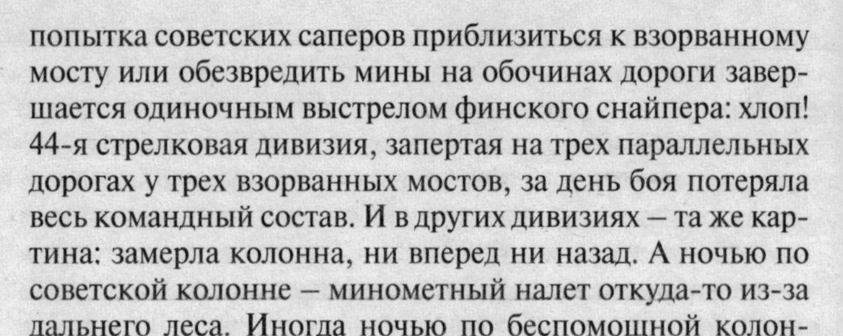

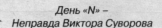

попытка советских саперов приблизиться к взорванному мосту или обезвредить мины на обочинах дороги завершается одиночным выстрелом финского снайпера: хлоп! 44-я стрелковая дивизия, запертая на трех параллельных дорогах у трех взорванных мостов, за день боя потеряла весь командный состав. И в других дивизиях – та же картина: замерла колонна, ни вперед ни назад. А ночью по советской колонне – минометный налет откуда-то из-за дальнего леса. Иногда ночью по беспомощной колонне – длинная пулеметная очередь из кустов – и все тихо.

...Что делать в такой ситуации? Оттягивать колонну назад? Но тяжелые артиллерийские тракторы с огромными гаубицами на крюке толкать назад свои многотонные прицепы не могут. А снайперы – по водителям тракторов: хлоп, хлоп. С горем пополам колонна задним ходом пятится назад, а позади в это время взлетает в воздух еще один мост. Колонна заперта. У того, другого, моста тоже все подходы заминированы, и снайперы там тоже не торопятся – по командирам, комиссарам, по саперам, по водителям: хлоп, хлоп. Далеко впереди почти неприступная линия финских железобетонных укреплений – «Линия Маннергейма»[22]. Прорвать ее без артиллерии, без тысяч тонн боеприпасов невозможно. Советские войска уперлись в финские укрепления, а тяжелая артиллерия далеко отстала, она тут, на лесных дорогах, между минных полей и взорванных мостов под огнем снайперов...»[23]

Стоит отметить, что подобным образом события развивались не в полосе наступления 7-й армии, а севернее Ладожского озера. Впрочем, и на Карельском перешейке тоже не очень получалось. Попытка обхода финских укреплений закончилась неудачей. Две дивизии 8-й армии[24] к декабрю продвинулись вдоль северного берега Ладожского озера на 20–25 километров, но, понеся большие потери, деморализованные, продолжить наступательные действия были не в состоянии. К этому времени войска 7-й армии с большим трудом и с огромными потерями преодолели предполье и вышли на передовую оборонительную полосу линии Маннергейма. Попытка прорвать ее с ходу привела лишь к новым потерям. Неудачей закончился и новый, проведенный после пятидневной подготовки, штурм. Как считают многие специалисты, система финских оборонительных сооружений была в то время одной из сильнейших в мире, ни в чем не уступая линии Мажино. Неудивительно, что легкая артиллерия не могла пробить железобетонные с полутораметровыми стенами доты. Бессильными оказались и 45-миллиметровые пушки «бэтушек», а вот финны, затаившись до времени, пропускали советские танки между дотами и расстреливали их в упор. Перспективы дальнейшего наступления и значительное увеличение количества вновь прибывших на фронт соединений потребовало провести реорганизацию. «7 января 1940 года... на Карельском перешейке был создан Северо-Западный фронт[25] во главе с командармом 1-го ранга С.К. Тимошенко»[26].

Наведение должного порядка и массированное применение артиллерии большой мощности (калибром 203–280 мм) позволили подготовить и 11 февраля осуществить прорыв передовой линии укреплений. Основной удар на левом фланге наступления наносили дивизии 7-й армии. Буквально прогрызая финскую оборону, войска медленно продвигались вперед. За передовой и главной находились вторая и третья оборонительные полосы и укрепления Выборгского укрепрайона. В течение 28–29 февраля вторая оборонительная линия была прорвана, а 1–3 марта войска 7-й армии вышли на подступы к Выборгу. Наконец-то, когда линия Маннергейма осталась позади, был предпринят обходной маневр. 4 марта 70-я стрелковая дивизия под командованием М.П. Кирпоноса[27] по льду форсировала Выборгский укрепленный район и, захватив плацдарм в районе Вилайоки, перерезала шоссе Выборг – Хельсинки.

С потерей основного и, по существу, единственного оборонительного рубежа дальнейшее сопротивление

финской армии теряло перспективы. Вне всякого сомнения, она сохранила высокую боеспособность и могла бы еще наносить противнику новые потери, но предотвратить продвижение Красной Армии и оккупацию Хельсинки и всего юга страны была уже не в состоянии. Еще 8 января 1940 года финны предприняли первые шаги к заключению мира[28]. Однако до тех пор, пока решающего перелома на фронте не произошло, переговоры протекали вяло. Лишь 23 февраля, когда прорыв линии Маннергейма стал свершившимся фактом, советская сторона изложила свои условия[29]. Финляндское правительство оказалось перед нелегким выбором: продолжать борьбу, рассчитывая на моральную поддержку Лиги Наций и возможное прибытие нескольких тысяч добровольцев и англо-французских экспедиционных сил, либо примириться с потерей десятой части территории страны.

Реальным ли было предоставление воюющими Англией и Францией масштабной военной помощи, неизвестно[30]. Однако следует признать, что англо-французы проявили невиданную прежде дипломатическую активность. Их представители заявили Таннеру, что правительство Рюти должно официально обратиться к этим государствам с просьбой о вооруженной помощи не позднее 5 марта. Мирный договор Финляндии с Советским Союзом означал потерю ими еще одного потенциального союзника и в очередной раз демонстрировал бессилие Лиги Наций предотвратить агрессию. Но было поздно. 4 марта Маннергейм[31] доложил, что финляндские войска на Карельском перешейке находятся в критическом положении.

«12 марта 1940 г. в Москве был подписан мирный договор между СССР и Финляндией и протокол к нему. Согласно протоколу военные действия прекращались 13 марта в 12.00 по ленинградскому времени. Финляндия *соглашалась* отодвинуть свою границу с СССР на Карельском перешейке, северо-западнее Ладожского озера, и в районе Куолоярви[32], передать Советскому Союзу часть полуостровов Рыбачий и Средний, а также сдать ему в аренду на 30 лет полуостров Ханко с прилегающими островами»[33].

Несмотря на то, что по условиям договора Выборг отходил к Советскому Союзу, части Красной Армии штурмовали город до полудня. В этих бессмысленных атаках погибли сотни красноармейцев. Смысл штурма остается вне пределов понимания и поныне. Ведь город и так отходил к СССР в соответствии с условиями мирного договора... Финские солдаты, как и в 1944 году, защищали Выборг до последнего. До 12 часов. Стрельба прекратилась. Финские части снялись и ушли. Население покинуло город раньше. Покинуло почти поголовно.

Каковы же итоги Зимней войны?[34] Что принесла она нам? Какой увидели Красную Армию в ее первых после Гражданской войны серьезных боевых действиях сторонние, но крайне заинтересованные наблюдатели?

Вот как оценивает события В. Суворов: «С точки зрения большой политики, бои в Финляндии были поражением Советского Союза: цели войны были объявлены слишком откровенно и отчетливо, теперь пришлось объявить, что мы воевали не за включение новой республики в состав СССР, а за «безопасность города Ленина». «Правительство» Куусинена, «народно-освободительную армию[35] Финляндии» пришлось без шума разогнать, вроде не было никогда такого «правительства» и такой «армии».

Однако с точки зрения чисто военной это была блистательная победа, равной которой во всей предшествующей и во всей последующей истории нет ничего...»[36]

То, что конфликт с Финляндией явился провалом внешней политики Сталина, сомнений не вызывает. Впрочем, буквально через строку В. Суворов утверждает, что немалые политические дивиденды извлечь все же удалось: «...уже летом три государства Балтии... сдались Сталину без боя и превратились в «республики» Советского Союза.

Правительства... этих стран... сделали страшный, но правильный вывод: ...Если Сталин решил, то Красная Армия уничтожит кого угодно, сама при этом понесет *любые* потери, но сталинский приказ выполнит. И три государства сдались без единого выстрела.

...Красная Армия продемонстрировала такую мощь в Финляндии, что после этого другие страны сдавались без боя...»[37]

Думается все же, что «сдача» без боя трех прибалтийских государств была обусловлена не столько прорывом линии Маннергейма, сколько разгромом Франции. Повторюсь, дестабилизация этих стран была инициирована Сталиным не в марте-апреле, по завершении Финской войны, а лишь в июне, когда Франция, единственная страна, на чью защиту могли они еще рассчитывать, капитулировала. К тому же возможности[38] Эстонии, Латвии и Литвы оказать сопротивление Красной Армии оказались сведены на нет созданием на их территории советских военных баз. От вооруженной борьбы правительства этих стран отказались еще осенью 1939 года, *до советско-финляндского конфликта*. Финляндия же, подготовленная к оборонительной войне, заручившаяся поддержкой англо-французов, тогда, в октябре 39-го, развернуть наши военно-морские базы на своей территории не позволила, «без боя» не сдалась и в результате, пройдя через войну и потеряв Карельский перешеек, *независимость сохранила*.

СССР увеличил территорию, «обеспечил *большую* безопасность для одной из своих столиц»[39], но... заплатил за это потерей *военного* и политического престижа и толкнул в объятия Гитлера еще одного, возможно самого боеспособного и стойкого, союзника.

Что касается «блистательной военной победы», тут есть о чем поспорить. При этом не отрицаю героизм и непривередливость советского солдата, действительно сделавшего невозможное. Бросавшегося в лоб на прикрытые минными полями и проволочными заграждениями финские доты. Под перекрестным огнем. По метровому снегу. При сорокаградусном морозе. Проломившему в конце концов мощнейшую в мире систему укреплений. Ценой многих десятков тысяч жизней проломившему.

Но из этого вовсе не следует, что Красная Армия проявила себя с лучшей стороны. Напротив, та цена, та кровь, которую пришлось пролить за полосу карельской земли, лишь подчеркивает всю нашу расхлябанность, все ошибки, допущенные командованием разных уровней, от обещавшего скорую легкую победу, расписавшегося в полной своей некомпетентности Ворошилова до растерявшихся старших лейтенантов, враз ставших командирами полков. Сказались результаты репрессий, доведшие вооруженные силы до катастрофического некомплекта командного состава.

Но все это следствия. А главная причина заложена была в сути правящего режима. В том, что стратегические решения принимались узкой группой людей, если не одним человеком. Ошибка в оценке способности финнов к войне привела к серьезной неудаче. А неверное представление о намерениях немцев летом 41-го – к катастрофе.

В. Суворов упускает из вида простую вещь. Это *сейчас* можно спокойно разобраться в ситуации. «Вспомнить» о природных и погодных условиях, словно предназначенных для успешной обороны. *И оценить свершенное по достоинству.* А тогда растерянные наблюдатели увидели и осознали лишь одно. Немцы при минимальных потерях покончили с Польшей. С той самой Польшей, которая дала Красной Армии столь жестокий отпор в 1920 году. И с легкостью захватили Норвегию[40], отделенную от них морем, с сильнейшим в мире, враждебным им флотом. И не побоялись открыто бросить вызов англо-французам. И те, считавшиеся вплоть до падения Франции *самыми сильными* на континенте, так и не рискнули их одернуть...

Кого волновал мороз за 35 градусов, и снеговой покров в человеческий рост, и болотистая местность, и мины... Результат, вне всякого сомнения, *отрицательный*

результат, был налицо. Крошечная Финляндия нанесла напавшему на нее гиганту такие раны, что последнему пришлось, довольствуясь малым, отступить.

К тому же и «чисто военные» наши просчеты были налицо. Прежде всего речь идет о недооценке противника. Понятно, что инициатива исходила от Сталина, и приказ на вторжение *обсуждению не подлежал*. Понятно, в том, что все пройдет, «как в Польше», его убедил столь же далекий от стратегии, видимо, посчитавший, что более чем *шестидесятикратное (!)* превосходство в численности народонаселения уже само по себе гарантирует скорую безоговорочную победу, Ворошилов. Но... никто против этого не возражал[41]. Лишь Б.М. Шапошников «считал *контрудар*[42] по Финляндии далеко не простым делом и полагал, что он потребует *не менее нескольких месяцев напряженной и трудной войны* даже в случае, если крупные империалистические державы не ввяжутся прямо в столкновение»[43].

Ущербность плана военных действий очевидна. К.А. Мерецков, непосредственно занимающийся подготовкой войск, утверждает, что «имелись *как будто бы* и другие варианты[44] контрудара. Каждый из них Сталин не выносил на общее обсуждение в Главном военном совете, а рассматривал отдельно, с определенной группой лиц, *почти всякий раз иных*»[45]. О содержании этих планов можно только догадываться. Несомненно одно: Сталиным они были отвергнуты в том числе и потому, что, предполагая активное сопротивление со стороны финской армии, показались уверившемуся в обратном вождю слишком громоздкими. А нужно было, как ему представлялось, особо не мудрствуя, *просто войти*.

9-я армия, от которой, как свидетельствует К. Симонов, «поначалу больше всего ждали»[46], должна была *просто продвинуться* по «талии» на Каяни и Оулу, разрезав Финляндию пополам. 8-я армия – *просто занять* северо-западный берег Ладожского озера и выйти в тыл системы финских укреплений. Но финны в Карелии

дали такой отпор, что об обходе линии Маннергейма с левого фланга вскоре пришлось забыть. Тогда, имея двукратное превосходство в живой силе и подавляющее в танках и артиллерии, стянув на фронт почти всю авиацию, не придумали ничего лучшего, чем ударить по ней в лоб. И тут выяснилось, что о подлинной мощи финских оборонительных укреплений руководство РККА имело, мягко говоря, поверхностное представление. «Некоторые сотрудники нашей разведки, как это явствовало из присланных в ЛВО материалов, считали даже эту линию не чем иным, как пропагандой.

...Красной Армии пришлось буквально упереться в нее, чтобы понять, *что она собой представляет*»[47]. Но... штурмовали. Обстреливали форты полковой артиллерией – снаряды «сорокапяточек» и 76,2-миллиметровых «полковушек» от полутораметрового железобетона отскакивали, как горох. А более мощная артиллерия появилась куда позже, когда войска «уперлись», и стало ясно, во что. Использовали «новейшие» танки «БТ-7» с десятимиллиметровой бортовой броней. Пропустив в пространство между дотами, финны с бортов их и расстреливали. О них речь еще впереди. И бросалась в яростные, но безуспешные атаки пехота. На проволоку, по минным полям. И гибла, гибла...

Пришлось остановиться и *серьезно подготовиться*. Ударили жесточайшие даже для этих широт морозы. Тут вскрылись все «особенности» тыловой службы. Теплое обмундирование доходить до фронта упорно не желало. В ноябре не озаботились, нацеленные *высшим руководством* на несколько дней боев. А когда бои затянулись, и прошел декабрь, и январь, и наступил февраль, все как-то не спешили проявить инициативу. И... воровали, конечно[48].

О преступной недооценке противника и отсутствии предварительной рекогносцировки театра военных действий говорит и время, выбранное Сталиным для наступления. Худшего и придумать невозможно. Из всех двенадцати месяцев года Красной Армии были отведены *именно три зимних*[49]. Сталин не думал, конечно, что сопротивление, *такое* сопротивление, будет оказано вообще, но тем, кто остался в снегах навсегда, разве от этого легче?

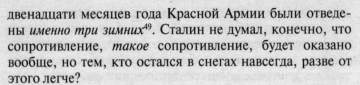

Вскрылась и неподготовленность командного состава. Вот как описывает первый штурм финских укреплений К.А. Мерецков: «К 12 декабря была преодолена полоса обеспечения, прикрывавшая главную полосу линии Маннергейма. После короткой разведки боем войска попытались прорвать ее с ходу, но не сумели сделать это. Во время артиллерийской подготовки финские солдаты перебрались из траншей поближе к проволочным заграждениям. Когда же артиллерия ударила по проволоке, чтобы проделать проходы для красноармейцев, противник опять отошел в траншеи. Танковый командир Д.Г. Павлов[50] не разобрался в обстановке. *Ему представилось*, что это наши ворвались в траншеи противника. Он позвонил по телефону К.Е. Ворошилову[51]. Нарком обороны, *услышав* о происходящем, приказал прекратить артподготовку. Пока выясняли, *что случилось*, время ушло, и ворваться в расположение врага прямо на его плечах не удалось»[52]. Все признают, несуразиц, откровенной растерянности и неразберихи хватало. Многие тысячи «пропавших без вести», попросту пленных, десятки захваченных финнами не поврежденных танков и десятки, если не сотни тысяч, погибших говорят сами за себя.

Фронтальный штурм линии Маннергейма в таких условиях, с такой организацией был недопустим!

Но что же можно было предпринять?[53] Ответ очевиден. Оставить на Карельском перешейке достаточные для обороны войска, а главными силами линию Маннергейма обойти. Но... линию Маннергейма «обойти невозможно: севернее Ладоги вообще непроходимые леса, тундра, огромные озера»[54]. Все это так. Примененные РККА на этом направлении традиционные способы наступления привели к неудаче. Никто, конечно же, и не думал о легких егерских лыжных подразделениях и о тех же авиадесантных корпусах[55]. Специфический характер предстоящих боевых действий по существу не учитывался, едва ли учитывалась сама возможность столь масштабного и решительного сопротивления финнов.

Согласимся, левый фланг финских укреплений обойти было *очень трудно*. Но правый фланг, упиравшийся в Финский залив, по существу оставался беззащитным. Против линкоров Балтфлота финны могли выставить несколько сторожевых катеров и десятка три орудий береговой обороны. А если принять во внимание и подавляющее превосходство советской авиации, следует признать, что беззащитной была и вся береговая полоса от Куоккалы до Кеми. Морской десант или даже несколько одновременных десантов *напрашивались сами собой*. При этом не обязательно высаживаться в Выборге, можно было занять с моря и Оулу, и Турку, и даже Хельсинки – *любой* финский прибрежный город и *любой* участок побережья. Согласен, конец ноября – не лучшее время для морских десантов. Но, во-первых, повторюсь, никто не заставлял Сталина «привязываться» к началу зимы, можно было *начать* и в октябре. Можно и в апреле, как немцы. А во-вторых, морские десанты, пусть и несравнимо меньшего масштаба, Краснознаменный Балтийский флот произвел[56]. К сожалению, если не считать поддержку левого фланга 7-й армии, этим его участие в боевых действиях и ограничилось.

Обходной маневр предпринят не был. Линию Маннергейма брали в лоб. Возможно, отдельные бойцы и командиры, и таких немало, проявили себя и с лучшей стороны. Но организация, мягко говоря, оставляла желать лучшего.

В. Суворов утверждает, что цена, которую пришлось заплатить за Карельский перешеек, не имеет значения[57]. Но это не так. Когда солдаты неделями без теплого обмундирования спят на снегу, когда случаи обморожения становятся массовым явлением, когда мины на каждом шагу и пули снайперов все находят новые жертвы, а успех, даже частный, даже местного значения, и не намечается, упадок морального духа неизбежен. И бесполезно замполиту убеждать бойцов. Окружающая суровая действительность, *бессмысленная гибель товарищей* агитируют куда вернее. Большая кровь, большие неудачи имеют свойство не забываться. Личный состав, командование всех степеней надолго теряют веру в себя, в свое оружие, в свою *армию*. Вновь обрести эту веру куда как нелегко.

Не случайно же один из симоновских персонажей, только что прибывший с Финской войны, ранее столь рьяно отрицавший наличие у вермахта сильных сторон, полковник Баранов[58], встретившись с женой, закатил истерику. «...То, как он отзывался о нашем неумении воевать, с каким самооплевыванием и презрением не только к другим, но и к самому себе говорил об этом, поразило ее.

Она слушала его и молча вспоминала все то, совсем непохожее, что он говорил ей о будущей войне за год, и за два, и за три до этого.

Выговорившись... муж сказал ей тихим и страшным шепотом:

– ...боюсь немцев. Если нападут на нас в нашем нынешнем состоянии, даже не знаю, *что они с нами сделают!*»[59]

Перечитывая мемуары, часто ловишь себя на мысли – не то, не то, *не совсем то*. И вдруг *заденет*. Случайная строчка, одинокий, пропущенный цензурой абзац... из тех, которые поведают куда больше, чем многие тома. Потому что они – *правдивы*. И приходится собирать их по крупицам, и читать между строк, и сопоставлять прочитанное с картами давно ставших историей боевых операций...

Такова наша эпоха, *такая уж наша страна*. В ней власть как-то не торопится говорить правду...

Нравится кому-то или нет, но война с Финляндией, призванная, помимо прочего, продемонстрировать всему миру способность РККА *не хуже немцев* выполнять масштабные задачи, ее соответствие *современным* требованиям, показала как раз обратное.

И первым это понял сам Сталин. Еще в декабре, когда заняли предполье и уперлись в передовую и главную линии обороны... «Сталин сердился: почему не продвигаемся? Неэффективные военные действия, подчеркивал он, могут сказаться на нашей политике. На нас смотрит весь мир. Авторитет Красной Армии – это гарантия безопасности СССР. Если застрянем надолго перед *таким слабым* противником, то тем самым стимулируем антисоветские усилия империалистических кругов»[60]. Однако застряли на два с лишним месяца, и еще месяц продвигались к Выборгу, прогрызая себе дорогу среди финских укреплений. Вывод напрашивается сам собой.

Антисоветских устремлений, правда, можно было не опасаться. Прошло совсем немного времени, и «империалистическим кругам» пришлось заботиться не о военных акциях против СССР, а о сохранении собственной шкуры. *Но авторитет был потерян безвозвратно!*

И Сталин это принял, вера в собственные вооруженные силы, пусть и не совсем обоснованно, была им утрачена. Об этом свидетельствует тот факт, что дальше Выборга Красная Армия не пошла. Казалось бы, зима, с лютыми морозами и сугробами в рост человека, кончалась. Линия Маннергейма *преодолена*, самое время продолжить «освободительную миссию».

Но нет, Сталин, довольствуясь малым, отступил. Что его остановило? Вернее, чего он испугался больше, гипотетических французских «добровольцев» или же вполне реальных финских партизан? Или же он настолько был неприятно удивлен происшедшим, что теперь уже *допускал* вариант, при котором где-нибудь под Хельсинки дивизии Красной Армии могли еще во что-нибудь «упереться», и новые сотни тысяч погибших окончательно бы ее деморализовали.

Он, Сталин, помнил, к чему привела неудачная

польская кампания – к Кронштадту! Чтобы удержаться, Ленину потребовалось идти на уступки, ввести нэп. Сталину такой риск был ни к чему. Возникшая, пусть даже мнимая, им самим выдуманная, угроза дестабилизации режима, как всегда, перевесила. И только начавшей выходить из шокового состояния армии был дан приказ – остановиться!

В. Суворов утверждает, что войну с Финляндией проиграл... Гитлер. Ему «*почему-то показалось*, что Красная Армия действует плохо»[61]. По иронии судьбы действия РККА на Карельском перешейке как раз Гитлер сумел оценить по достоинству. Вот что писал он 8 марта 1940 года Муссолини: «Принимая во внимание возможности снабжения, никакая сила в мире не смогла бы, или если бы и смогла, то только после долгих приготовлений достичь таких результатов при морозе в 30–40 градусов и на такой местности, каких достигли русские...»[62]

В одном можно согласиться с В. Суворовым: очередной акт агрессии Сталин мог предпринять лишь после очередного успеха фашистов. Ему до поры *было позволено* использовать их «блицкриги» в своих интересах. Но за подобранные немалые «крохи с чужого стола» пришлось заплатить немалую же цену. Чем больше уверенности прибавляли Гитлеру добытые малой кровью военные победы, тем сильнее разочаровывался в собственной армии Сталин. После Финляндии он уже признался себе, что, уничтожив костяк вооруженных сил, *погорячился*. Но... мертвых даже ему не поднять было из могилы. Да он бы и не стал. Кто-кто, а Иосиф Джугашвили прекрасно понимал, какие чувства должен испытывать *нормальный* человек к власти, ни за что ни про что загнавшей его на Колыму.

«...Красная Армия прорвала линию Маннергейма, т.е. совершила невозможное... Такое было возможно только у нас. И только при товарище Сталине. И только после великого очищения армии: приказ не выполнен – расстрел на месте»[63].

Это – тоже правда. Не случись чистки, такой бестолковщины, такой потери элементарной организации и таких безграмотных, авантюрных, почти не подготовленных с нашей стороны действий не было бы. Чистка позволила Сталину распоряжаться всем и вся по своему усмотрению, но распорядился он, мягко говоря, не лучшим образом. Править Иосифа Виссарионовича было некому...

Войска, в конце концов, организовались и проломили линию Маннергейма, но смягчить чувствительный, роковой[64] удар по престижу Красной Армии и советского государства это уже не могло.

Младший партнер Гитлера – вот на что лишь мог претендовать Сталин после войны с Финляндией.

И еще высказывание: «Война в Финляндии многому научила Красную Армию: под Москвой в 1941-м и под Сталинградом в 1942-м германские войска встретили армию, которая умеет воевать зимой»[65]. Иными словами, конфликт с Финляндией уже тем хорош, что РККА приобрела опыт зимней войны. *Но зачем он ей, этот опыт,* если в трех своих книгах доказывает В. Суворов, что уже в августе 1941 года должна была *завершиться* Висло-Одерская операция, и советские войска вошли бы в Берлин?..

А опыт этот и вправду пригодился... И виной этому не срыв упомянутой гипотетической августовской операции, а то, что упереться, *упереться окончательно*, удалось лишь под Москвой и на руинах сталинградских кварталов...

Примечания

[1] Не стоит, конечно, сбрасывать со счетов тех миллионов немцев, которых пришлось отправить в концлагеря, дабы они не помешали развязать мировую бойню.

[2] Черчилль У. Вторая мировая война. Т. 1, с. 151.

[3] Имеется в виду система договоров, в частности, Версальский и Локарнский договоры , закрепившие результаты Первой мировой войны.

[4] Черчилль У. Вторая мировая война. Т. 1, с. 99, 100.

[5] 30 ноября 1939 года, в день начала боевых действий с Финляндией, в «Правде» было опубликовано сообщение о радиоперехвате, из которого якобы следовало, что ЦК Компартии Финляндии обратился к народу с призывом к образованию «правительства левых сил». И на следующий день в занятом советскими войсками местечке Териоки группа финских коммунистов во главе с проживающим в СССР секретарем Исполкома Коминтерна Куусиненом объявила себя «временным народным правительством Финляндской Демократической Республики». То обстоятельство, что все документы «народного» правительства были откорректированы лично Молотовым, не помешало, разумеется, советской стороне признать правительство Куусинена, установить дипломатические отношения и даже заключить с ФДР Договор взаимопомощи и дружбы (2 декабря 1939 года). Говорить после этого, что Сталин не планировал присоединения к СССР *всей* Финляндии, просто наивно.

[6] История Великой Отечественной войны Советского Союза. 1941–1945. Т. 1, с. 260.

[7] Речь идет об отмене конвенции 1921 года, согласно которой Аландские острова, расположенные в непосредственной близости от шведского побережья и принадлежащие Финляндии, не должны были вооружаться последней. Финны старались застраховаться от любых неожиданностей и вынести оборонительные форпосты как можно дальше от своей территории. Достаточно взглянуть на карту Балтийского моря, чтобы понять – возможное вооружение Аландских островов задевало кого угодно, только не Советский Союз. Сталин нашел прекрасный предлог если не для вмешательства во внутренние дела Финляндии, то для претензий на роль некоего арбитра и навязывания соседу «встречных» предложений.

[8] Напомню, 15 марта 1939 года Германия завершила захват Чехословакии, 7 апреля Италия совершила нападение на Албанию и в короткий срок ее оккупировала. Сталин, пока еще неявно и с оглядкой, включался в «общее дело».

[9] На мой взгляд, явно показная забота о суверенитете соседа свидетельствовала как раз об обратном.

[10] История Великой Отечественной войны Советского Союза. 1941–1945. Т. 1, с. 260.

[11] Подписанные в этот же период договоры о взаимной помощи между СССР и Эстонией (28.09.39), Латвией (5.10.39) и Литвой (10.10.39), ввод советских войск на территорию этих государств по существу предопределили скорую потерю ими упоминаемого выше суверенитета. Нам известно, что согласно советско-германским соглашениям указанные страны должны были отойти к СССР. Финское правительство информации об этом не имело, но уступать не стало.

[12] Великая Отечественная война Советского Союза. 1941–1945. Т. 1, с. 261, 262. Характерно, что крошечная Финляндия при одном лишь проявлении «заинтересованности» в ее делах огромной державы пред-

приняла *все* мыслимые шаги для укрепления своей обороноспособности и приведения войск в боевую готовность. По всем каналам к Сталину стекалась информация о концентрации на границах СССР ударных сил вермахта. Он не только сам ничего не сделал, но не дал приготовиться и другим.

[13] Хочу вновь обратить внимание на тот факт, что Сталин не спешил инициировать присоединения прибалтийских государств к СССР. Соответствующие шаги были предприняты лишь тогда, когда разгром Франции стал очевидным фактом. Если бы потерпела поражение Германия, он, Сталин, оказался бы ни при чем. Наоборот, вводя войска в Прибалтику, обеспечивал безопасность ее границ от зарвавшегося «бесноватого». Это лишний раз свидетельствует о том, что Сталин не то чтобы завоевывать Европу, воевать даже не стремился. По чуть-чуть, понемногу подбирал он оставшиеся «бесхозными» после очередного удара вермахта территории, *и был вполне доволен*.

[14] Занимал пост народного комиссара иностранных дел.

[15] Карпов В. Маршал Жуков, его соратники и противники в годы войны и мира. Роман-газета. 1991, №11, с. 53.

[16] Там же, с. 52.

[17] Великая Отечественная война Советского Союза. 1941–1945. Т. 1, с. 259.

[18] Был в то время командующим войсками Ленинградского военного округа (ЛВО). Перед началом боев Сталин назначил К.А. Мерецкова командующим 7-й армии, которой предстояло нанести главный удар на Карельском перешейке.

[19] Мерецков К.А. На службе народу, с. 174.

[20] В.Карпов говорит о девяти стрелковых дивизиях, танковом корпусе и трех танковых бригадах (Роман-газета, 1991, №11). Впрочем, расхождения объясняются тем, что с первых дней боев к фронту непрерывным потоком подтягивались резервы, а после неудачного штурма линии Маннергейма войска были реорганизованы. Крошечная Финляндия за всю войну сумела выставить силы, эквивалентные пятнадцати пехотным дивизиям. Общий боевой состав финской армии не превышал 200 тысяч человек.

[21] История Второй мировой войны. 1939–1945. Т. 3, с. 362.

[22] 44-я стрелковая дивизия 9-й армии наступала на Суомуссалми, а вовсе не на Карельском перешейке. И то, что Красная Армия начала штурм линии Маннергейма без *достаточного* артиллерийского обеспечения, объясняется в большей степени недооценкой противника и мощности укреплений. В то же время следует признать, что, по существу, партизанские методы ведения боя со стороны финнов на «второстепенных» направлениях В. Суворовым подмечены точно. Любопытно, что противодействие финнов трем советским дивизиям, пытавшимся наступать через «талию» Финляндии, почти теми же словами характеризует У. Черчилль: «Местность в этом районе почти вся покрыта сосновым лесом, а почва в ту пору была прикрыта твердым слоем снега. Холода

стояли жестокие. Финны были хорошо обеспечены лыжами и теплым обмундированием, в то время как у русских не было ни того, ни другого. Кроме того, финны оказались напористыми бойцами, отлично подготовленными для боевых действий в лесу. Тщетно возлагали русские свои надежды на численное превосходство и более тяжелое вооружение. По всему этому фронту финские пограничные части медленно отступали по дорогам, преследуемые русскими колоннами. Но как только последние углублялись приблизительно на тридцать миль, на них со всех сторон набрасывались финны. Колонны эти натыкались на финские оборонительные сооружения в лесах и подвергались днем и ночью ожесточенным фланговым атакам; их коммуникации в тылу перерезались, их уничтожали, а в лучшем случае, они уходили восвояси, понеся тяжелые потери. К концу декабря весь русский план наступления через «талию» провалился» (Черчилль У. Вторая мировая война. Т. 1. с. 244).

[23] Суворов В. Ледокол, с. 106.

[24] 18-я и 168-я стрелковые дивизии с февраля 1940 года вошли в состав вновь созданной 15-й армии.

[25] В его составе 7-я армия (двенадцать стрелковых дивизий, семь арполков резерва Главного командования, четыре корпусных артполка, два артдивизиона большой мощности, пять танковых и одна стрелково-пулеметная бригады, десять авиаполков и два отдельных танковых батальона) и вновь созданная 13-я армия (девять стрелковых дивизий, шесть артполков резерва Главного командования, три корпусных артполка, два артдивизиона большой мощности, одна танковая бригада, два отдельных танковых батальона, пять авиаполков, один кавалерийский полк).

[26] История Великой Отечественной войны Советского Союза 1941–1945. Т. 1, с. 266.

[27] Будущий командующий Киевским Особым военным округом и соответственно Юго-Западным фронтом.

[28] По поручению лидера правых социалистов министра финансов Таннера и с одобрения премьер-министра Рюти финская писательница Хелла Вуолиоки вступила в переговоры по этому вопросу с послом СССР в Швеции А.М. Коллонтай.

[29] Они предусматривали передачу СССР Карельского перешейка, северо-восточного побережья Ладожского озера, финскую половину полуострова Рыбачий и аренду полуострова Ханко с прилегающими небольшими островами для создания там советской военно-морской базы.

[30] Черчилль утверждает, что 2 марта 1940 года Деладье, «не проконсультировавшись с английским правительством... согласился послать Финляндии *пятьдесят тысяч* добровольцев и сто бомбардировщиков». Англичане ограничивали свое участие пятьюдесятью бомбардировщиками (Черчилль У. Вторая мировая война. Т. 1. с. 258).

[31] *Маннергейм Карл Густав Эмиль* (1867–1951). Окончил Гельсингфорсский университет и Николаевское кавалерийское училище. В Первую мировую войну командовал кавалерийской дивизии и служил при ставке русского главнокомандования. Генерал-лейтенант (1917). В 1918 году

командовал войсками получившей независимость Финляндии. С 1931 года – председатель Совета государственной обороны. С 1939 года – главнокомандующий финской армией. С августа 1944 года по март 1946 года – президент Финляндии. Маршал (1933).

[32] О своих претензиях на территорию у Куолоярви, где «граница близко подходила к Мурманской железной дороге», советская сторона заявила на первом официальном заседании, состоявшемся 8 марта в Москве. По мере продвижения 7-й армии к Выборгу перечень территорий, подлежавших передаче СССР, «уточнялся».

[33] История Великой Отечественной войны Советского Союза. 1941–1945. Т. 1, с. 274.

[34] Так называют советско-финляндский конфликт на Западе.

[35] Речь идет о перспективах формирования частей ФДР. Едва ли за все три с половиной месяца конфликта солдат, которых удалось навербовать в эту «армию», хватило и на взвод.

[36] Суворов В. Последняя республика, с. 222, 223.

[37] Там же, с. 223, 224.

[38] Не следует забывать, что наряду с национальным подъемом и героизмом армии, заранее выстроенной и подготовленной мощнейшей системой укреплений финнам «повезло» и с природными условиями, которые для организации прочной обороны оказались идеальными. Рубежи прибалтийских государств ни естественными, ни искусственными преградами прикрыты не были.

[39] То, что советско-финляндская граница была отодвинута от Ленинграда за Выборг, конечно же, улучшило положение «колыбели революции». Но важно учесть и другое. Выступила бы Финляндия на стороне Германии, не случись Зимней войны, неизвестно. Возможно, да. Но вполне может быть, что предпочла бы остаться нейтральной. Однако вторжение произошло, и это обстоятельство сделало присоединение финнов к странам Оси едва ли не неизбежным. Началась Великая Отечественная война, финские дивизии на Карельском перешейке с легкостью отбросили наши войска до старой границы. А дальше *не двинулись*. Знаю немало людей, которые считают, что «виной» этому не только стойкость советских солдат, но и отсутствие у финнов настойчивости, их явное нежелание эту границу перейти. Севернее же, на территории Карело-Финской ССР, финская армия проявила куда большую активность.

[40] Природные условия и военный потенциал Норвегии и Финляндии если и не идентичны, то вполне сопоставимы. Конечно, нельзя сбрасывать со счета тот факт, что финны имели мощнейшие укрепления и успели отмобилизовать армию. Но не неуклюжие ли попытки давления на Финляндию, допускавшиеся со стороны СССР в 1938 и 1939 годах, послужили толчком и для модернизации линии Маннергейма, и для мобилизации? Немцам же пришлось преодолевать водное пространство и распылять силы, выбрасывая немногочисленные десанты в разных точках растянутого вдоль меридиана побережья. Они, чувствуя за собой

силу, не пытались навязать ввод своих войск и создание баз, будущих плацдармов агрессии. Они просто нападали. Гитлер не афишировал своих намерений и в апреле 1940 года. Дания и в особенности Норвегия были застигнуты им врасплох.

[41] Те командиры, которые могли прилюдно, даже и в мыслях, выразить сомнение в словах и компетенции Сталина, к концу осени 1939 года от армейских забот были далеки. Многие из них столь же далеки были и от забот иных.

[42] Пусть читателя не смущает слово «контрудар». В 1984 году, когда увидело свет четвертое издание воспоминаний К.А. Мерецкова, правду о советско-финляндской войне, равно как и *правду вообще*, можно было говорить еще в меньшей степени, чем во времена хрущевской «оттепели». Во всяком случае, подвергнувшийся репрессии и чудом вырвавшийся из застенков НКВД маршал об этой «вехе» своей биографии предпочел умолчать.

[43] Мерецков К.А. На службе народу, с. 175.

[44] Тот факт, что командующего ЛВО даже не сочли нужным проинформировать о «других вариантах», говорит о многом. И даже не столько о недооценке финнов, сколько о состоянии Красной Армии.

[45] Мерецков К.А. На службе народу, с. 174.

[46] Симонов К. С/с. Т. 6, с. 37.

[47] Мерецков К.А. На службе народу, с. 172, 178.

[48] Не могу не отдать должное С.К. Тимошенко. Он, как мог, стремился навести порядок.

[49] Повторюсь, немцы напасть на Данию и Норвегию в ноябре *не решились*. Лишь весной, в апреле, пошли их эсминцы и транспорты с десантом к норвежскому побережью и оккупировали страну быстро и почти без потерь.

[50] Будущий командующий Западным Особым военным округом и соответственно Западным фронтом.

[51] Нетрудно догадаться, что руководивший атакой комкор Д.Г. Павлов связи с батареями, осуществляющими артподготовку, не имел. Если же было заведено решать подобные вопросы через наркома обороны, то... дела обстояли еще хуже.

[52] Мерецков К.А. На службе народу, с. 179, 180.

[53] О том, что можно было жить в мире с соседями, не пытаясь вмешиваться в их внутренние дела, даже и не говорю. Сталин, прожженный аппаратчик и интриган, не был бы Сталиным, если бы отказался от расширения своей империи.

[54] Суворов В. Последняя республика, с. 217, 218.

[55] В. Суворов утверждает, что СССР к началу Второй мировой войны имел «БОЛЕЕ ОДНОГО МИЛЛИОНА (выделено мной. – *А.Б.)* отлично подготовленных десантников-парашютистов» (Суворов В. Ледокол, с. 113). Но даже и не рассматриваю возможность крупных авиадесантов в тыл финской армии. Если в сентябре-октябре 1943 года, когда Красная Армия могла уже сражаться с немцами *на равных*, Днепровская воздушно-

десантная операция завершилась едва ли не катастрофой, то о 1939 годе нечего и говорить.

[56] 30 ноября были заняты острова Сейскари и Лавансари, 1 декабря – Нарви и Сомери, 3 декабря – Сурсари (Гогланд).

[57] Суворов В. Последняя республика, с. 222.

[58] И опять мне возразят, это же литературный персонаж. И я отвечу, эпопея Симонова о войне, выстроенная на основе личных наблюдений автора и его военных дневников, – нечто большее, чем художественное произведение. Дело не только в том, что герои его переживают реальные грозные, современные автору события. Они сами *реальны*. Пусть собирательны, но... *не выдуманы*. И вполне возможно, Симонов устами своих героев сказал о войне куда больше, чем мог бы сказать сам.

[59] Симонов К. С/с. Т. 6, с. 37, 38.

[60] Мерецков К.А. На службе народу, с. 181.

[61] Суворов В. Последняя республика, с. 224.

[62] Documents on German Foreign Policy 1918–1945. Series D, vol.VIII, p.877.

[63] Суворов В. Последняя республика, с. 211.

[64] Дело даже не в том, что армия потеряла веру в себя. Веру в себя потерял единоличный диктатор, сосредоточивший в своих руках *всю* власть в стране. Он настолько уверовал, что мы противостоять немцам не сможем, настолько стремился показать Гитлеру, что наши армии прикрытия *разоружены*, что, когда пришло время, во многом они таковыми и оказались.

[65] Суворов В. Последняя республика, с. 229.

Глава 6

ВОЙНА, КОТОРОЙ НЕ БЫЛО. КАК ВОЕВАЛ С МАРСИАНАМИ Я[1]

Человек несовершенен, человек с трудом переносит напряжение и стрессы и легко устает. Большинству нравится анализировать карты боевых операций, но, как правило, многочисленные сноски, частое упоминание корпусов и дивизий, ссылки на источники людей утомляют. Думается, читатель не откажется отвлечься. Что ж, право на небольшой отдых он заслужил.

Меня могут спросить, серьезно ли отношусь к изложенному ниже я сам? Вынужден признаться, больше с юмором...

В лесопарковой зоне старой доброй Англии, где цветы, кедры и озера в камышах, где вдоль дорожек тут и там вписаны в сады и лужайки, стоят образцы военной техники – то пушечка, а то и танк. Торпеды, морские мины, вертолеты... И посреди этого великолепия – не совсем обычное учебное заведение. В нем тоже бывают сессии, перемены и экзамены. Вот только студенты – все больше интеллектуалы с торсами греческих богов, а преподаватели предпочитают военную форму и короткую стрижку. А еще в этом здании, за бронированной, охраняемой бравым долговязым сержантом дверью – электронный полиглот, компьютер, запрограммированный на моделирование боевых операций. «Их на всю Британию, может, всего пара такой мощи... А во всем мире... их, может, не больше десятка наберется».

Как-то раз, в конце 80-х, оказался здесь и В. Суворов. Потому что хоть и не музей и не читальный зал, но библиотекой здание обладает, судя по всему, приличной. И только обложился он томами, словно бастионами, только собрался погрызть гранит науки, набежал персонал, вызывают к большому начальнику. А начальник предлагает, проверь агрегат на прочность. Ты, говорит, «известный чудак», задай, говорит, механизму какую-либо военную ситуацию посумасброднее, вроде войны наших с марсианами. Реальные-то операции, всякие там «Бури в пустыне», ему, такому мощному, малоинтересны. Иди, говорит, воюй с марсианами. Есть возможность отличиться.

Не хотел идти В. Суворов. Тома-бастионы ему ближе, чем электронный монстр. Но сообразил: к чудо-машине в двадцатом веке не то что других историков, а даже и его самого могут больше и не подпустить. И с легким сердцем пошел.

Давно собирался «проиграть» он Зимнюю войну по-своему, по-умному, и вот случай представился. Посмотрел В. Суворов на агрегат, с интерфейсом поздоровался и давай вводить параметры. Надо сказать, от лобового удара линии Маннергейма и он не отказался. А все намеки, что не надо бы так, все брюзжание компьютерное оставил без внимания.

Задал В. Суворов температуру воздуха – минус 41 градус по Цельсию. Посуровела машина. Говорит, в таких условиях наступать невозможно. Пришлось от температуры отказаться – пусть не будет никакой.

Задал толщину снежного покрова – полтора метра. Плюс к тому незамерзающие под снегом болота и озера с тонким слоем льда, и валуны гранитные, для танковых траков неприятные, и под снегом же – «миллионные» минные поля. Вконец расстроился агрегат. Из-за снега одного лишь, разъясняет, воевать невозможно.

А В. Суворов не унимается. Новые параметры вводит. И что зимний день на севере куда короче ночи, и что леса непроходимые, тайга, линии горизонта нет, и земля промерзшая, как гранит. Компьютер помалкивает, он-то своим авторитетом, в отличие от товарища Сталина, дорожит. И Суворов идет на компромисс, пусть не будет ни снега, ни озер, ни валунов, ни иных природных явлений. Будем воевать так, чтобы природа не помешала.

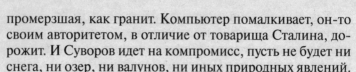

Но остаются мины, и проволочные заграждения, и взорванные мосты, и снайперы, и три полосы обороны, и цемент марки «600», и 95 килограммов арматуры на кубометр бетона...

Отступать компьютеру уже некуда, стыдно. Подумал секунду-другую и выдал план наступления. Пара-тройка воздушных ядерных взрывов, и, по образовавшемуся коридору, в противогазах и «защите», вперед, на Виипури!

Такая вот получилась военная игра.

Перечитал я все это в очередной раз, захотелось «поиграть» и мне. Надо сказать, лесопарковые зоны Британии, тем более ее не совсем обычные заведения, доводилось посещать не столь часто, как того хотелось бы. Также сомневался я, что, даже и попади туда, вряд ли буду допущен к суперкомпьютеру.

Однако прочитал где-то, что в аналогичных заведениях США большим авторитетом пользуется программа «Цивилизация». С ее помощью якобы проверяют восприимчивость курсантов к тактике. Собрался я, приобрел на рынке соответствующий диск[2] и взялся за дело. Смоделировать Финскую войну я не мог, да и не стал бы. То, что штурм линии Маннергейма с фронта в *тех* условиях и с *такой* организацией в конечном счете ни к чему хорошему не привел, для меня не секрет. И потом, вопрос ведь не в том, что надо было делать в Финляндии, а в том, *мог ли* Сталин нанести превентивный удар по немцам летом 1941 года. Соответственно из предложенных вариантов я выбрал Вторую мировую войну[3] и играл, естественно, за наших, русских. Честное слово, горел желанием ворваться «в логово» в максимально короткие сроки. Включил далеко не самый мощный в мире компьютер, и началось...

Как и «положено», первыми начали немцы. Массированное применение бомбардировочной авиации и танков позволило им прорвать оборону союзников на северном участке и ворваться в Париж и Амстердам. По всей Атлантике германский подводный флот охотился за конвоями, впрочем, английские эсминцы проявили себя с лучшей стороны. В Африке итальянцы попытались продвинуться вдоль берега на Восток, но были отброшены к Тобруку. Настала и моя очередь.

Однако напасть на фашистов с тыла немедленно я, при всем желании, не рискнул. Наступать можно было только на Варшаву, с перспективой дальнейшего продвижения к Дрездену, Кенигсбергу и Берлину. Пространство от Одессы до Бухареста было девственно чистым от дорог. Попытайся я атаковать здесь, вражеские бомбардировщики уничтожили бы мои малоподвижные соединения прямо в поле. Кстати, большую часть мехкорпусов программист почему-то расположил в районе Красноярска. Не опасаясь не существующих в сценарии японцев, я спешно, насколько позволяла крайне неразвитая транспортная сеть, перебрасывал их в европейскую часть огромной державы. Буквально по всей стране формировались стрелковые дивизии. Зная, что не они сыграют в будущей войне главную роль, я перенацелил соответствующие органы на формирование железнодорожных батальонов – дорог не хватало катастрофически. Бомбардировочной авиации не было вовсе. От использования в качестве штурмовиков истребителей пришлось отказаться, кто бы вместо них сбивал вражеские самолеты? Но главную, пусть пока и потенциальную, угрозу таила в себе неразвитая экономика. Отсутствие элементарных бытовых условий, а в большинстве малых городов не было даже канализации, бедственное положение сельского хозяйства росту населения отнюдь не способствовали. Промышленные же центры с экологической точки зрения не выдерживали никакой критики. Катастрофическое загрязнение окружающей среды чревато,

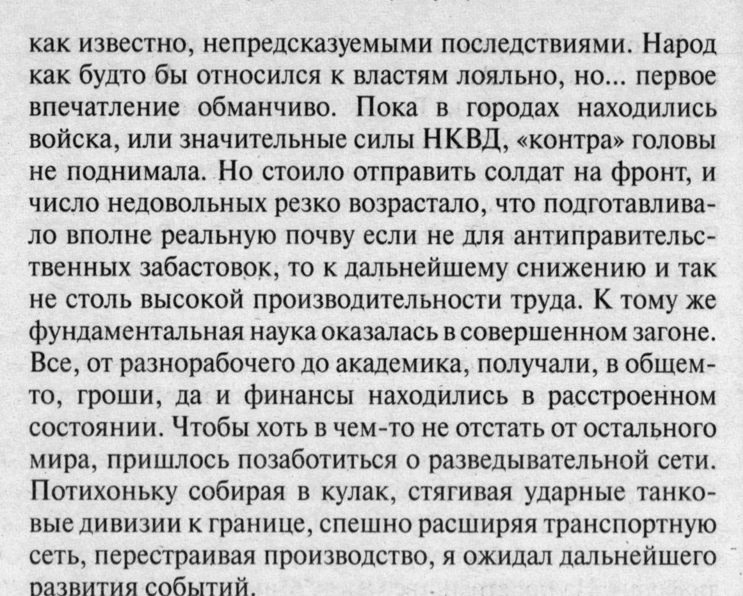

как известно, непредсказуемыми последствиями. Народ как будто бы относился к властям лояльно, но... первое впечатление обманчиво. Пока в городах находились войска, или значительные силы НКВД, «контра» головы не поднимала. Но стоило отправить солдат на фронт, и число недовольных резко возрастало, что подготавливало вполне реальную почву если не для антиправительственных забастовок, то к дальнейшему снижению и так не столь высокой производительности труда. К тому же фундаментальная наука оказалась в совершенном загоне. Все, от разнорабочего до академика, получали, в общем-то, гроши, да и финансы находились в расстроенном состоянии. Чтобы хоть в чем-то не отстать от остального мира, пришлось позаботиться о разведывательной сети. Потихоньку собирая в кулак, стягивая ударные танковые дивизии к границе, спешно расширяя транспортную сеть, перестраивая производство, я ожидал дальнейшего развития событий.

В августе 1940 года Франция заключила с Германией мир. Все северное побережье ее оказалось в руках вермахта. Остатки английских экспедиционных сил были уничтожены. Война на море продолжалась с переменным успехом, но все же англичане, а вернее англо-американцы, постепенно одолевали и в Атлантике, и в Средиземноморском бассейне. В декабре немцы провели первые успешные запуски ракет. А я убедился, что и противовоздушная оборона моих городов – далеко не на высоте.

В Атлантике почти все германские подводные лодки были потоплены, однако успешное применение ракетной техники позволило немецкому и итальянскому флотам выравнять ситуацию и прикрыть от десантов побережье Италии и север Франции. Предпринятые Люфтваффе массированные налеты на Лондон привели к большим разрушениям и жертвам, но обошлись немецкой авиации недешево. Прошел июнь 1941 года, прошел август, *Гитлер не нападал*. Впрочем, к этому времени мне уже было что ему противопоставить.

К концу года неожиданный морской десант завершился успехом. Англичане освободили Амстердам. В те же сроки пал и Тобрук. Однако второй фронт долго не просуществовал. Не сумев выбить союзников из указанных городов, немцы заключили с ними перемирие. Все силы их были переброшены на будущий Восточный фронт. Танки наводнили собой Восточную Пруссию и Польшу, причем маскировка отсутствовала напрочь.

Мне бы отсидеться в обороне, благо под Киевом и Минском удалось сосредоточить для контрудара мощные мобильные группировки. Но, вдохновленный идеями В. Суворова, напал первым. Благодаря достигнутой тактической внезапности мне удалось нанести немецкой авиации немалый урон, танковые же части противника врасплох застать себя не дали. Тут и там, пока немцы производили перегруппировку войск, их заслоны держали фронт. На пространстве между Минском и Варшавой развернулись упорные бои. Какое-то время мне еще удавалось наступать, но вскоре сказались боевой опыт и выучка противника. Потеряв под Варшавой почти все мехкорпуса и большую часть авиации, я вынужден был отступить. Теперь уже танковые дивизии вермахта с достойной лучшего применения настойчивостью стали продвигаться к Минску.

С оздоровлением экономики пришлось повременить. Промышленные центры, Урал выпускали теперь лишь боевую технику. И все же к концу 1942 года Красная Армия вынуждена была оставить Минск. После недолгой паузы бои развернулись уже у стен Смоленска. Сдай я город, и Киевский УР оказывался беззащитным перед обходом с севера. Однако промышленность уже набрала заданный обстоятельствами темп. Сказала свое слово и внедренная по всей Европе разведывательная сеть. И вскоре мое преимущество в танках и авиации стало значительным. Все больше подразделений получали бесценный опыт современной войны. Фронт стабилизи-

ровался, затем повернул вспять. В июне 1944 года Минск был освобожден. В январе 45-го ценой огромных потерь была взята Варшава, в апреле – Кенигсберг. Восточнее Дрездена немцам удалось нанести по флангу далеко продвинувшихся на запад, нацеленных на Берлин моих армий чувствительный контрудар. Завязались тяжелые бои. Все же удача уже готова была склониться на мою сторону, когда случилось непредвиденное.

Американцы произвели в Неваде атомный взрыв. Вскоре выяснилось, что хорошо работает не только моя разведка. Стоило танковым армиям ворваться на улицы Дрездена, фашисты применили ядерное оружие. Два воздушных взрыва разрушили до основания Дрезден и Сталинград. Погибли лучшие, ударные войска, погибли танки и большая часть фронтовой авиации. Утечки информации избежать не удалось, и вновь признаки недовольства стало проявлять уставшее от войны население. При этом мне дали ясно понять, что дальнейшие попытки продвинуться в глубь Германии будут пресечены аналогичным образом. Конечно, можно было *начать ядерную войну*, на удар ответить ударом. Но... до изобретения и развертывания системы СОИ[4] оставались годы и годы, десятилетия, а проведенные секретные аналитические исследования недвусмысленно указывали, что это повлечет за собой глобальную катастрофу, потепление климата, засуху, страшный голод, мор и, главное, скорое падение режима. Не знаю, как поступил бы Сталин, я себя пожалел.

У стен Берлина был подписан договор о мире, на этом игра по существу закончилась.

Ну и что из всего этого следует? Да ровным счетом ничего. Хорошая, интересная программа Sid Meier's Civilization II. К тому же она доступна практически каждому. Попробуйте сами, думаю, не разочаруетесь. Только, конечно, в меру.

При этом я вовсе не утверждаю, что из игр В. Суворова с суперкомпьютером тоже совсем уж ничего не следует.

Лишний раз убеждаешься, что теория и практика – такие две подружки, что выбирают каждая свой маршрут. А под ручку одной дорожкой ходят не часто. Больше перезваниваются.

Компьютер компьютером, а жизнь, тем более война, совсем другое дело. Разве ее смоделируешь?

Впрочем, если вдуматься, «электронный гений» лишь подтвердил: изо всех мыслимых вариантов военных действий с финнами был выбран *самый* бесперспективный. Войска были посланы в буквальном смысле на убой, что привело к упадку морального духа, потере уверенности в своих силах, растерянности, ненужным поражениям и неоправданным жертвам.

Весь мир утвердился во мнении, а также и Сталин уверился: Красная Армия оказать достойное сопротивление *настоящему* противнику окажется не в состоянии[5].

Думается, прежде всего именно это и предопределило и растерянность Сталина, и все те непоследовательные, противоречащие здравому смыслу приказы, по сути разоружившие укрепрайоны на границе, и то заведомо проигрышное положение, в котором оказались армии прикрытия накануне войны.

Граждане! Не заигрывайтесь. Как ни интересен виртуальный мир, настоящую жизнь он вам не заменит.

Примечания

1 Глава, посвященная «консультации» В. Суворова с суперкомпьютером, названа автором «Как я воевал с марсианами» (Суворов В. Последняя республика, с. 198–221).

2 Речь идет о программе Sid Meier's Civilization II фирмы Micro Prose. Дело было в 1987 году.

3 Данная версия охватывает период с июня 1940 года по декабрь 1947 года. Поначалу события развиваются по «классической» схеме – немцы обходят с севера линию Мажино и занимают Париж. Затем, однако, многое зависит от инициативы играющего. От того, какие действия он предпримет, приняв на себя руководство одной из сторон.

4 СОИ – стратегическая оборонная инициатива, система противоспутниковой и противоракетной обороны. По настоящее время развернута

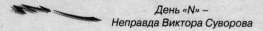

так и не была. Большинство ученых считают, что она не может быть достаточно эффективной в принципе.

[5] То, что Красная Армия в приграничном сражении оказалась не в состоянии отразить танковые клинья вермахта, явилось следствием роковой ошибки Сталина. Но эта ошибка, эта выбранная линия поведения, вся его удивительная нерешительность, все нежелание посмотреть фактам в лицо, неверие в способность противостоять немцам предопределены были именно нашими неудачами в Финляндии.

Глава 7

...И ТАНКИ НАШИ БЫСТРЫ

Ни для кого не секрет, что на протяжении всей войны роль танковых соединений оставалась во многом решающей. В. Суворов, поставивший целью доказать, что Красная Армия по оснащению не только не уступала вермахту, но и значительно его превосходила[1], не мог, конечно, не обратить внимания на численность танкового парка нашего и немцев и сравнение технических характеристик образцов советской и германской техники. Это то немногое, что при поверхностном рассмотрении более всего «работает» на его «теорию». Остановимся на этих вопросах и мы.

Когда В. Суворов нахваливает «КВ», я не спорю. До осени 1942 года ничего подобного в мире действительно не было. Но его желание представить супертанком «БТ» вызывает по меньшей мере удивление. Вот что он пишет: «Основное преимущество танка «БТ» – скорость. Это качество было доминирующим над остальными качествами настолько, что даже вынесено в название танка – быстроходный.

«БТ» – это танк-агрессор... Подвижность, скорость и запас хода «БТ» были куплены за счет рациональной, но очень легкой и тонкой брони. «БТ» можно было использовать только в агрессивной войне, только в тылах противника, только в стремительной наступательной операции, когда орды танков внезапно врывались на территорию противника...

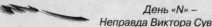

Потрясающие агрессивные характеристики танков «БТ» были достигнуты также за счет использования уникальной ходовой части. «БТ» на полевых дорогах двигался на гусеницах, но, попав на хорошие дороги, он сбрасывал *тяжелые* гусеницы и дальше несся вперед на колесах как гоночный автомобиль. Но хорошо известно, что скорость противоречит проходимости: или скоростной автомобиль, который ходит только по хорошим дорогам, или – тихоходный трактор, который ходит где угодно. Эту дилемму советские маршалы решили в пользу быстроходного автомобиля: танки «БТ» были совершенно беспомощны на плохих дорогах советской территории. Когда Гитлер начал операцию «Барбаросса», *практически все (!) танки «*БТ*» были брошены.* Даже на гусеницах их использовать вне дорог было *почти невозможно.* А на колесах они не использовались НИКОГДА. Потенциал *великолепных* танков «БТ» не был реализован, но его и НЕЛЬЗЯ БЫЛО РЕАЛИЗОВАТЬ НА СОВЕТСКОЙ ТЕРРИТОРИИ[2].

«БТ» создавался для действий только на иностранных территориях, причем только таких, где были хорошие дороги»[3].

Стремление В. Суворова представить скромный «БТ» танком-агрессором понятно. Ведь к началу войны «в Красной Армии имелось около 7,8 тысячи танков «БТ» всех серий»[4], именно они и составляли ядро танковых дивизий расположенных у границы мехкорпусов. И если признать, что требованиям современной войны танки «БТ» уже не соответствовали, разговор о нашем *подавляющем* превосходстве можно и не продолжать.

Смущает, однако, другое. Вновь получается, что Сталин, якобы давший «добро»[5] на массовое производство колесно-гусеничного танка, уже тогда, в 1932 году *точно* знал, что через год к власти придет Гитлер и без боя оккупирует всю Центральную Европу. Что Польша, а за ней и Дания, и Норвегия... и Франция будут поставлены на колени, и вот тут-то Гитлер подставит ему, Сталину, спину, и настанет очередь «БТ». Именно «БТ». Как-то упускает В. Суворов мысль о том, что за девять лет противотанковая артиллерия изменится настолько, что снаряды ее станут пробивать «БТ» насквозь, через оба борта.

Вот для чего – «гениальность» Сталина. Если на секунду представить, что он обычный человек, которому, в общем-то, как и всем нам, не чужды ошибки, а дар предвидения вовсе не свойственен, все построения В. Суворова рассыпаются, словно карточный домик, застигнутый выхлопом танкового двигателя.

Конечно же, когда создавался танк «БТ», никто и не думал о дорогах Германии. Чтобы до нее добраться, нужно было сокрушить Польшу, транспортная сеть которой так же, как и наша, оставляла желать лучшего. И оригинальная ходовая часть вовсе не признак «потрясающей агрессивности» танка[6] – это всего лишь дань моде.

Идея двойного движителя висела в воздухе уже и в двадцатых годах. Не имея мощного двигателя[7], танки того времени оказывались малоподвижны, и не только на поле боя. О перемещении на 100–200 километров своим ходом не могло быть и речи. И чтобы решить проблему оперативной подвижности, танки наряду с гусеницами снабжались и колесами автомобильного типа. Когда боевая машина двигалась по шоссе, либо опускались колеса, либо поднимался (вывешивался) гусеничный движитель. При движении по местности все происходило в обратном порядке. Подобные танки оказались громоздкими, сложными в устройстве движителя и ненадежными в эксплуатации. Их очевидная уязвимость в бою привела к тому, что дальше экспериментов дело не пошло.

По-иному подошел к решению проблемы двойного движителя американский конструктор М. Кристи. Созданная им после ряда неудач модель, получившая марку «М.1931», оказалась во многом революционной. На местности танк двигался, как и обычные гусеничные машины. Когда же танк выходил на дорогу, гусеницы снимались, укладывались и закреплялись на надгусеничных полках ремнями. Кстати, подобное же закрепление снятых гусениц предусматривалось и на всех «БТ»[8]. Крутящий момент с ведущего колеса заднего расположения при помощи наружной цепной передачи передавался на заднюю пару опорных катков, которые имели большой диаметр и индивидуальную подвеску. Для поворота было предусмотрено управление передней парой опорных катков, по аналогии с автомобилем, при помощи штурвала. Машина вышла удачной, что и привлекло внимание советской стороны.

Дело в том, что к началу 30-х годов отечественное танкостроение зашло в тупик. Выпущенный небольшой серией «Т-24» оказался слишком сложным в производстве и эксплуатации и ненадежным. Не отвечал современным требованиям и «МС-1». В то же время создание новых образцов оказалось делом хлопотным, да и после первых неудач неизвестно еще, что сулило. И «30 декабря 1929 г. Комиссия во главе с начальником Управления механизации и моторизации Красной Армии... И.А. Халепским в составе ответственного сотрудника управления Д.Ф. Будняка и инженера Н.М. Тоскина отправилась за границу...

В Германии смотреть было нечего...

В Англии же фирма «Виккерс» с большим удовольствием предоставила нашим специалистам возможность ознакомиться со своими последними конструкциями...[9]

Затем Халепский вернулся на родину, а Тоскин выехал в США...

Великолепные маневренные характеристики танков Кристи заинтересовали руководителей Красной Армии. *Для нашей страны с ее огромными просторами вопрос оперативной подвижности танков стоял, может быть, на первом месте.*

...Кристи уведомил Госдепартамент, что он продал «Амторгу»[10] *два трактора...*»[11]

Советские конструкторы, сохранив корпус в неприкосновенности, вместо цепной передачи применили шестеренчатое устройство – гитару и, по существу, по-новому сконструировали башню под вооружение отечественного производства. Вновь созданная машина получила обозначение «БТ-2» и явилась прототипом для целого семейства колесно-гусеничных танков в СССР.

Чтобы сомнения читателя развеялись окончательно, упомяну, что в 1939 году в Польше без ведома и согласия Дж. Кристи под маркой «10ТР» разрабатывался свой колесно-гусеничный танк, чье сходство с «БТ-5» бросается в глаза. Если следовать логике В. Суворова, на Востоке в условиях традиционного нашего бездорожья подобным образцам делать было нечего, но мы же не станем утверждать, что поляки готовили танково-кавалерийский рейд на Берлин?

Но читаем дальше. «Первый танк этой славной серии – «БТ-2». Он весил 10 тонн, имел броню 13-мм, 37-мм пушку и 1–2 пулемета. По этим характеристикам он соответствовал лучшему, что имел Гитлер в 1939 году...

В 1933 году вместо «БТ-2» начался выпуск танка «БТ-5». Улучшение: вместо 37-мм пушки – 45-мм. В. 1939 году, вступив на землю Польши, Гитлер еще не имел таких пушек... По броне «БТ-5» равнялся германским танкам, а по ходовым качествам превосходил их настолько, что ни Германия и ни одна страна мира не могли с этими характеристиками сравниться тогда, как не могут сравниться и в начале XXI века[12].

В 1935 году Советский Союз начинает производство «БТ-7»...»[13]

Все вышесказанное, возможно, и имело претензии на истину в середине тридцатых, но к 1939 году ситуация резко изменилась. Первый тревожный звонок прозвучал в Испании, где броня «бэтушек» не выдерживала огня малокалиберной (речь о 25-мм) скорострельной артиллерии франкистов, по существу, крупнокалиберных пулеметов. Слабое же бронирование явилось причиной тяжелых потерь, понесенных советскими танкистами и на Халхин-Голе. Потребность в среднем[14] танке с противоснарядной броней стала очевидной. Но... «Увлечение колесно-гусеничной техникой среди руководства РККА было почти всеобщим. Оно определило и направления конструкторских работ: пытались изготовить не только легкие (что еще куда ни шло), но и средние танки[15], хотя, казалось бы, *с самого начала* должно было быть ясно, что тяжелая машина с подобным движителем окажется сложной, дорогой, ненадежной и трудноуправляемой, да и проходимость ее на колесах не может быть удовлетворительной. Дорогой ценой, в том числе и многими жизнями, заплатили танкостроители за постижения этой истины. Понадобилось много времени, опыт войны в Испании и на Карельском перешейке, чтобы убедиться в этом»[16].

Танки «БТ» пользовались известной популярностью в войсках и являлись *действительно неплохими* машинами, но... лишь для своего времени. Советским конструкторам удалось найти оптимальное сочетание огневой мощи и бронирования, а следовательно, и веса боевой машины, при котором применение двойного движителя оставалось еще эффективным. Следует отметить, что «бэтушки» вовсе не были столь беспомощны на советской территории. По сухим грунтовым дорогам они прекрасно передвигались и на колесах и буксовали, лишь попав на бездорожье.

Так что говорить о том, что «БТ» были созданы «для Германии» и являются звеном многопланового сценария Сталина, не приходится. К середине 1941 года вермахт имел уже мобильную противотанковую артиллерию достаточной мощности. В этих условиях «БТ» не мог успешно справляться с ролью танка сопровождения пехоты[17]. Гипотетические успешные рейды этих танков по тылам противника также вызывают большое сомнение. К беззащитным складам, портам, заводам и промышленным центрам их просто бы не подпустили. Подмеченная В. Суворовым привязанность «БТ» к шоссейным

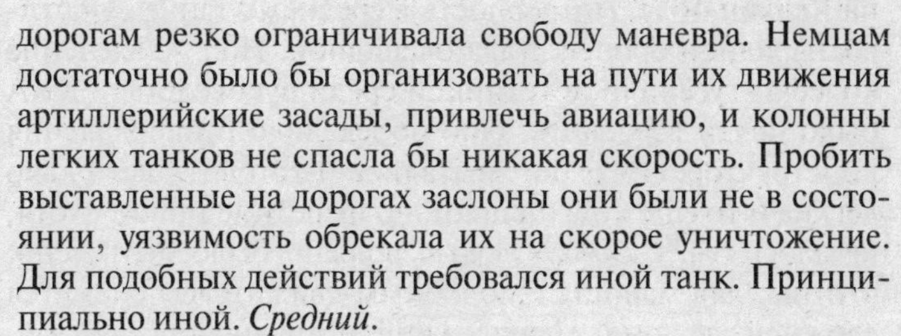

дорогам резко ограничивала свободу маневра. Немцам достаточно было бы организовать на пути их движения артиллерийские засады, привлечь авиацию, и колонны легких танков не спасла бы никакая скорость. Пробить выставленные на дорогах заслоны они были не в состоянии, уязвимость обрекала их на скорое уничтожение. Для подобных действий требовался иной танк. Принципиально иной. *Средний*.

Не лишены были «бэтушки» и конструктивных недостатков. Сложность движителя не могла не сказаться на эксплуатации и вела к частым поломкам. Сказывался и возраст боевых машин. Вот что пишет о проведенных перед самой войной в одной из дивизий 6-й армии тактических учениях И.Х. Баграмян: «Ночью он (командующий КОВО генерал Кирпонос. – *А.Б.*) приказал поднять дивизию по боевой тревоге. Танкисты действовали неплохо. Уложились в установленное время и вышли в районы сосредоточения вполне организованно. Несколько огорчил Кирпоноса последовавший вслед за этим учебный марш. По маршруту движения танковых полков мы увидели по обочинам немало остановившихся машин. Чем дальше, тем их оказывалось все больше... Когда прибывший командир дивизии начал докладывать о ходе марша, командующий перебил его:

– Почему, полковник, такой беспорядок у вас? Танки на марше останавливаются, а что же будет в бою?!

Командир дивизии пытался объяснить, что остановились лишь наиболее изношенные танки «Т-26» и «БТ»...»[18]

И подобные случаи были не в диковинку.

Нельзя не упомянуть и огнеопасность «БТ». Собственно, о том, что танки эти вспыхивали, как спички, говорили многие. Однако В. Суворова возмутило почему-то вскользь оброненное в целом высоко оценивающим действия танковых подразделений на Халхин-Голе Жуковым замечание: «Очень хорошо дрались танковые бригады, особенно 11-я, возглавляемая комбригом Ге-

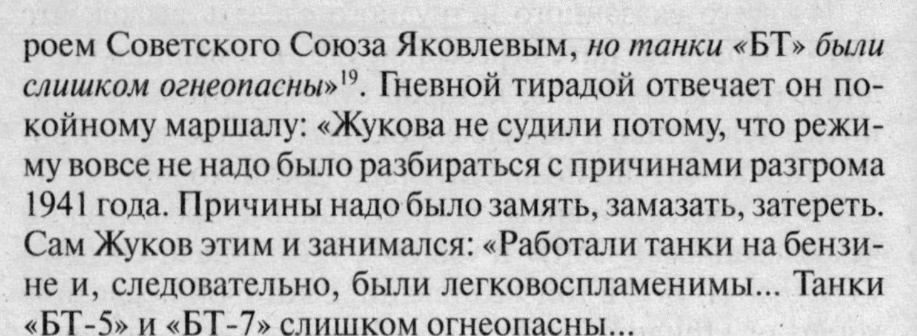

роем Советского Союза Яковлевым, *но танки «*БТ» *были слишком огнеопасны*»[19]. Гневной тирадой отвечает он покойному маршалу: «Жукова не судили потому, что режиму вовсе не надо было разбираться с причинами разгрома 1941 года. Причины надо было замять, замазать, затереть. Сам Жуков этим и занимался: «Работали танки на бензине и, следовательно, были легковоспламенимы... Танки «БТ-5» и «БТ-7» слишком огнеопасны...

Зачем повторять?

Чтобы все усвоили...[20]

Жуков правду пишет... но забывает сказать, что во всем остальном мире были точно такие же бензиновые двигатели.

...Только в Советском Союзе была осознана необходимость иметь сверхмощный скоростной танковый дизель. Задолго до войны он был создан, отработан, поступил на вооружение. Только Советский Союз на момент начала войны имел дизельные двигатели»[21].

Что в СССР был создан дизельный танковый двигатель «В-2»[22], не имеющий аналогов в мире и позволивший создать в ходе войны боевые машины, превосходящие технику противника, это правда.

Что дизельное топливо склонно к возгоранию куда меньше бензина, тоже факт.

Однако из 7800 танков «БТ» всех серий, стоявших на вооружении РККА к началу войны, дизельными были лишь чуть более 700 «БТ-7М»[23]. Но главной причиной огнеопасности «бэтушек» являлось неудачное расположение топливных баков. «У Кристи детали подвески отделялись от внутреннего помещения тонким бронелистом, так вот там, где были спиральные пружины, и поместили бензобаки. Из-за того, что пространство было узким, их пришлось сделать широкими. Это *новшество* дорого обошлось танкистам – тонкая бортовая броня не выдерживала попаданий противотанковых снарядов, а если они попадали в бак, пожар был неминуем. К сожалению, этот недостаток унаследовали и «Т-34» первых выпусков»[24].

Из всего сказанного нетрудного сделать вывод, что «БТ» – вовсе не танк-агрессор, а удачная машина середины тридцатых годов, которой судьба уготовила вступить в дело лишь в начале сороковых. В бою танк против танка «бэтушки» значительно превосходили «T-I» и «T-II», имели шансы, встретившись с трофейными чехословацкими «35(t)» и «38(t)»[25], но уступали средним «T-III» и «T-IV», в той же степени, в которой последние уступали «тридцатьчетверкам». То же, даже в большей степени, может быть отнесено и к «Т-26». И не случайно, конечно, ворваться в Берлин довелось не ему и не «бэтушкам», а «тридцатьчетверкам» и «ИС».

Повторюсь, времена и обстоятельства были не те, что способствуют скорому внедрению передовых конструкторских идей. И недоработками, как говорят инженеры, «детскими болезнями», страдали и «Т-34», и в особенности «КВ», надежность которого в эксплуатации оставляла желать лучшего. Все же, надо признать, обе эти машины на голову были выше *любого* немецкого танка. Но... назвать танком-агрессором их В. Суворов не решился. Слишком поздно начали они выпускаться, и в образ предвидевшего все и вся Сталина не вписывались. Да и относительно тех же «БТ», маловато их было в приграничных округах.

Что касается «Т-28» и «Т-35», то достаточно взглянуть на год их выпуска, и все вопросы отпадут сами собой. Эти образцы – тоже дань моде, но моде начала тридцатых. Выпускали подобные машины и англичане (A1E1 «Индепендент»), и французы («2С» да в какой-то степени и «В-1»), и даже немцы («Nb.Fz»). Сама жизнь показала бесперспективность подобной компоновки и заставила отказаться от дальнейшего производства этих неповоротливых многобашенных[26] машин.

В 1918 году огромные танки успешно справлялись со своей задачей сопровождения пехоты. Но... времена изменились, и как бы ни был внешне хорош тот же «Т-35», какие бы технические новинки ни были на нем внедре-

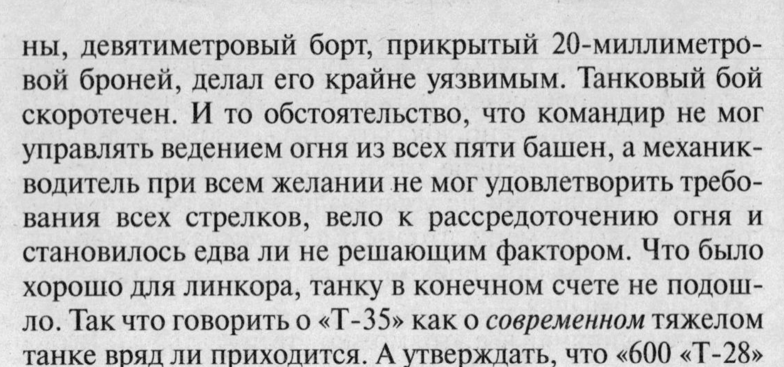

ны, девятиметровый борт, прикрытый 20-миллиметровой броней, делал его крайне уязвимым. Танковый бой скоротечен. И то обстоятельство, что командир не мог управлять ведением огня из всех пяти башен, а механик-водитель при всем желании не мог удовлетворить требования всех стрелков, вело к рассредоточению огня и становилось едва ли не решающим фактором. Что было хорошо для линкора, танку в конечном счете не подошло. Так что говорить о «Т-35» как о *современном* тяжелом танке вряд ли приходится. А утверждать, что «600 «Т-28» резко превосходили гитлеровские *так называемые* средние танки во всем»[27], просто некорректно. Кстати, совершенно непонятно упоминание В. Суворова о 80-миллиметровой якобы броне «Т-28» и «Т-35»[28].

Впрочем, в который раз одни его высказывания опровергают другие. Так, в одном месте В. Суворов утверждает, что «во всем остальном мире ничего равного танку «Т-35»... не было... «Т-35» превосходил самое лучшее, что было в других странах по вооружению, бронированию, по мощи двигателя, т.е. по всем главным характеристикам»[29]. А в другом соглашается: «...в скоротечном бою «Т-35» действительно неповоротлив, неуклюж, высок»[30]. Что вы хотите? Диалектика...

Но это все – цветочки.

Произведя малопонятные расчеты, В. Суворов приходит к выводу, что по мощности танковых пушек мы превосходили немцев в *сто шестьдесят раз*[31]. Абсурдность подобного утверждения очевидна. Не буду вдаваться в подробности, отмечу лишь очередные допущенные автором «неточности». Так, В. Суворов говорит о *длинноствольных* пушках все тех же «Т-28» и «Т-35»[32], но можно ли считать их таковыми? Первоначально указанные танки имели короткоствольное орудие калибром 76,2 мм длиной 16,5 калибров. В 1938 году на «Т-28» длина ствола возросла до 26 калибров. Если считать эти пушки *длинноствольными*, то почему не отнести к тому же разряду и 75-миллиметровые пушки немецких «T-IV» с длиной ствола 24 калибра.

Казалось бы, к чему эта мелочная предвзятость, ведь техническое превосходство «Т-34» и «КВ» очевидно. Но В. Суворову-то нужно доказать, что *все* советские танки превосходили немецкие, что в процессе развития бронетанковых войск они не устаревали, продолжая отвечать требованиям времени, что мы имели *такое* преимущество, которое Гитлеру, рискни он напасть, не оставляло и малейшего шанса.

Только приняв все это, можно утверждать, что Гитлер был придуман и создан Сталиным. Если нет – не может не возникнуть вопроса, а где были гарантии, что фюрер в один прекрасный день не нападет и на своего «создателя», не просчитался ли Иосиф Виссарионович *изначально*?[33] Отсюда и стремление поставить многие тысячи «БТ», «Т-26» и «Т-28», которые к началу войны уже явно не отвечали требованиям времени, в один ряд с «Т-III» и «Т-IV».

Но что же немцы? Я смотрю на репродукцию старой трофейной фотографии. Легкий танк с клепаными корпусом и башней. Съежившийся от холода, наполовину высунувшийся из люка танкист. Задранный к небу тонкий пушечный ствол. Под широкими гусеницами – бревна. А кругом снег, снег... Подпись гласит: «38-тонный танк... весил 9 тонн... Двигатель «38-тонного» был настолько слаб, что зимой танк приходилось ставить на бревна. Иначе гусеницы примерзали к земле, и «грозная» боевая машина не могла сдвинуться с места»[34]. Как нетрудно догадаться, речь идет о трофейном чехословацком «38(t)». Но на снимке-то совсем другой танк, «35(t)». Об этом свидетельствует ходовая часть с опорными верхними катками и характерная конфигурация дульного тормоза.

Вы спросите: а в чем разница? Да в том, что «38(t)» был одним из лучших легких танков в мире, и в вермахте таких машин на 1 июля 1941 года было 763, а «35(t)», система сжатого воздуха для сервоприводов которого действительно не выдерживала мороза, всего лишь 189[35].

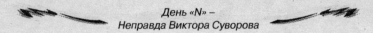

Чтобы не выглядеть в дальнейших рассуждениях голословным, привожу тактико-технические характеристики некоторых наших и немецких танков.

Тактико-технические характеристики танков СССР 1933–1940 гг.							
Показатель	Т-26	БТ-5	БТ-7М	Т-28	Т-34–76	КВ-1	Т-35
Год выпуска	1939	1933–1934	1939–1940	1933	1940–1941	1940	1933
Боевая масса, т	10,25	11,5	14,65	25,2	26,8	47,5	50
Экипаж, чел.	3	3	3	6	4	5	11
Длина по корпусу, см	462	550	566	736	610	675	972
Длина с пушкой вперед, см	–	–	–	–	662	690	–
Ширина, см	245	223	229	287	300	332	320
Высота, см	233	225	245	262	240	271	343
Бронирование, мм							
Лоб корпуса	15	13	20	30	45	75	30
Борт корпуса	15	13	13	20	45	75	20
Лоб башни	15	13	15	20	45	75	20
Крыша и днище корпуса	10 и 6	10 и 6	10 и 6	15 и 15	15 и 20	40 и 40	10 и 20
Вооружение:							
Марка пушки	Обр. 1934–1938 гг.	Обр. 1932 г.	Обр. 1932–1938 гг.	ПС-3	Л-11 или Ф-32	ЗИС-5	1-ПС-3; 2-бр. 1932
Калибр, мм/ длина ствола, кал.	45/46	45/46	45/46	76,2/16,5	76,2/ 30,5 или 76,2/41,5	76,2/41,5	76,2/ 16,5 и 45/46
Боекомплект, выстрелов	165	115	188	69	77	111	96 и 220
Число и калибр (мм) пулеметов	1–7,62	1–7,62	1–7,62	4–7,62	2–7,62ДТ	4–7,62	5–7,62
Боекомплект пулеметов, патр.	3087	2709	2394	7938	2998	3024	10 000
Двигатель, тип, марка	Т-26	М-5	В-2	М-17	В-2В	В-2К	М-17
Мощность двигателя, л.с.	90	400	500	500	500	600	500

Продолжение таблицы

Тактико-технические характеристики танков СССР 1933–1940 гг.							
Максимальная скорость на колесах	30	72	86	40	51,2	35	30
по шоссе на гусеницах, км/час	–	53	62	–	–	–	–
Запас хода по шоссе на колесах/ на гусеницах, км	240	200/120	700/600	170	300–370	250	150
Среднее давление на грунт, кг/см²	0,80	0,65	0,90	0,66	0,62	0,77	0,78
Тактико-технические характеристики танков Германии 1935–1940 гг.							
Показатель	T-IB	T-IIA	35(t)*	38(t)A**	T-IIIE	T-IIIG	T-IVD
Год выпуска	1935	1937	1935	1939	1938	1940	1939
Боевая масса, т	5,8	8,9	10,5	9,4	19,5	20,3	20
Экипаж, чел.	2	3	4	4	3	3	3
Длина по корпусу, см	442	481	490	460	538	541	592
Длина с пушкой вперед, см	–	–	–	–	–	–	–
Ширина, см	206	222	210	212	291	295	284
Высота, см	172	199	235	240	244	244	268
Бронирование, мм							
Лоб корпуса	13	14,5	25	25	30	30	30
Борт корпуса	13	14,5	16	15	30	30	20
Лоб башни	13	14,5	25	25	30	30	30
Крыша и днище корпуса	6 и 6	15 и 15	8 и 8	8 и 8	18 и 16	18 и 16	12 и 10
Вооружение: Марка пушки	--	KwK30	KwK34(t)	KK38(t)	3,7cmK-wK	5cm KwK	KwK37
Калибр, мм/ длина ствола, кал.	--	20/55	37/40	37/48,7	37/46,5	50/42	75/24
Боекомплект, выстрелов	--	180	72	72	131	99	80
Число и калибр (мм) пулеметов	2–7,92	1–7,92	2–7,92	2–7,92	3–7,92	2 –7,92	2 –7,92

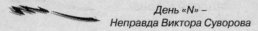

Продолжение таблицы

Тактико-технические характеристики танков Германии 1935–1940 гг.							
Боекомплект пулеметов, патр.	2250	2250	1800	2400	4500	2700	2700
Двигатель, тип, марка	«Майбах» NL38TR	«Майбах» HL62TR	«Шкода» T11	«Прага» EPA	«Майбах» HL120TR	«Майбах» HL120TR	«Майбах» HL120TRM
Мощность двигателя, л.с.	100	140	120	125	300	300	300
Максимальная скорость, км/ч	40	40	35	42	40	40	40
Дальность хода по шоссе, км	170	200	190	250	165	165	200
Среднее давление на грунт, кг/см2	0,42	0,76	0,53	0,55	0,95	0,93	0,75
*35(t) – под такой маркой был принят на вооружение вермахта трофейный чехословацкий танк «LT-35».							
**38(t) – это также взятый немцами на вооружение трофейный танк чехословацкого производства «LT-38».							

Итак, после оккупации Чехословакии в марте 1938 года немцы в качестве трофеев получили 219 «LT-35» и до 150 «LT-38», принятых на вооружение соответственно под марками 35(t) и 38(t). И если вооружение «35-го», несмотря на его надежность и легкость в управлении, не соответствовало требованиям времени, то «38(t)» оказался настолько неплох, что производство этой модели «уже в оккупированной Чехословакии для нужд вермахта продолжалось до лета 1942 г.[36] А затем *до конца войны* на базе этого удачного танка выпускались различного типа самоходные артустановки.

...С ноября 1940 г. толщину лобовой брони довели до 50 мм. Немцы увеличили экипаж с трех до четырех человек, введя в его состав заряжающего, облегчив тем самым работу командира»[37]. В отличие от французских машин, трофейные чехословацкие танки вермахту *подошли*. То, что к началу войны они составляли четверть танкового парка противника, – факт, но это были совсем неплохие для своего времени образцы.

«Т-III» и в особенности «Т-IV» были добротными, популярными в войсках машинами. Основным и, надо признаться, сильным противником. В бою танк против танка они уступали лишь «Т-34» и «КВ». Причем противостоять последнему действительно было почти невозможно. Известны случаи, когда броня «Клима Ворошилова» выдерживала несколько десятков (!) прямых попаданий. При встречах же с «тридцатьчетверками» немецкие танкисты старались как можно быстрее сблизиться, чтобы увеличить эффективность огня своих короткоствольных пушек и хоть в какой-то степени уравнять шансы. Умело применял противник и танковые засады. А там, где бои принимали особо ожесточенный характер, чашу весов в пользу врага решительно склоняли господствующие в воздухе самолеты Люфтваффе.

Я вовсе не утверждаю, что все у противника было идеально. «Т-I» и «Т-II», например, оказались настолько слабо вооруженными и бронированными, что использовать их в первой линии, то есть в бою, танковые командиры в июне 1941 года уже не решались.

Хочу все же подчеркнуть, говорить о слабости бронетанковых войск вермахта, утверждать, что «Германия вступила во Вторую мировую войну, имея смешное количество плохих танков»[38], по меньшей мере наивно. Такого не бывает, чтобы все было либо хорошо, либо очень плохо. В особенности это касается танкостроения. Были у нас взлеты и падения, не избежали их и немцы. В. Суворов справедливо подметил основной конструктивный недостаток практически всех танков вермахта: двигатель располагался в кормовой части, а ведущие катки – спереди[39]. Мы же в свою очередь в ущерб вооружению и бронированию «зациклились» на колесно-гусеничном танке.

К началу войны бронетанковые войска РККА располагали лучшими в мире машинами, но... без средств связи и командирских башенок. Как свидетельствует участник танкового сражения в районе Дубно Герой Советского Союза Г. Пенежко, командирам для управления подразделением приходилось, наполовину высунувшись из люка, а зачастую став позади башни, пользоваться флажками. Вынуждены они были подставляться под пули еще и вследствие недостаточного бокового обзора. Вновь приходилось приподнимать крышку люка и высовываться из башни. Подобное управление в бою не могло не привести к тому, что команду или направление атаки воспринимали лишь ближайшие экипажи.

Немцы же, не встретившие в Европе *настоящего сопротивления*, вступили в войну с Советским Союзом без *настоящей* танковой пушки, лишь во второй половине 41-го стали они спешно заменять короткоствольное 75-миллиметровое орудие на длинноствольное. Зато какая была у них оптика!

Мы после первых трагических месяцев выпускали куда больше танков, но, следует признать, боевая техника противника оказалась надежнее[40].

Что касается развернувшегося в ходе войны соревнования за первенство в создании лучшей модели, то оно проходило с переменным успехом. На столь поразивший их «КВ» немцы ответили созданием «Тигра», который «на протяжении почти полутора лет... был сильнейшим в мире»[41], и «Пантеры». «ИС-2» вермахт противопоставил «Королевский тигр». Но все эти машины пошли в бой куда позже, когда схватка двух титанов достигла наивысшего накала, и противники, в надежде склонить чашу весов на свою сторону, попеременно бросали на нее все новые образцы военной техники.

Тогда же, в середине июня 1941 года, качество лучших образцов советских боевых машин, вне всякого сомнения, было выше. Но... иметь лучшее оружие еще не значит суметь им лучше воспользоваться...

Теперь о численности. В. Суворов говорит о 24 000 советских танков. Но, во-первых, их было чуть более двадцати трех тысяч, а во-вторых, в приграничных округах в двадцати механизированных корпусах армий прикрытия

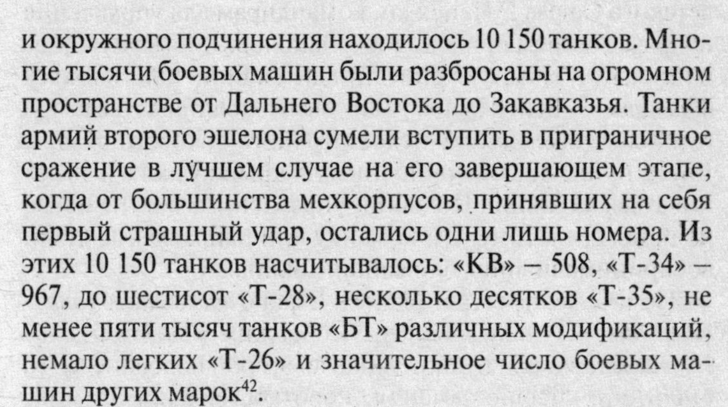

и окружного подчинения находилось 10 150 танков. Многие тысячи боевых машин были разбросаны на огромном пространстве от Дальнего Востока до Закавказья. Танки армий второго эшелона сумели вступить в приграничное сражение в лучшем случае на его завершающем этапе, когда от большинства мехкорпусов, принявших на себя первый страшный удар, остались одни лишь номера. Из этих 10 150 танков насчитывалось: «КВ» – 508, «Т-34» – 967, до шестисот «Т-28», несколько десятков «Т-35», не менее пяти тысяч танков «БТ» различных модификаций, немало легких «Т-26» и значительное число боевых машин других марок[42].

В свою очередь, «для нападения на Советский Союз немецкое командование сосредоточило в 17 танковых дивизиях около 3350 танков и штурмовых артустановок, в том числе 1698 легких: около 180 «T-I», 746 «T-II» и 772 «38(t)». Средних танков было 1404: 965 «T-III» и 439 «T-IV»[43]. Остальные – 250 штурмовых орудий»[44].

Так что говорить о *семикратном*[45] преимуществе в танках не приходится. В лучшем случае, в приграничных сражениях соотношение было 3 : 1.

И еще одна «аксиома», предложенная Суворовым: «На 21 июня 1941 года у Сталина 24 000 танков.

Вопрос выпускнику трехмесячных курсов младших лейтенантов: какое преимущество должен иметь наступающий? Ответ: трехкратное.

Правильно. Следовательно, для нападения на Сталина Гитлер должен был иметь 72 000 танков.

...У наступающего Гитлера 3350 танков, следовательно, обороняющемуся Сталину для равновесия надо было иметь 1127 танков.

У Сталина танков было в 21 раз больше, чем это необходимо для обороны»[46]. Далее автор развивает свою мысль. Сталин, оказывается, потому и прозевал удар вермахта, что видел всю «неготовность» Гитлера к войне, знал, что не обладал последний трехкратным превосходством в танках, а без этого якобы «нападение превращается в авантюру»[47].

Позволю себе с этим не согласиться. Во-первых, вермахт использовал *такие* методы ведения войны, которые до определенного этапа позволяли ему добиваться быстрых тактических успехов. Массирование сил и средств на направлении главных ударов позволяло немцам создавать и более чем трехкратное превосходство, но не вообще по фронту, а лишь там, где требовалось. Вермахт образца 1941 года *способен был* выполнять масштабные задачи. Танковые группы с легкостью прорвали нашу оборону на флангах Западного фронта, и... наше преимущество в танках перестало иметь значение. Зажатые в котле мехкорпуса подвергались непрерывному воздействию артиллерии и авиации, а прорвать в контратаках немецкие заслоны на дорогах *мы еще не умели*. На Юго-Западном фронте, где об окружении главных сил и речи поначалу не было, решающую роль сыграли двухлетний опыт войны и авиация противника.

Так что немцам вовсе незачем было иметь трехкратное превосходство в танках. Думается, куда большее влияние на ход приграничного сражения оказало их почти двукратное превосходство в живой силе[48].

А во-вторых, откуда Сталин мог знать, *сколько танков у Гитлера*, если мы и сейчас не знаем этого наверняка? Он знал другое. Немцы напали на англо-французов, имея куда меньше танков и авиации, и... все было кончено через три недели.

Много чего написал о боевых машинах В. Суворов. Но с одной его фразой нельзя не согласиться. «Гитлер, несомненно, имел великолепную армию и вооружение. Но давайте признаемся хотя бы самим себе: в решающей области – в тяжелом танкостроении – у Сталина степень готовности к войне была чуть выше, чем у Гитлера»[49].

Признаюсь, это правда.

Но из этого вовсе не следует, что Сталин, ради победы мировой революции, рискнул бы поставить на кон личную власть. Не следует, что он «создал» Гитлера и точно просчитал все его будущие удары по Европе. Не следует, что мы готовились нанести 6 июля 1941 года превентивный удар.

Из этого даже не следует, что на поле боя мы оказались бы сильнее немцев.

Мы и не оказались...

Примечания

[1] Все же, думается, это не так. Ведь если в танковом парке вермахта к началу войны *действительно* не было образцов, равных по силе «КВ», то превосходство немецкой авиации и автоматического оружия сомнений не вызывает. Нелишне вспомнить, что немецкий пулемет «MG-34», после весьма незначительной доработки, стоит на вооружении Бундесвера и поныне! Но будь мы оснащены и лучше, согласитесь, из этого вовсе не следует, что Сталин собирался напасть на немцев первым. Не следует даже, что в бою Красная Армия оказалась бы сильнее. Впрочем, она и не оказалась.

[2] Вдумайтесь, читатель. Одними лишь этими строчками В. Суворов подписывает своей «теории» смертный приговор. Ведь его утверждение о том, что большинство танков (а это и все «БТ», и «А-20», и «Т-29») могли воевать лишь на территории Германии, а на границе оказались бесполезны и «брошены», по сути, означает другое – бронетанковые войска РККА *в целом* способны были противостоять противнику, лишь если бы последнего удалось застать врасплох, лишь если бы фашисты *сразу* отступили на 400–600 километров, лишь если бы «бэтушки» вырвались на автострады. Это можно понять и так, что в равной борьбе, «вне дорог» мы вообще не имели шансов! О каком же потенциале «великолепных» танков «БТ», о каком техническом превосходстве речь? Зная Сталина, его дьявольскую осторожность и предусмотрительность, можно ли предположить, чтобы он решился напасть на немцев со столь сомнительными (следуя рассуждениям В. Суворова) надеждами на успех? Один лишь заданный самому себе вопрос должен был его остановить: а если немцев застать врасплох не удастся, что тогда? Впрочем, столь судьбоносные решения не могут, конечно, быть продиктованы быстроходностью легких, морально устаревших танков. Куда более важные факторы играют при этом определяющую роль.

[3] Суворов В. Ледокол, с. 28, 29.

[4] Шмелев И.П. Танки «БТ», с. 21.

[5] Мне-то думается, Сталин тогда, в начале тридцатых, вряд ли *достаточно глубоко* вникал в проблемы строительства бронетанковых войск. Другие у него были заботы.

[6] Понятно, что агрессивен *любой* танк. Ведь он, в конце концов, относится к категории наступательного оружия. Однако наличие двойного

движителя вовсе не делает колесно-гусеничный танк *более агрессивным*. Скорее, наоборот.

[7] В то время их просто не было.

[8] В. Суворов утверждает, что «гусеницы (танков «БТ». – *А.Б.*) рассматривались, как вспомогательное средство, которое в войне предполагалось использовать только однажды, а затем их сбросить и забыть о них... Советские дивизии и корпуса, вооруженные танками «БТ», не имели в своем составе автомобилей, предназначенных для сбора и перевозки сброшенных гусеничных лент: танки «БТ» после сброса гусениц должны были завершить войну на колесах, уйдя в глубокий тыл противника (Суворов В. Ледокол, с. 30). Однако достаточно лишь раз взглянуть на «БТ», на полки для его сброшенных узких гусениц, на ремни крепления, чтобы понять: отсутствие упомянутых автомобилей в составе мехкорпусов вовсе не означает, что «бэтушки» изначально предназначались для боев исключительно на территории Западной Европы. Даже и не упоминаю о том, что, используя гусеницы «лишь однажды», преодолеть с боями, и даже без боев, всю территорию Польши невозможно. Хочу просто в очередной раз подчеркнуть: почти все, о чем говорит В. Суворов, по меньшей мере очень и очень спорно.

[9] Не правда ли, какое поле деятельности открывается для пытливого исследователя. Я уже вижу новую книгу «выдающихся историков» – «Большевистский меч ковался в Британии и США».

[10] Советско-американская торговая организация.

[11] Шмелев И. Танки «БТ», с. 5, 7. Что тут слишком уж криминального обнаружил В. Суворов? Американское законодательство не предусматривало вывоз боевой техники за пределы страны. Его и обошли, сэкономив время и средства и, надо полагать, отблагодарив талантливого конструктора, так и не получившего должного признания на родине. К чести последнего следует упомянуть, что, когда с аналогичной просьбой к нему обратились немцы и предложили *миллион долларов (!)* «за сотрудничество», Дж. Кристи указал им на дверь.

[12] Некоторые заявления автора просто шокируют. Можно ли говорить о боевых качествах танка, рассматривая в отрыве от других одну лишь из его характеристик, пусть даже и удельную мощность.

[13] Суворов В. Последняя республика, с. 419, 420.

[14] Суворов В. задается вопросом: какие танки считать легкими? Думается, не стоит изобретать велосипед. Легкий танк имеет противопульное бронирование, средний же – противоснарядное.

[15] Речь идет о 30-тонном «Т-29», который на колесах попросту зарывался в грунт.

[16] Шмелев И. История танка. 1916–1996, с. 30.

[17] Понятно, что о «БТ» – танке прорыва речь даже не идет.

[18] Баграмян И.Х. Так начиналась война, с. 66.

[19] Жуков Г.К. Воспоминания и размышления. Т. 1, с. 284.

[20] Неужели В. Суворов и правда решил, что «огнеопасностью» танков «БТ» Жуков вознамерился объяснить причины разгрома армий прикрытия?

Причин много, они куда глубже, и уж конструктивная недоработка серии танков – не в первом ряду. И неужели же достаточно было двух фраз в трехтомнике «Воспоминаний», чтобы *все* усвоили? Один лишь только В. Суворов почему-то «не усвоил».

21 Суворов В. Последняя республика, с. 243, 244.

22 Не будь этого мотора, вряд ли состоялись и «тридцатьчетверка», и «КВ», и уж тем более «ИС-3». Замечу, что разработка тормозилась отнюдь не производственными факторами. Были арестованы стоявшие у истоков его создания директор ХПЗ орденоносец И.П. Бондаренко, начальник отдела двигателей К.Ф. Челпан и имевший несчастье побывать на стажировке в США инженер И.Я. Трашутин. И надо отдать должное Т.П. Чупахину, который с освобожденным вскоре Трашутиным (*бывало и такое, оставались даже и на самом верху люди, сохранившие трезвый взгляд на вещи)* сумел довести танковый дизель до серийного производства. Все это лишний раз свидетельствует: *ничего позитивного чистка не дала*. Одна лишь угроза репрессий заставляла «среднего» гражданина, будь он конструктором или комбригом, не высовываться, не предлагать ничего нового, а лишь ждать прямых начальственных указаний. Все это в какой-то степени поломала лишь война. Наше счастье, что и до ее начала находились еще энтузиасты своего дела, ради него и своей страны готовые подставить себя под удар.

Кстати, и «Т-34» появился на свет едва ли не чудом. Как отмечает И. Шмелев, саму мысль об отказе от идеи колесно-гусеничного танка нельзя было даже высказать (Шмелев И. История танка. 1916–1996, с. 140). И нельзя не отдать должное Кошкину и его соратникам, решившимся параллельно с заказанным Наркоматом обороны колесно-гусеничным «А-20» по собственной инициативе разрабатывать и чисто гусеничный «А-32» – прототип «Т-34». Либо «гений» чего-то недодумал, либо следует признать, что все лучшее, что было создано в СССР в предвоенные годы, имело место быть отнюдь не благодаря направляющей и руководящей деятельности Сталина, а скорее ей вопреки.

23 Шмелев И. История танка. 1916–1996, с. 42.

24 Там же, с. 41.

25 Превосходя эти танки в скорости и вооружении, «БТ» значительно уступали им в бронировании. Большое преимущество в бою им давало и то, что командир был освобожден от работы заряжающего, а следовательно, мог куда лучше управлять действиями экипажа.

26 Вот как отзывается об этих образцах присутствовавший на последнем предвоенном Первомайском параде в Киеве И.Х. Баграмян: «...опытный взгляд замечал обилие устаревших танков. Мало кто среди зрителей понимал, что внушительные на вид многобашенные машины – это старушки, фактически уже снятые с производства» (Баграмян И.Х. Так начиналась война, с. 60, 61).

27 Суворов В. Последняя республика, с. 421.

28 Там же, с. 346, 420. Во время финского конфликта, когда выявилась недостаточная бронезащита практически всех советских танков, часть «Т-28»

срочно добронировали, установив дополнительные экраны. При этом толщина лобовой брони корпуса и башни составила 50–80 мм, бортовой и кормовой – 40 мм. Но и масса танка возросла до 31–32 тонн (Шмелев И. История танка. 1916–1996, с. 43). Предпринимались попытки добронировать подобным образом и «Т-35». Но последний и без того имел массу 50 т, усиление бронирования вело к недопустимой перегрузке боевой машины.

[29] Суворов В. Последняя республика, с. 346, 347.

[30] Там же, с. 401, 402. Если автор имеет в виду, что «Т-35» – танк прорыва, то следует учесть, что вооружение 50-тонной машины, для которой и разворот иногда становился проблемой, оставляло желать лучшего. Снаряды короткоствольного 76,2-мм орудия и двух 45-мм пушек не то чтобы бетон финских дотов, лобовую броню «так называемых средних немецких танков» пробить не могли.

[31] Там же, с. 423.

[32] Там же, с. 422.

[33] С другой стороны, если такое, гарантирующее быструю победу и оккупацию Европы, преимущество было достигнуто еще в 1939 году, чего же он тянул до июня 41-го, почему не сокрушил Гитлера сразу после капитуляции Франции и в любое последующее время до самого нападения? Как, вероятно, понял уже читатель, утверждение В. Суворова, что Красная Армия готовила превентивный удар, лишь часть его теории о «гении всех времен и народов», ради мировой революции затеявшем сложную политическую игру, финалом которой явилась бы советизация Европейского континента. Но, как видим, «теория» эта не выдерживает никакой критики.

[34] Суворов В. Последняя республика, с. 385.

[35] Шмелев И.История танка. 1916–1996, с. 125.

[36] Уже одно то, что выпуск «LT-38» не прекращался вплоть до запуска в производство тяжелых танков, говорит о том, что это была неплохая для своего времени машина.

[37] Шмелев И. Танки «БТ», с. 22.

[38] Суворов В. Последняя республика, с. 415.

[39] Такое конструктивное решение было принято ради удобства управления. Надо признать, наличие внутри корпуса карданной передачи вело к увеличению высоты танка и в конечном счете к его перетяжелению. Но сказалось это много позже, когда на поле боя появились «Пантеры» и «Тигры». Для среднего, тем более легкого танка подобная схема оказалась вполне приемлемой. Ее негативные стороны еще не были столь заметны. Чтобы убедиться в этом, достаточно сравнить высоту немецких и наших танков. А ведь в отличие от советских машины противника имели, как правило, командирскую башенку.

[40] Вот что пишет Н.С. Хрущев: «Вспоминаю возмутительные случаи с нашими танками. Получили мы танки, и они, не пройдя и 100 километров, были оставлены в пути, потому что у них вышла из строя ходовая часть... Заострили внимание на качестве ходовой части танков, *а не только на*

их количестве. Но ее качество все же было невысоким. Пришла к нам Гвардейская армия Малиновского. В ней имелось три корпуса, а в каждом корпусе – по танковому полку. И из этих танковых полков ни один не вышел на линию фронта: все танки стояли на дорогах и ждали, пока их приведут в подвижное состояние... А ведь воевать надо было! Противник имел достаточно вооружения... *Да и не все у немцев было хуже нашего*» (Хрущев Н.С. Воспоминания, с. 173). И подобные случаи были не единичны. Сказывался вал...

[41] Шмелев И. История танка. 1916–1996, с. 110.

[42] Точные данные могут быть представлены лишь для «КВ» и «Т-34». Остальных... было слишком много. Если и возможен *точный* учет этих машин, он требует специального исследования.

[43] Советские историографы, как отмечалось выше, говорили о 2800 средних танков. Видимо, в эту категорию, наряду с «T-III» и «T-IV», они включали и «35(t)», и даже большую часть «Т-II», которые, конечно же, были легкими.

[44] Шмелев И. История танка. 1916–1996, с. 77.

[45] Суворов В. Последняя республика, с. 272.

[46] Там же, с. 270.

[47] Там же, с. 407.

[48] Впрочем, и этого преимущества оказалось мало. Немцы, нащупав слабые места, прорывали нашу оборону, легко создавали вокруг наших армий и фронтов внешнее кольцо окружения. Но им, по существу, ни разу не удалось создать надежного *внутреннего* кольца. Случалось, целые батальоны просачивались к своим, даже не увидев «окружившего» их противника. Вермахту катастрофически не хватало пехоты.

[49] Суворов В. Последняя республика, с. 406, 407.

Глава 8

САМОЛЕТЫ СТРАНЫ СОВЕТОВ

«...Мы развернулись и выехали обратно на шоссе. И здесь я стал свидетелем картины, которой никогда не забуду. На протяжении десяти минут я видел, как «мессершмитты» один за другим сбили шесть наших «ТБ-3». «Мессершмитт» заходил «ТБ-3» в хвост, тот начинал дымиться и шел книзу. «Мессершмитт» заходил в хвост следующему «ТБ-3», слышалась трескотня, потом «ТБ-3» начинал гореть и падать...

Не проехали еще и километра, как совсем близко, прямо над нами, «Мессершмитт» сбил еще один – седьмой «ТБ-3». Во время этого боя летчик-капитан вскочил в кузове машины на ноги... и слезы текли у него по лицу. Я плакал до этого, когда видел, как горели те первые шесть самолетов. А сейчас плакать уже не мог и просто отвернулся, чтобы не видеть, как немец будет кончать этот седьмой самолет»[1].

«Положение осложнялось тем, что с первых часов фашистского вторжения господство в воздухе захватила немецкая авиация... Советские части, двигавшиеся к границе, непрерывно подвергались бомбежкам и обстрелу с воздуха. Лишь отдельные небольшие группы наших истребителей через плотные заслоны фашистских самолетов прорывались на помощь к своим войскам»[2].

«Несколько легких немецких бомбардировщиков прошли вдоль нашего переднего края, аккуратно утюжа его бомбовыми разрывами. Мы не отвечали. Появились два наших «И-16» с каунасского аэродрома, и тотчас их сбили «Юнкерсы». Те даже не успели, как говорится, ввязаться в драку»[3].

«Не успели мы отъехать, как на штаб стали пикировать вновь появившиеся стаи самолетов.

Во время первой бомбежки, отсиживаясь в лесу, мы не видели, сколько над нами авиации, а теперь, с дороги, куда ни посмотришь, везде косяки самолетов, всюду – и вдали и вблизи – взрывы. Там горит большой участок леса, там дымятся две рощи. В гуле разрывов непрерывный треск. Это взрываются густо набившиеся в рощи машины с горючим и боеприпасами. Хорошо, что эти машины стояли не у шоссе, а то нельзя было бы по нему проехать»[4].

Буквально все очевидцы и участники тех первых боев в своих мемуарах, изданных в разное время, когда модным было «все хвалить» и когда – «все ругать», в оценке действий немецкой авиации на редкость единодушны. То, что немцы длительное время, вплоть до 1943 года господствовали в воздухе, тот факт, что наши самолеты поначалу не могли оказать наземным войскам серьезной помощи, не оспаривает никто.

Временами создавалось впечатление, что вражеские самолеты вездесущи, а советская авиация перестала существовать, но впечатление это было обманчивым. Если при первом предрассветном ударе «ястребки» просто не успели подняться в воздух, то, когда заправившиеся и пополнившие боезапас немецкие самолеты *повторили*, им был дан отпор. То тут, то там из-за облаков выныривали остроносые «МиГи» и сбивали «Юнкерсы», и устраивали с охранявшими их «мессерами» смертельную карусель. Уцелевшие бомбардировщики, часто без прикрытия, все же бомбили переправы и срывали темп немецкого наступления. И советские асы на своих тупорылых «ишачках», перед тем как быть сбитыми, успевали огрызнуться. В первый, самый тяжелый для нее день войны наша авиация уничтожила до двухсот самолетов противника, а к 29 июля 1941 года потери Люфтваффе составили 1284 машины, что вполне сопоставимо с потерями немцев в «Битве за Англию», которую сами они считали проигранной.

Все же мы потеряли куда больше. Если 22 июня на аэродромах и в воздушных боях было уничтожено до 1200 советских самолетов[5], то к 30 июня – уже 4017[6]. И по мере того, как погибали подготовленные летчики и резко сокращался парк машин, преимущество Люфтваффе становилось все более ощутимым, что во многом определяло характер наземных операций.

В какой-то момент немцам вновь показалось, что с советской авиацией покончено. 29 июня Гальдер записал в своем дневнике: «Воздействие авиации противника на наши войска, видимо, очень слабое»[7]. Однако *полностью* уничтожить нашу авиацию, конечно же, не удалось. И хотя на равных она смогла сражаться с Люфтваффе теперь лишь под Москвой, а общее равенство сил[8] было достигнуто к весне 1943 года, воздушная война не прекращалась.

Что же предопределило столь трагическое для нас развитие событий? Если основной причиной неудач первых дней, вне всякого сомнения, следует считать достигнутую немцами тактическую внезапность[9], то последующие поражения этим уже не объяснишь. Ведь Герингу для нападения на СССР удалось привлечь 2770 самолетов[10]. И даже потеряв в первый день от 10 до 15% машин[11], мы продолжали сохранять заметное численное превосходство. Когда же войска начали отступать, и наши эскадрильи постепенно перебазировались на тыловые аэродромы, фактор внезапности перестал играть какую-либо роль. Однако перелома не наступило.

Что же позволило нескольким сотням немецких истребителей *так долго* удерживать в своих руках инициативу? В первую очередь, вне всякого сомнения, на порядок лучшая общая подготовка летного состава. Асы

Люфтваффе приобрели драгоценный боевой опыт в небе Польши, северной Франции и над Ла-Маншем.

Многих же наших «испанцев» на родине ждали лагеря. Естественно, их опыт, равно как и опыт боев с японцами, их критические замечания не только не систематизировались, но даже и не рассматривались. И если некоторых репрессированных общевойсковых командиров с началом военных действий Сталин вернул в войска, то летчикам обратная дорога была заказана[12]. Так, опытный пилот, крупный военачальник Смушкевич[13] был спешно вывезен из Москвы и расстрелян 28 октября 1941 года, когда наша оборона трещала по швам и избытка в опытных организаторах не ощущалось.

К тому же не могла не сказаться и откровенно слабая летная подготовка. В предвоенные месяцы советские строевые летчики имели от *одного до пяти* часов налета. Причем выполнение фигур высшего пилотажа было строжайше запрещено. Шла борьба за показатели, и «лишние» летные происшествия начальству были ни к чему. Устаревшими оказались и представления о тактике воздушного боя. Если немецкие истребители действовали парами, прикрывая один другого, то наши к началу войны совершали вылет в составе тройки, что значительно ограничивало свободу маневра. Впоследствии перешли к подобной тактике и мы, но сколько же крови и скольких сбитых машин это стоило...

Утвердившаяся номенклатура проявила себя во всей красе. Удивительная вещь, чем сильнее раскручивался маховик репрессий, тем более громоздким становился управленческий аппарат. Многочисленные «промежуточные» звенья в структуре ВВС не только не способствовали улучшению управления, но даже не позволяли наладить эффективное взаимодействие с наземными войсками, а зачастую и соседних авиационных частей друг с другом. В который раз убеждаемся, чистка отнюдь не увеличила обороноспособность армии, напротив, привела к прямо противоположному результату. Те, кто видел существующие недостатки и понимал, *к чему* все это приведет в бою, предпочитали не высовываться. Впрочем, гораздо больше было таких, которых существующие порядки вполне устраивали, для кого служба превратилась в необременительную сытую кормушку. Любая же инициатива пресекалась апробированным способом, доносы шли и шли...

Если в танкостроении мы занимали лидирующие позиции, и советский танковый парк превосходил бронетанковые силы вермахта не только количественно, но и качественно[14], то о боевых самолетах этого не скажешь.

Господство в воздухе завоевывают истребители. «И-16», «И-153», тем более «И-15», перестали отвечать требованиям времени задолго до войны. Боевое крещение эти машины приняли в небе Мадрида и поначалу выглядели совсем неплохо. Но ближе к концу гражданской войны появились «мессершмитты», и их преимущество было очевидно. Воздушный флот республиканцев таял на глазах.

«...«И-153»... «Чайки» с убранными шасси даже во второй половине тридцатых годов относились к скоростным машинам. Однако уже в конце тридцатых и особенно в сороковых годах скорость в 400 км/час для истребителей была явно недостаточной...

Основной истребитель наших Военно-воздушных сил «И-16» к началу 1938 года уже не отвечал новым требованиям. Дальнейшая модернизация этой машины не могла существенно повысить его боевые качества...»[15] «Як-1», «ЛаГГи» и «МиГи» первых модификаций могли сражаться с «Bf-109» в лучшем случае на равных. Но выучка и боевой опыт немецких летчиков обеспечивали их превосходство. За один сбитый немецкий самолет приходилось платить тремя-четырьмя нашими уничтоженными машинами.

Но что же В. Суворов? Он не спорит. Советские летчики не были подготовлены к ведению воздушного боя? Не были. Но... *это делалось специально* и, конечно же,

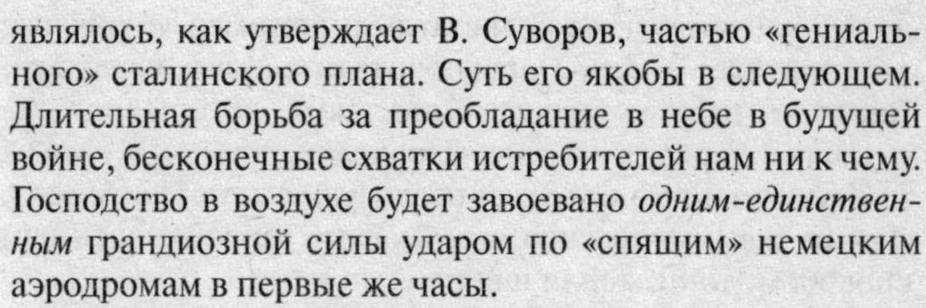

являлось, как утверждает В. Суворов, частью «гениального» сталинского плана. Суть его якобы в следующем. Длительная борьба за преобладание в небе в будущей войне, бесконечные схватки истребителей нам ни к чему. Господство в воздухе будет завоевано *одним-единственным* грандиозной силы ударом по «спящим» немецким аэродромам в первые же часы.

Не нужны нам и асы, ведь после короткой решающей штурмовки небо очистится от самолетов противника *навсегда*. А нужны тысячи, десятки тысяч, *сто пятьдесят тысяч* малоквалифицированных пилотов ускоренного трех-четырех месячного выпуска школ ОСОАВИАХИМа. Особой квалификации от них не потребуется. Не потому, что это хорошо само по себе, а просто *за такой срок, в таком количестве* подготовить настоящих пилотов невозможно. Но это и не планируется, творцы превентивной штурмовки должны уметь три вещи: поднять самолет в воздух, в составе группы довести его до цели и отбомбиться. Особая точность не нужна, решающую роль сыграет массовость. Не требуется обладать и навыками при посадке, ведь ожидается, что после первого удара авиация противника прекратит существование, и свои «технические» потери не будут иметь большого значения.

Специально для этих «летчиков-недоучек», утверждает В. Суворов, задолго до войны создается некий засекреченный самолет под кодовым названием «Иванов». Это не истребитель, не стратегический бомбардировщик. Это – машина «чистого» неба, которая, будучи беззащитной в воздухе, способна нанести неожиданный удар из-за угла. Ему не заданы высокие характеристики, а задана простота в изготовлении, ведь подобных машин должно быть столько, сколько в нашей стране людей с фамилией Иванов[16]...

Я ничего не придумал, просто в сжатой форме изложил мысли В. Суворова. Все же в подтверждение приведу некоторые его высказывания. Вот о летчиках, подготовка которых высшего пилотажа не предусматривала:

«Можно ли научить высшему пилотажу... за три-четыре месяца, которые Сталин с Рычаговым[17] в декабре 1940 года отвели на подготовку?

Нельзя.

Но высший пилотаж им был и не нужен. Их же (советских военных летчиков. – *А.Б.*) не готовили к войне оборонительной. Их же не готовили к отражению агрессии и ведению воздушных боев. Их готовили на самолет «Иванов», специально для такого случая разработанный. Их готовили к ситуации: взлетаем на рассвете, идем плотной группой за лидером, по его команде сбрасываем бомбы по «спящим» аэродромам, плавно разворачиваемся и возвращаемся. Этому можно было научить за три-четыре месяца даже невольника, тем паче что «Иванов» – «Су-2» именно на таких летчиков и рассчитывался. И если кто при посадке врубится в дерево – не беда: сержантов-летчиков у товарища Сталина в достатке... Так что решено было обойтись без фигур высшего пилотажа и *без воздушных боев*.

Именно тогда и прозвучал лозунг генерал-лейтенанта авиации Павла Рычагова, с которым он и вошел в историю: «Не будем фигурять!»[18]

А что это за «специально разработанный» для *ста пятидесяти тысяч* пилотов-недоучек[19] самолет «Иванов»? Этому скромному штурмовику второй половины тридцатых «отводит» В. Суворов едва ли не решающую роль. Вот что он пишет:

«...каким же рисовался Сталину *идеальный*[20] самолет, на разработку которого он отвлекает своих лучших конструкторов?.. Сам Сталин объяснил свое требование в трех словах – самолет чистого неба... крылатый шакал.

...В самый разгар рекордно-авиационного психоза Сталин ставит задачу создать «Иванов» – основной самолет для грядущей войны[21]. Но удивительное дело: от создателей самолета «Иванов» Сталин не требует ни рекордной скорости, ни рекордной высоты, ни рекордной дальности и даже небывалой бомбовой нагрузки не требует... Сталин требует только простоты и надежности.

Сталинский замысел: создать самолет, который можно выпускать в количествах, превосходящих все боевые самолеты всех типов во всех странах мира, вместе взятых. Основная серия «Иванова» планировалась в количестве *100–150 тысяч (!) самолетов*[22].

...Возникает вопрос о истребителях прикрытия[23]. Бомбардировщик в бою, особенно ближний бомбардировщик, действующий над полем боя и в ближайшем тылу противника, должен прикрываться истребителями. Если бы вместе с «Су-2» было заказано соответствующее количество истребителей прикрытия, то «Су-2» можно было использовать в любых ситуациях, например для нанесения контрударов по агрессору, напавшему на Советский Союз. Но истребители в таких количествах не были заказаны, поэтому была только одна возможность использовать «Су-2» в войне – напасть первыми на противника и нейтрализовать его авиацию. Другого применения беззащитным «Су-2» нет. Вот почему решение о выпуске минимум СТА ТЫСЯЧ легких бомбардировщиков «Су-2»[24] было равносильно решению НАЧАТЬ ВОЙНУ ВНЕЗАПНЫМ УДАРОМ ПО АЭРОДРОМАМ ПРОТИВНИКА»[25].

Иными словами, подавляющая часть авиации строилась и предназначалась *исключительно для штурмовки застигнутых врасплох, расположенных у самой границы, забитых вражескими машинами аэродромов противника.* При этом предполагалось, что штурмовка уничтожит *все* или почти все самолеты врага. Во всяком случае, последующей за первым ударом борьбы за господство в воздухе «не предусматривалось». К воздушному бою *все сто пятьдесят тысяч военных летчиков* не готовились!

Более того, якобы специально для внезапного удара созданный «Су-2», ни для чего другого, как утверждает В. Суворов, не годился. Правда, до войны было выпущено всего лишь несколько сот «Ивановых», но после

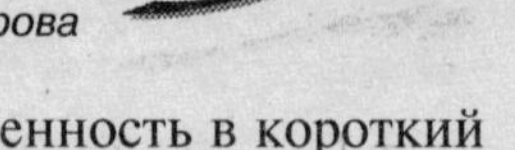

превентивной штурмовки промышленность в короткий срок должна была выпустить их до сотни тысяч и более. Надо думать, штурмовки стали бы непрерывными, что, по идее, и обеспечивало господство в воздухе.

Вот еще одна цитата: «...большую часть советских летчиков, включая летчиков-истребителей, НЕ УЧИЛИ ВЕДЕНИЮ ВОЗДУШНЫХ БОЕВ. Чему же их учили? Их учили наносить удары по наземным целям. Уставы советской истребительной и бомбардировочной авиации ориентировали советских летчиков на проведение одной грандиозной внезапной наступательной операции, в которой советская авиация одним ударом накроет всю авиацию противника на аэродромах и захватит господство в воздухе»[26].

Если все это *действительно* планировалось Сталиным, то возникают некоторые вопросы.

Откуда могли товарищи Сталин и Рычагов знать в декабре 1940 года, тем более в середине тридцатых[27], что *все* самолеты Люфтваффе будут в «день М» находиться в непосредственной близости у границы? А если бы Гитлеру потребовалась передышка, либо фюрер вообще удовлетворился бы достигнутым и сумел договориться с англичанами о мире, и он просто *не подтянул войска и авиацию к границе*? Кого бы штурмовали ближние фронтовые бомбардировщики «Су-2»[28], дальность полета которых от «рекордной» была далека?

Каким это образом несколько сот «Ивановых», пусть даже с «И-16» и с «нормальными» штурмовиками и бомбардировщиками, могли уничтожить, пусть даже застигнутую врасплох, но рассредоточенную вдоль значительной протяженности границы *всю* авиацию противника? Немцы обрабатывали наши аэродромы в более чем благоприятных условиях. Первый налет сопротивления практически не встретил. Однако и в этом случае на земле было уничтожено не более 10–15% нашей авиации. Логично предположить, что и сталинские «пилоты-недоучки» вряд ли сумели бы нанести врагу больший урон.

Но... что же было дальше, кто и как стал бы бороться с поднявшимися в воздух немецкими асами? Что было бы на второй день войны, на третий?..

И откуда, кстати, такая уверенность, что Люфтваффе удалось бы застать врасплох? А если на секунду предположить, что умудренные опытом двухлетней войны, прекрасно знающие, *как оно бывает*, осторожные, пунктуальные немцы перестрахуются? Наладят службу оповещения, станут выделять эскадрильи истребителей прикрытия и наших военлетов, к воздушным боям и «фигурению» не приученных, встретят в воздухе?

Видимо, предвосхищая подобные вопросы, В. Суворов вполне квалифицированно подготовил себе и «запасной аэродром»[29]. Согласитесь, следующие его строки, несколько выбиваются из общего контекста: «Сталин вовсе не собирался начинать массовое производство «Иванова» в мирное время... Во время тайной мобилизации планировалось выпустить малую... серию – всего несколько сот этих самолетов. Назначение этой серии – освоить производство, получить опыт, облетать самолеты... Эти первые несколько сот можно использовать (а можно, выходит, и без них, «основных» самолетов войны обойтись – *А.Б.*) при первом ударе, *особенно на второстепенных направлениях или вслед за самолетами с более высокими характеристиками*.

А вот после нашего нападения массовый выпуск «Иванова» начнется десятками тысяч»[30].

Но ведь «Су-2», «самолет чистого неба», ведомый «пилотами-недоучками», вчерашними школьниками и студентами, мог применяться только по достижении полного господства в воздухе. Выходит, завоевать его должен был отнюдь не «Иванов»? Но тогда кто же? «Ил-2», бесспорно, был лучшим штурмовиком Второй мировой войны. Но, во-первых, и он, и новейшие фронтовые бомбардировщики[31] не могли все же эффективно применяться без прикрытия истребительной авиации, а В. Суворов, в чем мы уже убедились, подтверждает, что летчики-истребители к воздушным боям подготовлены не были. А во-вторых, «Илы» и пикировщики «Пе-2» *только начали* поступать в войска. Для выполнения столь масштабной задачи, как уничтожение Люфтваффе одним ударом, их было слишком мало.

При всем желании и бесспорной настойчивости доказать недоказуемое невозможно. Если «Ивановы» и сто пятьдесят тысяч молодых парней, наскоро получивших начальную летную подготовку, *должны были нанести превентивный удар и уничтожить Люфтваффе на земле*, то где же эти многие десятки тысяч самолетов «Су-2»? Если же завоевать господство в воздухе в развернувшихся воздушных боях должны были «нормальные» самолеты, то все рассуждения В. Суворова в части предусматривающегося превентивного решающего авиационного удара следует отбросить. При этом и о ста пятидесяти тысячах «летчиков-недоучек» также можно забыть, а массовая, но слабая подготовка летного состава выглядит уже не мудростью вождя, даже не его недальновидностью – преступлением.

Мы-то понимаем, что «основной» самолет войны «Иванов» нужен В. Суворову для того, чтобы преимущество немецкой истребительной авиации и слабую летную подготовку наших пилотов волшебным образом превратить в «гениальный план» по скорому, в несколько часов, завоеванию господства в воздухе. А что не получилось – Гитлер виноват. Якобы загнанный в угол кролик от отчаяния бросился на удава и едва не перекусил его пополам.

Внезапной массированной штурмовкой вражеских аэродромов, видимо, можно нанести противнику чувствительные потери и добиться определенного преимущества, но для достижения прочного долговременного господства в воздухе этого явно недостаточно. Его добывают и удерживают в воздушных боях. Не штурмовкой «спящих» аэродромов достигается господство в воздухе, напротив, последнее позволяет такие штурмовки производить. Но если и впрямь допустить, что Сталин планировал подобную, имевшую столь мало шансов на успех авантюру, если представить, что ради гипотетического превентивного сокрушительного удара он по существу *лишил авиацию летчиков-истребителей*, то о какой его гениальности речь?

Я все же думаю о вожде лучше. Сталин ведь действительно неплохо разбирался в качестве основных видов боевой техники, и действительно «без одобрения Сталина... ни один образец вооружения не принимался и не снимался»[32]. Но такой порядок распространялся на *любой* образец военной техники. «Иванов» – один из многих.

На мой взгляд, все было гораздо проще. И мы, и немцы к мысли о необходимости иметь фронтовой легкий бомбардировщик пришли почти одновременно. Для Люфтваффе был разработан уже упоминаемый «Ju-87», прозванный нашими бойцами за неубирающиеся, растопыренные под крылом шасси «лаптежником». У нас был разработан и запущен в производство «Су-2».

«Иванов»[33] если и пользовался поначалу особым вниманием вождя, то лишь потому, что представлял собой новый тип самолета, на который возлагались большие надежды. Для второй половины тридцатых годов это была добротная машина, имевшая достаточное вооружение (шесть пулеметов «ШКАС», до 500 кг бомб на наружной подвеске), но в то же время легкая и скоростная (максимальная скорость до 486 км/час). Оттого, что самолет получился вполне приличным, и шли, вероятно, разговоры о планирующейся *большой* серии[34]. Но... время шло, и его тактико-технические данные перестали удовлетворять возросшим требованиям. Появился знаменитый «Ил-2», штурмовик нового поколения, и судьба «Иванова» была решена. Жизнь не стоит на месте. Используя опыт, накопленный при создании «Иванова», конструкторское бюро П.О. Сухого разработало в середине сороковых бронированный штурмовик «Су-6», ни в чем «Ильюшину-второму» не уступающий. Машина не пошла в серию

лишь потому, что хорошо зарекомендовавший себя «горбатый» был уже освоен промышленностью.

Техника имеет свойство морально устаревать, при всем желании поставить тысячи и тысячи «БТ», «Т-26», «Т-28», «Т-35», «И-15», «И-16», «И-153», тот же «Су-2» «в первые ряды» невозможно.

Что касается «ста пятидесяти тысяч пилотов-недоучек», то вряд ли можно считать этих молодых людей пилотами в полном понимании этого слова. Время было такое. Молодежь тянулась к авиации, и государство шло навстречу[35]. Был ли в этом умысел? Возможно. Но ведь летчиками становились не в авиашколах мирного времени, *военными летчиками становились в бою*. Те, кому удавалось выжить.

Все это к слабой летной подготовке в войсках и разгрому нашей авиации не имеет ни малейшего отношения. Трагедия первых дней, первых недель и месяцев – трагедия не только авиации, но и всей истекающей кровью армии – это прямое следствие чистки и утвердившихся «новых» порядков. Могли ли лейтенанты и капитаны, враз сделавшиеся генералами, преданные Сталину и задавленные его авторитетом, не поверить, когда вождь прямо сказал, что войны не будет? Могли они, напуганные масштабами террора, хоть что-то изменить? Большинство уцелевших, вне всякого сомнения, хорошо усвоили уроки чистки. Не высовываться, меньше болтать и предпринимать что-либо, *лишь получив прямой приказ*.

И приказ был получен, но не на приведение авиации в боевую готовность, а прямо противоположный, показать немцам, что мы *ни к чему не готовы*... Нашлись и такие, единицы, кто, ощущая всем своим существом, что немцы вот-вот нападут[36], рискнули приказ этот не выполнить. По иронии судьбы, фашисты, перед тем как перемолоть, спасли этих людей от расстрела...

Несколько слов о стратегической авиации. Собственно, у нас ее фактически не было. В. Суворов и в этом усматривает агрессивные устремления СССР, нацеленность Сталина на превентивный решающий удар. Вот что он пишет:

«Сталин мог предотвратить войну.

Одним росчерком пера.

Возможностей было много. Вот одна из них.

В 1936 году в Советском Союзе был создан тяжелый скоростной высотный... НЕУЯЗВИМЫЙ бомбардировщик и подготовлен приказ о выпуске тысячи «ТБ-7» к ноябрю 1940 года. Что оставалось сделать?

Оставалось написать под приказом семь букв: И. Сталин.

...«ТБ-7» имел четыре винта и внешне казался четырехмоторным самолетом. Но внутри корпуса, за кабиной экипажа, Петляков установил дополнительный пятый двигатель, который винты не вращал. На малых и средних высотах работают четыре основных двигателя, на больших – включается пятый. Он приводит в действие систему централизованной подачи дополнительного воздуха. Этим воздухом пятый двигатель питал себя самого и четыре основных двигателя. Вот почему «ТБ-7» мог забираться туда, где никто его не мог достать...

Имея тысячу неуязвимых «ТБ-7», любое вторжение можно предотвратить. Для этого надо просто пригласить военные делегации определенных государств и в их присутствии где-то в заволжской степи высыпать со звенящих высот ПЯТЬ ТЫСЯЧ ТОНН БОМБ. И объяснить: к вам это отношения не имеет, это мы готовим сюрприз для столицы того государства, которое решится на нас напасть... Каждый день по пять тысяч тонн на столицу агрессора, пока желаемого результата не достигнем, а потом и другим городам достанется. *Пока противник до Москвы дойдет*, знаете, что с его городами будет? В воздухе «ТБ-7» *почти* неуязвим, на земле противник их не достанет: наши базы далеко от границ и прикрыты, а стратегической авиации у наших вероятных противников нет...

...**одним росчерком сталинского пера** под приказом о серийном выпуске «ТБ-7» **можно было предотвратить германское вторжение** на советскую территорию. Я (В. Суворов. – *А.Б.*) скажу больше: Сталин мог бы предотвратить и всю Вторую мировую войну...

Справедливости ради надо сказать, что Сталин приказ подписал.

Но потом его отменил.

И подписал снова. И отменил...

Четыре раза «ТБ-7» начинали выпускать серийно и четыре раза с серии снимали... За четыре попытки авиапромышленность успела выпустить и передать стратегической авиации не тысячу «ТБ-7», а только одиннадцать. Более того, почти все эти одиннадцать не имели самого главного – дополнительного пятого двигателя. Без него лучший стратегический бомбардировщик мира превратился в обыкновенную посредственность.

После нападения Гитлера «ТБ-7» запустили в серию.

Но поздно»[37].

Иными словами, в середине тридцатых Сталин имел неуязвимый высотный бомбардировщик, мог запустить его в производство и, сделав к сороковым до тысячи таких машин, имел возможность, шантажируя «потенциального противника» перспективой их применения, предотвратить войну.

Отчего же Сталин отказался от стратегической авиации? В. Суворов утверждает, что вождь не хотел разрушать Европу, территорию которой уже тогда, в середине тридцатых, рассматривал *как свою собственную*. «Бомбить города, заводы, источники и хранилища стратегического сырья – хорошо. А лучше – захватить их целыми и невредимыми. Превратить страну противника в дымящиеся развалины можно, а нужно?

Бомбить дороги и мосты в любой ситуации полезно, за исключением одной: если мы готовим вторжение на вражескую территорию... Бомбардировка городов резко снижает моральное состояние населения... Но стремительный прорыв наших войск к вражеским городам деморализует население больше, чем любая бомбардировка...

Если мы намерены взорвать дом соседа, нам нужен ящик динамита. Но если мы намерены соседа убить, а его дом захватить, тогда динамит нам не нужен...»[38]

Красной нитью проходит все та же непоколебимая уверенность автора в подавляющем нашем превосходстве. В том, что в случае войны Красная Армия покончила бы с вермахтом за три-четыре месяца. Что касается бедняги-соседа, которого мы «решили убить», то ведь и он может оказаться не безобидным фермером, а подстерегающим нас в темном коридоре вооруженным до зубов громилой. И если приходится выбирать между применением динамита и перспективой нарваться на пулю самому, я лично все же предпочел бы динамит.

Когда две великие державы сходятся в смертельной схватке, о разрушениях никто не думает. На что уж немцы уверены были в победе, однако многие советские города, скорое занятие которых было очевидно, разбомбили с воздуха до основания. Союзники отвечали им тем же. Достаточно вспомнить Кенигсберг, Бреслау, Дрезден, Берлин... И логика в этом есть. ***Никто ведь не скажет заранее, какой разрушительной силы должен быть удар, чтобы сопротивление противника было подавлено.*** Всегда лучше подстраховаться и переборщить, ведь альтернатива может обернуться поражением. На войне как на войне...

Позволю себе краткий экскурс в историю. В 1926 году в СССР была издана книга французского генерала Дж. Дуэ «Господство в воздухе». Автор, возможно впервые, высказал мысль о том, что войну можно выиграть, используя лишь бомбардировочную авиацию. Причем сухопутный театр военных действий, по мысли Дуэ, в этом случае если и играл какую-либо роль, то второстепенную. Как знать, не под впечатлением ли этого достаточно оригинального труда[39] развернулось в СССР строительство тяжелых бомбардировщиков.

В. Суворов прав. К середине тридцатых на вооружении стояли более тысячи «ТБ-1» и «ТБ-3». Но... куда раньше, чем им нашлось применение, самолеты успели устареть. Малая скорость и слабая живучесть этих бомбардировщиков делали их легкой добычей для истребителей и исключали возможность применения в дневное время.

А теперь поставим себя на место Сталина. Он санкционировал создание дальней авиации, промышленность построила огромное количество самолетов этого класса, но буквально тут же они оказались безнадежно устаревшими. Затраты, и не столько даже материальные, сколько затраты времени и квалифицированного труда, уже не восполнить. А отдача востребована быть не может, в бою жить этим самолетам только до линии фронта. И тут вождю предлагают запустить *в большую* серию очередную машину. Утверждают при этом, что это – самолет нового поколения, а наддув воздуха на основные двигатели делает его неуязвимым. Но недаром Сталин знаменит своей подозрительностью. *Где гарантия, что и эта машина не устареет через год-два*, как это случилось с предыдущими? И где гарантия, что «ТБ-7» *действительно* неуязвим?

Надо отдать Сталину должное, склонности к недооценке противника за ним не замечалось. Скорее, наоборот[40]. Нам сейчас легко говорить о том, что на больших высотах немецкие истребители уступали в скорости «ТБ-7». А откуда знал Сталин, какие сюрпризы могли ожидать его самолеты над вражескими городами? К тому же не следует забывать, что эскадрильи дальних бомбардировщиков «привязаны» к цели, к определенной точке, и в этих условиях скорость уже не выступает решающим фактором. Ведь истребителям не надо гоняться за ними, *истребители летят навстречу*.

За все в этой жизни приходится платить, выигрывая в одном, неизбежно теряешь в другом. Система наддува, позволившая повысить потолок «ТБ-7», оказалась сложной и капризной, что делало самолет не слишком надежным в эксплуатации. Случались отказы на испытаниях, случались и в бою. Известны случаи, когда «петляковым»[41] приходилось прекращать полет из-за технических неполадок и совершать экстренную посадку. Бывало и так, что в зоне бомбометания пятый двигатель давал сбои и «ТБ-7» вынужден был опускаться на средние высоты, где преимуществом в скорости обладали уже немецкие истребители[42]. В. Суворов не учитывает и такой фактор, как повышенный расход топлива, что, в свою очередь, обусловливало сравнительно небольшую дальность полета «ТБ-7» – 3000 километров[43].

В. Суворов не случайно упоминает в своих рассуждениях Москву. Ведь тяжелый четырехмоторный бомбардировщик с размахом крыла в сорок метров – не трамвай и даже не танк. Чтобы подготовить тысячу таких машин, пришлось бы от многого отказаться. Вне всякого сомнения, Сухопутные войска оказались бы ослабленными, и в немалой степени. Если бы Сталину кто-то предложил создавать стратегическую авиацию в расчете на то, что она разбомбит промышленность Третьего рейха, пока немцы «дойдут до Москвы», судьба «ТБ-7» была бы решена вождем без всяких колебаний[44].

Стратегическая авиация – далеко не единственное, от чего Сталин отказался. «Недооценивал И.В. Сталин и значение авиационной разведки, вследствие чего в течение всей войны у нас не было хорошей разведывательной авиации...[45]

Когда ставился вопрос о необходимости массового производства этих типов самолетов, И.В. Сталин обычно говорил:

– Выбирайте одно из двух: или боевую, или разведывательную авиацию, а то и другое мы строить не можем.

...Такое недопонимание важной роли разведывательной авиации в современной войне тяжело отражалось на ходе сражений, особенно в первом периоде войны»[46].

Конечно, будь Сталин уверен, что тысяча «ТБ-7» позволит ему диктовать соседям свои условия, он бы, конеч-

но, запустил их в большую серию. Ведь если, используя угрозу применения «стратегического» оружия, можно предотвратить вторжение, почему нельзя так же точно склонить потенциального противника к капитуляции? Но уверенности в этом у Сталина не было и быть не могло. И сегодня весьма сомнительным представляется, чтобы «ТБ-7», перед тем как быть сбитыми, смогли бы нанести немцам *достаточно серьезный* ущерб. Ущерб, способный повлиять на состояние экономики и парализовать войска.

Как видим, у Сталина было достаточно причин отказаться от переориентации авиазаводов на строительство стратегической авиации и массового производства пресловутого «Иванова». Причин веских и куда более прагматичных. Во всяком случае, говорить, что «отказ от «ТБ-7» – это вообще самое важное решение, которое кто-либо принимал в XX веке... вопрос о том, будет Вторая мировая война или не будет»[47], я бы не рискнул. И в этой связи «доказательства» В. Суворова не могут, на мой взгляд, не показаться весьма и весьма спорными, если не надуманными[48].

Мне возразят: но ведь немцы-то смогли добиться тактической внезапности и нанесли нашей авиации чувствительные потери, разбомбив значительную часть самолетов прямо на аэродромах. Что ж, это правда. Но, во-первых, не столько Люфтваффе застала советские ВВС врасплох, сколько мы сами подставились под удар. А во-вторых, наряду с аэродромами немцы подвергли бомбардировке и некоторые погранзаставы, и расположение воинских частей, и даже многие советские города. Внезапный удар по аэродромам – это вытекающий из обстановки тактический ход, но никак не стратегическая линия. Фашисты, надо отдать им должное, создавали свою авиацию таковой, чтобы она могла побеждать *в бою*. Подготовка немецких летчиков-истребителей была на порядок выше, что, собственно, и позволило им, несмотря на наше численное преимущество, на протяжении столь долгого срока удерживать инициативу в своих руках.

А что же мы?

Первая половина тридцатых, период, когда строительством Вооруженных сил руководили два заместителя наркома Ворошилова Тухачевский и Гамарник, было временем расцвета Красной Армии. В эти годы РККА могла дать отпор *любому* вторжению извне. Но, повторюсь, Сталин посчитал, что это обстоятельство, наличие в стране столь авторитетных военачальников и преданных им, ориентирующихся на них десятков тысяч смелых, инициативных командиров создает угрозу для его личной власти, и *ту* армию уничтожил. Все остановилось в своем развитии, остановилось вплоть до сорокового года.

Если к середине тридцатых танки «БТ» и самолеты «И-16» и «Су-2» выглядели вполне достойно, то к началу войны они безнадежно устарели. Но это не главное. Главное то, что были уничтожены люди, способные воевать и к войне подготовленные. А большинство тех, кто остался, пережив пик репрессий, изменились, и не в лучшую сторону. На первое место теперь выходило не совершенствование боевой подготовки, не укрепление обороноспособности страны, *не интересы службы*, а исключительно личная преданность вождю. Но, как известно, чаще всего за идолопоклонством и напыщенными дежурными фразами – зеленые заборы генеральских дач. А за ними – шумные попойки, окружение лишенных каких-либо принципов рвачей, застой и разложение.

К началу войны здоровые силы в армии только-только начали освобождаться от шока, а РККА выходить из состояния апатии. Но восстановиться до прежнего уровня не позволили немцы.

Примечания

[1] Симонов К. С/с. Т. 8, с. 43, 44.
[2] Баграмян И.Х. Так начиналась война, с. 93.
[3] Севастьянов П.В. Неман – Волга – Дунай, с. 14.
[4] Пенежко Г. Записки советского офицера. Кн. 1, с. 81.

[5] По данным немецкого командования, уничтоженных в первый день войны советских самолетов было 1811. Косвенно это подтверждают и советские историографы. В изданной в начале 60-х 6-томной «Истории Великой Отечественной войны Советского Союза» говорится о 1200 советских самолетов, потерянных 22 июня *к полудню* (т. 2, с. 16). Впоследствии, после отставки Хрущева, уточнение «к полудню» исчезло.

[6] По другим данным, потери нашей авиации за первую неделю войны составили около пяти тысяч машин.

[7] Гальдер Ф. Военный дневник. Т. 3, с. 60.

[8] Имею в виду, что к началу развернувшихся над Кубанью ожесточенных воздушных боев советская авиация уже не уступала противнику по боевым возможностям. Численное равенство, а затем и немалое превосходство были достигнуты куда раньше. Лишь лучшая подготовка летчиков позволяла им так долго удерживать добытое в начале войны преимущество.

[9] С февраля 1941 года специально оборудованные немецкие самолеты на большой высоте совершали регулярные разведывательные полеты. «Охваченной» оказалась вся западная территория СССР вплоть до Крыма и Киева. Немцы получили информацию не только обо всех наших аэродромах, но и о расположении мехкорпусов армий прикрытия. В ночь на 22 июня летчикам Люфтваффе не пришлось тратить время на обнаружение цели. Если Сталин *действительно* готовил превентивный удар, как могли не насторожить его одни лишь эти, совершаемые совершенно открыто, полеты?

[10] Советские историографы оценивали число немецких самолетов в 3900. Возможно, имеются в виду постепенно подтягивающиеся на фронт эскадрильи из оккупированной Франции, а также самолеты, вновь поступающие для восполнения немалых потерь. Гальдер дает понять, что к концу июня немцы имели на Восточном фронте до 4000 самолетов (Гальдер Ф. Военный дневник. Т.3. Кн.1, с. 71). Вероятно, в это число он включает и транспортные самолеты.

[11] При этом потери летного состава были куда меньшими. Ведь большинство машин в первый день были уничтожены. Да и воздушные бои в основном разворачивались над *нашей* территорией, и воспользовавшиеся парашютом сбитые летчики имели все шансы вернуться в строй.

[12] Вне всякого сомнения, «лучший друг авиаторов» опасался, что восстановленный в правах военлет тут же перелетит к врагу. Не очень-то он доверял «перекованным» кадрам, и если выпускал, то вынужденно. Немцы уже к октябрю были под Москвой.

[13] *Смушкевич Яков Владимирович* (1902–1941), советский военачальник, дважды Герой Советского Союза (Испания, Халхин-Гол), генерал-лейтенант авиации (1940). С ноября 1939 года – начальник ВВС Красной Армии, с августа 1940 года – генерал-инспектор ВВС, с декабря того же года – помощник начальника Генштаба по авиации. Расстреляна была и жена летчика.

[14] Повторюсь, это относится к «Т-34» и «КВ», но их одних в приграничных округах было больше, чем немецких «T-III» и «T-IV», вместе взятых.

[15] Самолеты Страны Советов 1917–1970, с. 130, 154.

[16] Суворов В. День М, с. 99.

[17] *Рычагов Павел Васильевич* (1911–1941), советский военачальник, Герой Советского Союза (Испания), генерал-лейтенант авиации (1940). Во время советско-финляндской войны (1939–1940) начальник ВВС 9-й армии, в 1940 году заместитель начальника, с августа того же года начальник Главного управления ВВС РККА, с февраля 1941 года заместитель наркома обороны СССР. Любопытно, что 8-томная Советская военная энциклопедия не отвела опальному «сталинскому соколу» и строчки.

[18] Суворов В. День М, с. 170.

[19] Там же, с. 121.

[20] В. Суворов, помимо прочего, утверждает, что свое название «Иванов» получил по имени... Сталина, чей телефонный адрес, полузакодированный псевдоним в годы войны действительно был Иванов. Все же сходство аббревиатур еще ни о чем не говорит. Хорошо известно другое. Идеальных самолетов не бывает. Самые удачные машины, самые передовые технологии «идеальны» несколько месяцев, в лучшем случае год.

[21] Утверждение более чем смелое. Если бы «Су-2» действительно был *основным* самолетом войны, даже подумать страшно, что бы стало с нами.

[22] Каких-либо документов, подтверждающих, что *такая* серия планировалась в производство, автор не приводит. Суть его «доказательств» следующая. В летных школах ОСОАВИАХИМа прошли подготовку по системе «взлет–посадка» более сотни тысяч комсомольцев? Значит, специально «под них», *ничего не умеющих*, создавался соответствующей серией «основной» самолет войны «Иванов». В том же случае, если у кого-то возникнут сомнения, можно ли считать упомянутых молодых людей *военными летчиками*, В. Суворов ответит: а самолет «Иванов» на что, серией в сто пятьдесят тысяч.

[23] В. Суворов сравнивает «Су-2» с японским легким бомбардировщиком «Никодзима» и с немецким пикирующим бомбардировщиком «Ju-87». Сходство указанных образцов носит весьма условный характер, но в одном с В. Суворовым нельзя не согласиться: эти самолеты, как и «Су-2», были крайне уязвимы. Но не следует забывать, что и немцы, и японцы, подготавливая агрессию, отнюдь не полагаясь исключительно на результаты первого удара, создали сильнейшую истребительную авиацию. «Bf-109» и японский палубный истребитель «A6M» (знаменитый «Зеро») превосходили соответственно «И-16» и американские самолеты по всем параметрам.

[24] Позволю себе напомнить, даже если *подобное* решение и было принято Сталиным, что весьма и весьма сомнительно, воплотиться в реальность ему было не суждено. И дело тут, на мой взгляд, не в немцах. К началу сороковых требовались фронтовые бомбардировщики и штурмовики с куда более высокими характеристиками.

[25] Суворов В. День М, с. 41, 99, 103.

[26] Суворов В. Ледокол, с. 32.

[27] Группа конструкторов, возглавляемая П.О. Сухим, получила задание на разработку многоцелевого самолета, будущего «Су-2», в 1936 году, когда вермахт отделяла от РККА Польша.

[28] В. Суворов подчеркивает: Сталин принял решение воевать и вступил бы в войну до 1 сентября 1941 года *в любом случае, что бы и как в Европе ни происходило* (Суворов В. День М, с. 151).

[29] Нам, постсоветским гражданам, вообще свойственен диалектический подход к разрешению проблемы. Противоположности в наших суждениях то борются друг с другом до победного конца, а иногда демонстрируют завидное взаимопонимание. Десятки страниц посвятил В. Суворов *созданному и подготовленному в самую большую в мире серию* чудо-самолету «Иванов», и вдруг выясняется: «Любой справочник по истории авиации дает исчерпывающий материал о том, что в конечном итоге из проекта «Иванов» получилось, и коммунистические историки делают упор именно на конечный результат. А я зову своих читателей разобраться в другом вопросе: не что получилось, а **что замышлялось»** (Суворов В. День М, с. 40). На вопрос, что получилось, ответ дает сам В. Суворов: «Су-2»... был многоцелевым: легкий бомбардировщик, тактический разведчик, штурмовик. Конструкция была предельно простой... От летчиков не требовались ни владения высшим пилотажем, ни умение летать ночью, ни умения хорошо ориентироваться на местности и в пространстве. Им предстояла легкая работа: взлететь на рассвете, пристроиться к мощной группе, лететь по прямой и заходить на цель...» (там же, с. 102, 103).
Но что же замышлялось? Или «Су-2» и гипотетический «основной» самолет войны не одно и то же, и что-то помешало «вождю народов» воплотить замыслы в жизнь? А понимайте как хотите. Диалектика.

[30] Суворов В. День М, с. 100.

[31] Говорить о «СБ», тем более о «ТБ-3» даже и не приходится. Вследствие малой скорости и слабой живучести их можно было использовать лишь в качестве ночных бомбардировщиков.

[32] Жуков Г.К. Воспоминания и размышления. Т. 2, с. 111.

[33] «Су-2» задумывался как многоцелевой самолет. На войне его пытались использовать даже в качестве истребителя, впрочем, без особого успеха. Его вполне можно было назвать и штурмовиком. Эта была не первая машина подобного назначения, но *первая удачная машина*. Так, в 1934 году проводились испытания тяжелого, имеющего бронезащиту, штурмовика «ТШ-1». Однако невысокие летные характеристики (в частности, скорость до 247 км/час) не позволили принять его на вооружение.

[34] В любом случае, сто пятьдесят тысяч «Су-2» – скорее, из области фантастики. Ведь за всю войну наша промышленность выпустила 112 тысяч самолетов всех типов.

[35] Это была одна из отдушин, скрашивавшая жизнь людей, фрагмент благопристойного фасада. Как футбол, например.

[36] А не ощутить было невозможно. Говорят, еврейские семьи Западной Украины снялись и направились на восток за два-три дня до начала военных действий.

[37] Суворов В. День М, с. 21–26.

[38] Там же, с. 34, 35.

[39] В 1931 году на русский язык была переведена новая книга Дж. Дуэ «Война 19... г.», в которой автор ярко, но вместе с тем обстоятельно раскрывает свое видение будущей войны. По существу, он утверждает, что бомбардировочная авиация способна завоевать господство в воздухе и диктовать условия противнику, шантажируя последнего угрозой массированных бомбежек, *без поддержки истребителей*. Следует, правда, заметить, Дж. Дуэ считал, что истребители противника будут уничтожены не на аэродромах, а в воздухе, когда они попытаются действиям бомбардировочной авиации помешать.

[40] Исключение – Финляндия. Но, обжегшись раз, Сталин стал куда осмотрительнее.

[41] После гибели В.М. Петлякова в авиационной катастрофе в 1942 году самолет получил обозначение «Пе-8» («Петляков-восьмой»).

[42] Налеты советской дальней авиации производились только ночью. И это, конечно же, не случайно.

[43] Неудивительно, что во время войны от установки двигателя наддува вынуждены были отказаться. Когда же основные «АМ-34» были заменены на двигатели воздушного охлаждения «АШ-82ФН» вдвое большей мощности, дальность полета возросла до 6000 километров.

[44] Такова уж специфика диктаторских режимов. Террор и страх, кажется, сделали свое дело, и подавлена сама мысль об оппозиции. Но стоит только потерпеть серьезное поражение, стоит утратить часть территории, и соратники начинают уже поглядывать на трон с нескрываемым интересом. Чем угодно – армией, людьми, суверенитетом страны пожертвуют они ради того, чтобы, вонзив кинжал в спину хозяина, занять его место. Это только кажется, что тоталитарным государством управляет один человек. Управляют – местные элиты, номенклатура. Сталин мог уничтожить (и уничтожал периодически) любого из своих чиновников, но если бы бюрократия решила, что вождь недостаточно силен *и больше ей не подходит*, никакая чистка не помогла. И «гений всех времен», прекрасно это осознавая, лишних поводов своим соратникам старался не подавать. А тут – «пока дойдут до Москвы».

Американцы, тем более англичане, смогли развернуть стратегическую авиацию лишь потому, что их базы, как и территория метрополии, оставались вне опасности. К тому же значительная часть истребительной авиации Германии безнадежно завязла на Восточном фронте. Уверен, окажись Великобритания перед угрозой вторжения, о стратегических бомбардировках немецких городов и военных объектов не было бы и речи.

[45] Корректировщик «Су-12», аналог и почти точная копия знаменитой «рамы», прошел летные испытания лишь в декабре 1947 года. Однако

к этому времени *любой* поршневой военный самолет уже не имел перспектив.

[46] Жуков Г.К. Воспоминания и размышления. Т. 2, с. 113.

[47] Суворов В. День М, с. 33.

[48] Нелишне вспомнить, что Сталин до определенного времени не уделял серьезного внимания работам по созданию действительно стратегического ядерного оружия. Однако В. Суворову не приходит почему-то в голову мысль, что этот факт – признак агрессивных устремлений СССР. Видимо, потому, что, как только вождю доложили о взрыве американцами *бомбы* и он понял, *что это такое*, в разоренном государстве мгновенно нашлись и силы, и средства. Лично товарищ Берия, который, надо признать, поставить работу умел, взялся за дело.

Глава 9

О «НЕГОТОВНОСТИ» СОВЕТСКОГО СОЮЗА К ВОЙНЕ

Сколько лет прошло. Многое не запомнилось, а тот школьный урок истории в памяти отложился. Вернее, не весь урок, а слова учительницы, ее мысли о причинах наших поражений в начале войны. Причем видно было, что ее и саму занимала эта тема, да и вообще историчка нередко позволяла себе, как тогда говорили, *порассуждать*. Иногда эти отвлечения от канвы учебника, как я сейчас вижу, носили несколько наивный характер, но *те* ее слова меня поразили. Сказала она буквально следующее: какое-то время бытовала точка зрения, что мы не были готовы к войне. Однако здравый смысл возобладал, разобрались и пришли к заключению, *что к войне мы были готовы*. Если не были бы готовы, *мы бы не выстояли*.

Было это в середине семидесятых, я заканчивал восьмой класс.

А теперь обратимся к В. Суворову:

«Принято считать, что легенду о неготовности Сталина к войне придумал Хрущев.

Против этого возражаю: легенда была придумана до Хрущева...

Кому же выгодно распространять мифы о сталинской «неготовности»?

Выгодно коммунистам. Любой преступник прикидывается дураком, когда его обвиняют в преступлении... когда его припирают к стенке уликами.

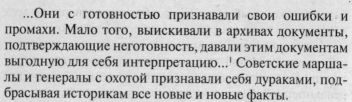

...Они с готовностью признавали свои ошибки и промахи. Мало того, выискивали в архивах документы, подтверждающие неготовность, давали этим документам выгодную для себя интерпретацию...[1] Советские маршалы и генералы с охотой признавали себя дураками, подбрасывая историкам все новые и новые факты.

...Преступление века было сорвано, и Сталин первым заговорил о том, что мы, собственно, к войне и не были готовы»[2].

Создается впечатление, что вся советская историография, все без исключения мемуары участников войны кричат о нашей неготовности. Но так ли это?

Вот как оценили степень готовности СССР к войне «хрущевцы»:

«За короткий срок... советский народ создал *необходимые* технические и экономические предпосылки для максимального подъема обороноспособности своего государства. В результате Советский Союз к моменту вероломного нападения фашистской Германии располагал материальными возможностями, способными удовлетворить нужды фронта и тыла, *располагал всем необходимым для организации своей обороны*. Однако имевшиеся возможности не были полностью использованы для заблаговременного приведения страны в готовность к отпору агрессии.

Вооруженные Силы СССР по своей организации и техническому оснащению в основном отвечали требованиям того времени. На должном уровне находилась советская военная наука. Морально-политический дух советских войск также был высоким. *Вооруженные силы СССР были в состоянии защитить свободу, честь и независимость социалистической Родины*»[3].

А вот слова самого Никиты Сергеевича: «Мы... делали все для того, чтобы враг не застал нас врасплох; чтобы наша армия была на надлежащем высоком уровне по организации, вооружению и боеспособности; чтобы наша промышленность имела соответствующий уровень развития, который обеспечивал бы удовлетворение всех нужд армии по ее вооружению и боевой технике...

...могла ли Красная Армия противостоять гитлеровской армии?.. Могла ли бить врага только на его территории? Был такой лозунг... Но могли ли мы сделать его реальностью? *Безусловно, могли.* Другое дело, что, помимо экономики, очень остро зависело это, особенно в начальный период войны, от проблемы военных кадров. Мы бы *легче* справились с фашистами, если бы в 30-е годы не были уничтожены наши военные кадры. Кадровый состав командиров Красной Армии был истреблен в очень большой степени»[4].

Возможно, упоминание о неготовности мы найдем в воспоминаниях «советских маршалов и генералов»? В. Суворов ссылается на Жукова[5]. Обратимся к маршалу и мы, и прочтем следующее: «...с экономической точки зрения налицо был факт неуклонного и быстрого... форсированного развития оборонной промышленности...

В целом созданные за две довоенные пятилетки и особенно в три предвоенных года огромные производственные мощности обеспечивали основу обороноспособности страны»[6].

Но, может быть, о неготовности к войне пишут *другие*?

А.М. Василевский: «...все мы с глубоким одобрением отнеслись к мероприятиям Коммунистической партии, направленным на максимальное развитие оборонной промышленности, на ускорение технического перевооружения армии и флота, дальнейшее укрепление их боеготовности... Каждый день стал измеряться тем, что было сделано для укрепления безопасности страны. В результате лишь за 1940 год было достигнуто многое.

...Центральный Комитет партии и Советское правительство проводили ряд и других серьезнейших мероприятий в целях дальнейшего повышения боевой готовности и боеспособности Вооруженных сил, по развитию военно-промышленной базы, по укреплению обороноспособности страны в целом»[7].

К.С. Москаленко: «...важное значение для советских Вооруженных сил имел предвоенный период...

Достижения того славного периода во многом предопределили нашу историческую победу в Великой Отечественной войне.

Именно в годы индустриализации, предвоенных пятилеток закладывались технические основы нашей современной армии. Партия и Советское правительство в течение всех предвоенных лет... повседневно укрепляли военное могущество страны. Советский народ шел на величайшее самопожертвование, отказывал себе в самом необходимом, чтобы иметь современные вооруженные силы, мощную оборону.

Социалистическая индустриализация позволила в короткие сроки создать оборонную промышленность, способную обеспечить армию всеми видами известной тогда боевой техники»[8].

И.Х. Баграмян: «Советские люди моего поколения... никогда не забудут тех титанических усилий, которые в годы первых пятилеток прилагали Коммунистическая партия, правительство, весь народ, чтобы повысить боевую мощь Вооруженных сил страны.

В результате... невиданного развития достигла наша индустрия. Это дало возможность ускорить техническое оснащение армии и флота... Все это значительно подняло боевую мощь наших Вооруженных сил»[9].

А.И. Еременко: «Следует подчеркнуть, что в результате огромных трудовых усилий советского народа и правильного руководства Коммунистической партии наша страна и ее армия *во всех отношениях* и в первый период войны были потенциально сильнее гитлеровской Германии, но в связи с рядом ошибок в руководстве страной и Вооруженными силами, имевшими место в период культа личности, а также и со стороны Наркомата обороны и Генерального штаба к началу войны наша армия на направлениях главных ударов гитлеровцев уступала вермахту в вооружении и частично в боевой подготовке»[10].

Как видим, с редким единодушием генералы и маршалы утверждают вполне определенно – *к войне Советский Союз был готов*. Конечно же, большинство из них отмечает и недостатки: большой процент устаревших образцов военной техники в войсках, недостаточную подготовку личного состава, несвоевременное приведение войск в боевую готовность и т.д. Но никто, никто из них не говорит прямо: СССР к войне был не готов. Напротив, утверждают они, несмотря на серьезные ошибки, все, что можно и должно, было сделано, обороноспособность страны поддерживалась на достаточно высоком уровне.

И это не случайно. Признав неготовность, они, возможно, и могли бы объяснить страшные неудачи и колоссальные людские потери. Но не мог не возникнуть вопрос. Что же это за партия такая, что за лидер, который, на протяжении трех лет наблюдая агрессивные проявления Гитлера, *не подготовился*? Ну, ладно, Сталин, с ним шутить опасно, *но нужны ли нам допустившие неготовность и угробившие этим десятки миллионов своих граждан его последователи*?..

Что касается Сталина, то напрямую о нашей «неготовности» не говорит и он. Упоминается превосходство немцев в силах и вооружении, а это, согласитесь, не одно и то же. К тому же ссылка В. Суворова на обращение вождя 3 июля 1941 года вряд ли корректна. Обстановка была не такова, чтобы думать, как его слова будут восприниматься полвека спустя. Только что Западный фронт погиб в окружении. Новый фронт складывался по кускам, из офицеров-отпускников и солдат-окруженцев где-то под Могилевым. Думаю, когда Сталин утверждал, что у противника больше танков и авиации, он вполне мог считать, *что так оно и есть*, тем более что и фронты, в свою очередь, давали наверх весьма и весьма завышенные данные о противнике.

Все же, повторюсь, обнаружить хоть намек о нашей якобы неготовности к войне не так-то просто. Выходит, миф об этом «придумал»... сам В. Суворов. Но все не так просто, как может показаться на первый взгляд...

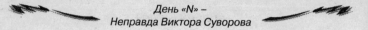

Простейший пример. Два ученика отправляются сдавать экзамен. Один – хорошист – добросовестно проштудировал все вопросы из экзаменационных билетов, за исключением одного-единственного. Не успел. Другой – троечник без каких-либо амбиций, практически не занимался, лишь с утра в день экзамена подготовил наудачу к ответу один-единственный вопрос. И надо же такому случиться, что хорошисту достается билет, проработать который он не успел, а троечнику – то единственное, что он знает. Кто из них был готов к экзамену, а кто нет? Но это упрощенный пример. Представьте, что ученик выучил *все* вопросы, с легким сердцем берет билет, а там... что-то невообразимое, чего в программе обучения не было. Напрасно пытается он доказать, что «мы этого не проходили», экзаменатор только смеется.

Что значит быть готовым к войне? Вернее даже, при каких условиях можно определенно говорить о готовности? Если учитывать количество боевой техники, произведенной в СССР в предвоенные годы, то, вне всякого сомнения, мы к войне подготовились неплохо. Но если вспомнить, что практически *вся* эта техника осталась ржаветь у границы и *почти вся* кадровая армия погибла или оказалась в плену, о какой готовности может идти речь? Как можно совместить несомненную готовность народа к самопожертвованию ради защиты Отечества, готовность экономики обеспечивать войска всем необходимым и столь же явную слабость нашей армии в первых столкновениях с фашистами. Но... эти понятия и не могут быть отождествлены. Готовность страны и народа к длительной кровопролитной войне и готовность войск прикрытия к успешным боям с агрессором – *это далеко не одно и то же*.

На мой взгляд, точнее всех высказался по этому поводу осторожный Штеменко. Вот что он пишет: «Теперь, когда от той роковой ночи нас отделяют десятилетия, появилось множество самых разных оценок тогдашнего состояния наших Вооруженных сил.

Иные говорят, что мы совсем не были готовы к отражению нападения противника... И хотя подобного рода высказывания принадлежат, как правило, людям невоенным, вокруг них громоздится обычно непроницаемый частокол мудреной специальной терминологии[11].

...*Отождествляются совсем не тождественные понятия и явления: скажем, готовность авиации к боевым вылетам, артиллерии к открытию огня, пехоты к отражению атак противника с готовностью страны и армии в целом к ведению войны с сильным противником*»[12].

То ли не захотел он высказаться более определенно, то ли цензура этой определенности *не захотела*, но суть вполне просматривается и так. И суть в следующем. Потенциально мы были сильнее Гитлера, народ, так до конца и не сломленный сталинской диктатурой, оказался в состоянии вынести тяготы и лишения военных лет и защитить страну. Но в то же время на рассвете конкретного дня – 22 июня 1941 года – ни техника, ни личный состав в большинстве случаев к ведению боевых действий *оказались не готовы*. Думается, этот факт не требует доказательств. Вопрос в том, как такое могло случиться, отчего имеющие достаточное количество современного вооружения армии прикрытия с первых же часов оказались дезорганизованными и потерпели в приграничном сражении тяжелое поражение.

Вот как объясняет это В. Суворов: «...отчего же советское превосходство не сказалось в июне сорок первого?

Причина проста: Красная Армия готовила агрессию.

...Красная Армия готовила агрессию, и потому танки были собраны ордами у самой границы (точно так делали и немцы, только у нас танков было больше). При внезапном ударе советских танкистов перестреляли еще до того, как они добежали до своих танков, а танки сожгли или захватили без экипажей...[13]

...Штабы и узлы связи были придвинуты к границам... Внезапный удар – и массы танков остались без управления...[14]

...Шла лихорадочная подготовка. В танковых войсках это выглядит так: гусеницы менять или перетягивать, двигатели регулировать, коробки передач перебирать, менять катки, разбирать оружие... Внезапный удар по любой армии в такой ситуации смертелен»[15].

По существу, все сводится им к одному – фашисты напали *внезапно*. Вот если бы внезапно напали мы, тогда уже к концу того страшного лета Красное знамя было водружено над Рейхстагом...

Возможно, фактором внезапности и можно объяснить неудачи приграничного сражения, но ведь 22 июня очень скоро повторилось. И не раз, и не два... Достаточно вспомнить окружение и гибель Юго-Западного фронта, окружение и гибель во второй раз за войну Западного фронта, достаточно вспомнить Харьков и Крым. Во всех этих операциях советскому командованию удавалось сосредоточить, казалось бы, все необходимое для обороны, а зачастую Красная Армия и превосходила немцев. *О внезапности и речи быть не могло, шла война!* Однако вновь следовал прорыв вражеских танковых группировок на флангах, окружение и уничтожение советских войск. Фактор внезапности при прочих равных условиях, возможно, и обеспечил немцам продвижение к Киеву и Смоленску, но вермахт ведь дошел до Волги.

Когда два гиганта вступают друг с другом в схватку не на жизнь, а на смерть, легкие первые победы одного не могут быть обусловлены лишь внезапностью его нападения на другого. Да и сама достигнутая немцами внезапность скорее не причина, а следствие. Следствие грубых просчетов, допущенных Сталиным в предвоенный период.

На мой взгляд, из многих факторов, обусловивших разгром армий прикрытия, следует выделить следующие основные.

1. Годы репрессий лишили армию большей части знающих, уверенных в себе командиров. Пришедшие им на смену молодые офицеры не обладали соответствующими знаниями, опытом, подготовкой. В ситуации, когда противник диктовал свои условия, а связи практически не существовало, большинство из них растерялись и не смогли организовать должного управления своими подразделениями.

2. Немцы не просто застали войска врасплох, подготовиться к отражению возможной агрессии Сталин не позволил. Это не слова и не домыслы. Когда командующий КОВО Кирпонос запросил разрешение на приведение вверенных ему армий в состояние боевой готовности и на занятие предполья, вождь был взбешен и велел командующего наказать. Неудивительно, что командующие округами, убежденные, что война начнется со дня на день, так и не рискнули предпринять что-либо на свой страх и риск. Роковую роль сыграло и печально знаменитое «Заявление ТАСС» от 14 июня, которое не только дезорганизовало армию, но и нацеливало соответствующие органы на выявление и пресечение действий, способных якобы спровоцировать немцев. Известны случаи, когда выдвигающимся к границе подразделениям рекомендовалось уклоняться от боестолкновения с врагом уже после начала военных действий! В боевой готовности оказались лишь пограничники. Им по определению положено было заграждать дорогу врагу *при любых обстоятельствах*.

3. Отсюда же вытекает и следующая причина. Если немцы начали войну, имея на главных направлениях компактные ударные группировки, то линию обороны советских войск в первые дни войны фронтом можно назвать лишь с большой натяжкой. Войска как стояли вдоль границы мирными гарнизонами, так и вступили в бой. Уточненный в начале 1941 года план военных действий так и не успел вступить в силу. Создание системы обороны оказалось невозможным, так как отведенные

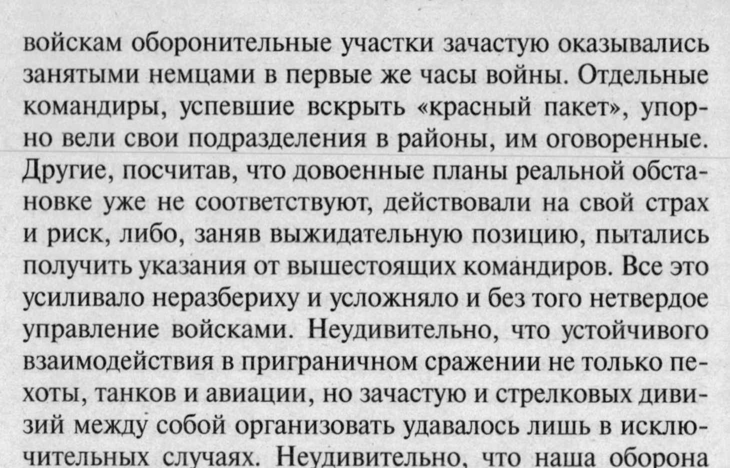

войскам оборонительные участки зачастую оказывались занятыми немцами в первые же часы войны. Отдельные командиры, успевшие вскрыть «красный пакет», упорно вели свои подразделения в районы, им оговоренные. Другие, посчитав, что довоенные планы реальной обстановке уже не соответствуют, действовали на свой страх и риск, либо, заняв выжидательную позицию, пытались получить указания от вышестоящих командиров. Все это усиливало неразбериху и усложняло и без того нетвердое управление войсками. Неудивительно, что устойчивого взаимодействия в приграничном сражении не только пехоты, танков и авиации, но зачастую и стрелковых дивизий между собой организовать удавалось лишь в исключительных случаях. Неудивительно, что наша оборона носила иногда очаговый характер.

4. Сыграло свою роль и отсутствие устойчивой связи. Проводная связь была выведена из строя диверсантами и авиацией противника. Рации... как-то не пользовались популярностью в Красной Армии до войны. Стоит ли удивляться, что, в частности, командующий Западного фронта утратил управление войсками в первые же дни войны, если даже Генштаб терял, и неоднократно, связь со штабами фронтов?

5. Негативное воздействие оказала также довоенная пропаганда, нацеливавшая войска на ведение военных действий «на чужой территории и ценой малой крови». Действительность повергла многих в шоковое состояние. Катастрофическое начало войны, нравится нам это или нет, подорвало веру бойцов и командиров в свои силы и свое оружие. Этим же обусловливается и расположение оборонительных сооружений и военных объектов в непосредственной близости от границы. «Своей земли вершка не отдадим!» Да мог ли вообще кто-либо возводить УРы в глубине? Очень скоро пришлось бы ему давать показания и придумывать, кто его надоумил без боя отдать врагу часть советской территории![16]

6. Сказалось и куда более целостное и глубокое по-

нимание противником сущности современной войны, способов и приемов проведения наступательных операций. Не случайно пишет Жуков: «Внезапный переход в наступление в таких масштабах, притом сразу всеми имеющимися и заранее развернутыми на важнейших стратегических направлениях силами, то есть характер самого удара, во всем объеме нами не предполагался. Ни нарком, ни я, ни мои предшественники Б.М. Шапошников, К.А. Мерецков, ни руководящий состав Генерального штаба не рассчитывали, что противник сосредоточит такую массу бронетанковых и моторизованных войск и бросит их в первый же день мощными компактными группировками на всех стратегических направлениях с целью нанесения сокрушительных рассекающих ударов»[17]. Еще категоричнее высказывается Еременко: «Наша оборона слабо учитывала боевые действия немецко-фашистских войск на Западе... К концу 1940 года уже можно было сделать вывод, что немецко-фашистское командование, основываясь на доктрине «молниеносной войны», избрало основным способом боевых действий войск вбивание мощных танковых клиньев в сочетании с такими же мощными ударами авиации по войскам и коммуникациям противника. За этими танковыми клиньями следовали эшелоны пехотных соединений. Если бы все это было своевременно учтено, то следовало бы к началу войны несколько по-иному создавать группировки войск, в соответствующем порядке расположить артиллерию, авиацию и другие средства борьбы с таким расчетом, чтобы они могли сразу же вступить в бой и устоять против ударов противника.

Пробелы в этой области объяснялись в определенной степени тем, что в результате нарушений *революционной* законности в условиях культа личности были уничтожены опытные кадры, а пришедшие к руководству новые кадры как в центре, так и в округах не обладали достаточным опытом, а поэтому имели место серьезные упущения и просчеты»[18].

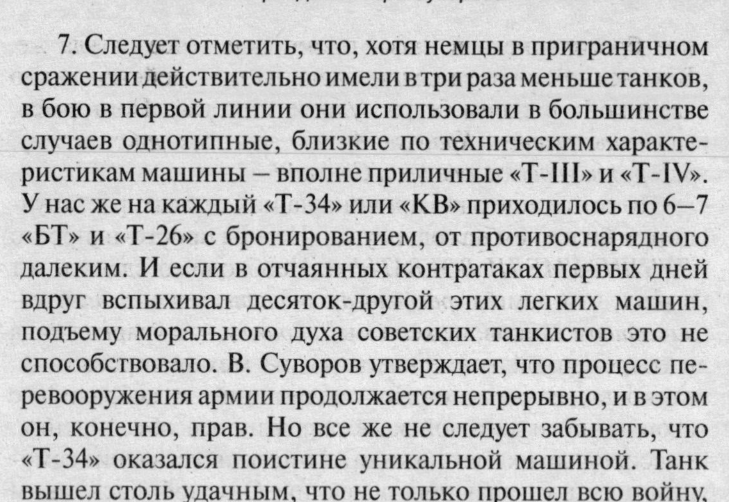

7. Следует отметить, что, хотя немцы в приграничном сражении действительно имели в три раза меньше танков, в бою в первой линии они использовали в большинстве случаев однотипные, близкие по техническим характеристикам машины – вполне приличные «Т-III» и «Т-IV». У нас же на каждый «Т-34» или «КВ» приходилось по 6–7 «БТ» и «Т-26» с бронированием, от противоснарядного далеким. И если в отчаянных контратаках первых дней вдруг вспыхивал десяток-другой этих легких машин, подъему морального духа советских танкистов это не способствовало. В. Суворов утверждает, что процесс перевооружения армии продолжается непрерывно, и в этом он, конечно, прав. Но все же не следует забывать, что «Т-34» оказался поистине уникальной машиной. Танк вышел столь удачным, что не только прошел всю войну, не только состоял на вооружении многих государств в послевоенный период, но принимал участие в боевых действиях и в середине 70-х, в частности в Анголе. Если бы мехкорпуса успели перевооружить новой техникой хотя бы процентов на сорок, думается, по крайней мере на Юго-Западном направлении немцы не избежали бы разгрома.

8. Как-то упускает В. Суворов из вида и почти двукратное превосходство вермахта в живой силе. Армии Второго стратегического эшелона приняли участие в приграничном сражении лишь на его завершающем этапе, когда организованное сопротивление Западного фронта практически прекратилось. Всю войну немцам катастрофически не хватало пехоты, но в первые дни, когда танковые группы, разорвав фронт, добились столь впечатляющих успехов, именно значительное превосходство в живой силе позволило успехи эти закрепить. К тому же мобильность пехотных дивизий вермахта оказалась куда более высокой, нежели наших, практически лишенных автотранспорта стрелковых соединений.

Все перечисленные причины, равно как и другие, в большинстве субъективные[19] и менее значимые, менее бросающиеся в глаза, проистекают все оттуда же. В конечном итоге предопределены они действительно «великой» в своем безрассудстве чисткой. Повторюсь, *не немцы застали Красную Армию врасплох, по существу, разоружил войска товарищ Сталин!*

Но есть и еще одна причина наших первых, растянувшихся более чем на год, неудач. Немцы просто-напросто *ЛУЧШЕ УМЕЛИ ВОЕВАТЬ!* «...Необходимо сделать тот вывод, что немцы, *располагая значительно меньшим количеством* танков, нежели мы[20], *поняли*, что ударная сила в современной войне слагается из механизированных, танковых и авиационных соединений, и собрали все свои танки и мотовойска в оперативные объединения, массировали их и возложили на них осуществление самостоятельных решающих операций. Они добились таким образом серьезных успехов»[21]. Это сказал отнюдь не послевоенный аналитик, и не Еременко тоже. Принадлежат эти слова командиру 1-го механизированного корпуса генерал-лейтенанту Порфирию Логвиновичу Романенко. И произнесены они были на совещании высшего командного состава в самом конце 40-го. К сожалению, прислушались к ним, осознали всю их глубину *единицы*.

Вермахт летом 41-го *мог решать задачи*. Всему миру казалось, что задачи – *любые*. И, признаемся честно, мир был не далек от истины...

Считаю уместным привести следующие слова Г.К. Жукова: «В период назревания опасной военной обстановки мы, военные, вероятно, не сделали всего, чтобы убедить И.В. Сталина в неизбежности войны с Германией в самое ближайшее время и доказать необходимость провести несколько раньше в жизнь срочные мероприятия, предусмотренные оперативно-мобилизационным планом.

Конечно, эти мероприятия не гарантировали бы полного успеха в отражении вражеского натиска... Но наши войска могли бы вступить в бой более организованно и, следовательно, нанести противнику значительно большие потери»[22].

Еще более определенно высказывается А.М. Василевский: «...если бы наши войсковые части и соединения были своевременно отмобилизованы, выведены на предназначенные для них планом боевые рубежи, развернулись на них, организовали четкое взаимодействие с артиллерией, с танковыми войсками и авиацией, то можно предположить, что уже в первые дни войны были бы нанесены противнику такие потери, которые не позволили бы ему столь далеко продвинуться по нашей стране, как это имело место. *Но отступить нам пришлось бы, так как немецко-фашистские войска все же имели ряд серьезных преимуществ...*»[23]

Да, отступить пришлось бы *в любом случае*. Но отступить организованно, избежав ненужных потерь, навязывая противнику арьергардные бои, нанося действенные контрудары. И учась, учась у него искусству войны. Наши же войска поначалу, так и не успев извлечь должные уроки, бывали окружены, разгромлены, пленены...[24] В конце концов, они сумели превзойти врага, но каких же жертв и лишений это стоило.

Как справедливо замечает В. Суворов, не может быть абсолютной готовности, готовность войск можно оценивать, лишь сопоставив ее с готовностью противника[25]. Только вот почему-то сводит он все к количественному нашему превосходству в отдельных видах вооружения и к высокому качеству некоторых наших образцов военной техники. Но разве готовность к *такой* войне лишь в этом?

И в этом ли она?..

Примечания

[1] Можно подумать, что В. Суворов «подтверждавших» его теорию документов в архивах ГРУ не разыскивал. Или давал этим документам и многому другому невыгодную *для него* интерпретацию. Но это так, к слову.

[2] Суворов В. Последняя республика, с. 121, 132, 133, 141.

[3] История Великой Отечественной войны Советского Союза. 1941–1945. Т. 1, с. 481.

[4] Хрущев Н.С. Воспоминания, с. 90, 182.

[5] Суворов В. Последняя республика, с. 142, 143. Нельзя не отметить, автор ссылается не на самого Жукова, а на генерал-лейтенанта Н.Г. Павленко, на его слова о том, что перед войной Жуков будто бы считал, что противник имел превосходство в силах и средствах.

[6] Жуков Г.К. Воспоминания и размышления. Т. 1, с. 316, 318.

[7] Василевский А.М. Дело всей жизни, с. 96, 103.

[8] Москаленко К.С. На Юго-Западном направлении, с. 5, 6.

[9] Баграмян И.Х. Так начиналась война, с. 70, 71.

[10] Еременко А.И. В начале войны, с. 54.

[11] Как видим, «миф» о неготовности СССР к войне если и существовал, то развеивался задолго до того, как В.Резун впервые задумался о своем литературном псевдониме.

[12] Штеменко С.М. Генеральный штаб в годы войны, с. 21, 22.

[13] Версия не лишена изящества, но в действительности такие случаи вряд ли могли иметь место. Немецкие танковые группы действительно сосредоточивались у границы (правда, сами танки все же несколько в глубине. Перед рассветом они выдвинулись и с хода нанесли удар). Напротив, все без исключения мехкорпуса армий прикрытия располагались во втором эшелоне, как правило, в нескольких десятках километров от границы. Расстрелять их «подбегающие к своим танкам экипажи» немцы не могли физически. Мехкорпуса же окружного подчинения дислоцировались и вовсе в глубоком тылу. Как свидетельствует К. Рокоссовский, его 9-й мехкорпус имел первое соприкосновение с противником (которое не закончилось боем, так как немецкая разведка, избегая столкновения, углубилась в лес) лишь на исходе 23 июня.

[14] И здесь есть с чем поспорить. То, что часть штабов находилась *достаточно близко* от границы, – не секрет. Но в большинстве случаев на безопасном все же расстоянии. Так, штаб 5-й армии был расквартирован в Луцке, оттуда с началом боевых действий он благополучно переместился в Костополь. Штаб 6-й армии – из Львова в Золочев. Во всяком случае, о разгроме армейских штабов очевидцы не упоминают. Что касается потери якобы боеспособности мехкорпусов с уничтожением узлов связи, здесь тоже есть что возразить. Согласитесь, танковое подразделение – все же особый род войск. Танки и предназначены для развития прорыва в тылу противника, для действий зачастую в отрыве от основных сил. И мехкорпусу для успешного выполнения задачи нужны лишь приказ, толковый командир и прикрытие с воздуха.

[15] Суворов В. Последняя республика, с. 398, 399.

[16] Любопытно, что и поляки, пренебрегая тактической выгодой, не отвели заранее войска от западной границы на правый берег Вислы. Они, видимо, тоже не хотели уступить врагу «ни пяди». Однако в этом агрессивных устремлений Польши В. Суворов не замечает. А вот то, что армии прикрытия стояли у границы (да где же им еще и быть?), по его мнению, указывает на подготовку Сталиным превентивного удара.

[17] Жуков Г.К. Воспоминания и размышления. Т. 3, с. 31.

[18] Еременко А.И. В начале войны, с. 53, 54.

[19] Имею в виду массовые летние отпуска командного состава и совпавшие с нападением врага учебные стрельбы, по понятным причинам производимые на удаленных от границы полигонах и оставившие армии прикрытия без артиллерии.

[20] В. Суворов утверждает, что наши генералы отрицали количественное превосходство в танках. Как видим, это по меньшей мере *не совсем так*.

[21] Еременко А.И. В начале войны, с. 37.

[22] Жуков Г.К. Воспоминания и размышления. Т. 1, с. 378.

[23] Василевский А.М. Дело всей жизни, с. 106.

[24] Разумеется, были соединения с лучшей боевой подготовкой. В частности, солдаты 5-й, 37-й, Отдельной Приморской армий дрались *не хуже немцев*. Но общее превосходство противника позволяло ему при встрече с устойчивой нашей обороной быстро подтягивать с других участков дополнительные силы, использовать авиацию либо добиваться результата за счет маневра.

[25] Суворов В. Последняя республика, с. 125.

Глава 10

МОГ ЛИ ГИТЛЕР ПОБЕДИТЬ?

Как успели мы убедиться, В. Суворов все несчастья, обрушившиеся подобно лавине на армию и страну, склонен объяснить одним лишь *внезапным* нападением вермахта. Он приводит следующую аллегорию: «Сталин был уголовным преступником. В начале века под руководством Сталина, при личном его участии было осуществлено ограбление Тифлисского банка... Подготовка к нападению на Германию готовилась Сталиным так же тщательно, как и знаменитое ограбление. Но завершить тайную мобилизацию Сталин не успел. Гитлер нанес удар в тот момент, когда Красная Армия и весь Советский Союз находились в самой неудобной для отражения нападения ситуации – сами готовили нападение. Произошло то, что могло произойти на площади перед банком, если бы один из охранников сообразил, что происходит, и выстрелил первым...

В последний момент перед нападением Красная Армия была так же уязвима, как бывают уязвимы преступники на открытой площади, если их план раскрыт, – охрана начала стрелять. У Сталина все было рассчитано до каждого шага, до каждой секунды, а спохватившийся Гитлер *в отчаянии одним выстрелом* сразу испортил *все*... Давайте представим, что мы с вами наготовили веревки, лестницы, динамит для подрыва стен, подбираем ключи и отмычки, но после первого выстрела охраны все это становится ненужным, и мы вынуждены спасаться бегством...

Гитлер ударил первым, и потому сталинская подготовка нападения обернулась для Сталина катастрофой»[1].

Не будем пока оспаривать тезис автора об *абсолютной беззащитности* агрессора перед нападением. Последуем совету, представим на минуту, что В. Суворов прав, что «преступники», подготовив веревки, динамит и отмычки, *действительно* отправились грабить банк. Но и в этом случае все происходящее выглядело бы несколько иначе. Не успели бандиты выйти на площадь, как *десятки* «доброжелателей» окружили их плотным кольцом и наперебой стали убеждать мафиози, что план их раскрыт и с минуты на минуту охрана и подоспевшие полицейские откроют огонь. Главарь, нет чтобы насторожиться хотя бы, и слушать ничего не хочет. Более того, излишне навязчивые его поклонники тут же получают вместо благодарности за предупреждение – пулю. Уже и некоторые боевики указывают на открыто рассредоточивающийся у банка взвод спецназа. Но главарю и этого мало, операция продолжается. Наконец, один из полицейских, либо сам из бывших, либо просто не слишком симпатизирующий режиму, открытым текстом кричит через всю площадь: «Ребята! Это все *для вас!* Берегитесь!» Лишь тогда босса начинают охватывать некоторые сомнения, но... это же еще не повод, чтобы отменять налет.

Могло такое быть? *Нет! Не могло!* Завидев одну лишь случайную патрульную машину, столкнувшись хоть с чем-то подозрительным, банда немедленно ретировалась бы.

Точно так же и Сталин, якобы готовивший удар по Гитлеру, узнав о намерениях последнего, не мог не застраховаться от неприятного сюрприза. Не мог, в конце концов, не насторожиться и скорректировать «расписанный по секундам» план. А то, что Гитлер нападет, и нападет очень скоро, было очевидным уже к концу мая[2]. Да и как иначе можно было воспринять пролеты немецких самолетов-разведчиков до Крыма и западнее Киева и Минска, выселение польского населения из приграничной полосы, сосредоточение и развертывание десятков отборных дивизий вермахта в непосредственной близости от границы и многое-многое другое.

Командующие приграничными округами в скором нападении фашистов *не сомневались*. Позволю себе привести слова И.Х. Баграмяна: «...из войск поступали новые тревожные сообщения.

...Генерал Д.С. Писаревский, начальник штаба 5-й армии, прилетел в Киев... доложил, что немцы с каждым днем усиливают свою группировку. Особенно настораживает, что немцы начали убирать все инженерные заграждения, установленные на границе. Сейчас[3] они лихорадочно накапливают снаряды и авиабомбы, причем складывают их прямо на грунт, значит, не рассчитывают на долгое хранение. *Нападения можно ждать с минуты на минуту.* А наши войска пока находятся на местах постоянного квартирования. Для того чтобы занять подготовленные вдоль границы оборонительные позиции, понадобится минимум день, а то и два... Свой доклад об обстановке начальник штаба армии закончил вопросом: не пора ли объявить боевую тревогу войскам прикрытия госграницы?»[4] Подобные сообщения шли в Кремль и из других приграничных округов.

Широко известно, что о точной дате начала войны успел сообщить в Центр Рихард Зорге. Но аналогичные сигналы поступали от *десятков* других агентов. Правда, сроки назывались разные[5], но разведсводки буквально кричали: «Война начнется со дня на день!» И если Сталин и впрямь готов был нанести превентивный удар 6 июля, если войска, готовясь к этому удару, действительно оказывались на какое-то время беззащитными, то как же мог вождь игнорировать столь тревожные сообщения?

А он не просто игнорировал. Во второй декаде июня, перед самой войной, высшие командиры предприняли некоторые меры оборонительного характера на свой страх и риск. В частности, по приказу командующего КОВО генерал-полковника Кирпоноса небольшие подразделения заняли Предполье[6]. Казалось бы, что в этом плохого? Если армии подтягивались к границе *для удара*, это лишь обеспечивало их развертывание. Сталин же был взбешен. Вот что пишет в связи с этим Г.К. Жуков: «...было категорически запрещено производить какие-либо выдвижения войск на передовые рубежи по плану прикрытия без личного разрешения И.В. Сталина.

Более того, командиры погранчастей НКВД получили спецуказание от Берии *сообщать ему о всех нарушениях порядка выдвижения частей оперативного прикрытия*.

Как сейчас помню, в первых числах июня меня (Жукова. – *А.Б.*) вызвал С.К. Тимошенко.

– Только что звонил товарищ Сталин, – сказал он, – и приказал расследовать и доложить ему, кто дал приказ начальнику укрепленных районов занять Предполье на границах Украины. Такое распоряжение, если оно есть, *немедленно отменить*, а виновных в самочинных действиях немедленно наказать»[7].

Пришлось Генштабу командующего КОВО наказать. Правда, занимаемой должности он не лишился. Но войска вернулись в казармы, и других попыток занять предполье уже не предпринималось. Более того, развернулась скоротечная, но достаточно масштабная кампания по выявлению «паникеров и подстрекателей».

Вот что пишет встретивший войну в должности начальника штаба 4-й армии Западного Особого военного округа полковник Л.М. Сандалов: «...начальник отдела пропаганды шестой стрелковой дивизии полковой комиссар Пименов послал в Военный совет округа письмо, в котором просил разрешить дивизии занять оборонительные позиции, а семьям комсостава отправиться из Бреста на восток. И что же? Пименова заклеймили как паникера»[8]. При этом в лагерную пыль стирались не только преданные Родине разведчики, но наказывались и излишне инициативные командиры, пытавшиеся на свой страх и риск предпринять хоть что-то, чтобы обезопасить вверенные им подразделения. Впрочем, таких оставалось уже не много. Думаю, излишне упоминать, что авторитет Сталина был непререкаем, к тому же само собой считалось, что ответственность *за все* он берет на себя. Повторюсь, многих командиров такое положение вполне устраивало. Немцы были *еще* далеко, а свои, органы, – рядом.

Но если кто-то все же еще сомневался, то получил прямое руководство к действию. Точнее, к бездействию. 14 июня в нашей печати было опубликовано сыгравшее поистине роковую роль печально знаменитое сообщение ТАСС[9]. «В нем говорилось, что распространяемые иностранной, особенно английской[10], печатью заявления о приближающейся войне между Советским Союзом и Германией не имеют никаких оснований, так как не только Советский Союз, но и Германия неуклонно соблюдают условия советско-германского договора о ненападении, и что, по мнению советских кругов, слухи о намерении Германии порвать пакт и предпринять нападение на Советский Союз лишены всякой почвы.

Когда советский народ читал это оптимистическое сообщение ТАСС, фашистские генералы, собравшись в кабинете Гитлера, докладывали ему о полной готовности немецких войск к нападению на Советский Союз»[11].

В. Суворов утверждает, что Сталин этим сообщением хотел запутать весь мир и прежде всего Гитлера, что под его прикрытием он выдвигал к границе армии Второго эшелона[12], но, как известно, *подобные* заявления в *подобной* обстановке способны лишь усилить подозрения соседа. И если Сталин кого и запутал окончательно, то разве что своих собственных командиров. После сообщения предпринять хоть что-либо, чтобы радикально повысить обороноспособность армий прикрытия, *было уже невозможно*. Любые сомнения в миролюбии немцев, любые намеки на их возросшую активность рассматривались в лучшем случае как паникерство, в худшем – как провокация и даже шпионаж. А если кто-то и рискнул бы последовать примеру Кирпоноса, то, без сомнения, незамедлительно пополнил собой ряды тружеников ГУЛАГа.

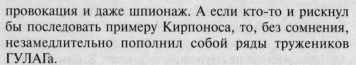

Вновь обратимся к Л.М. Сандалову. Вот что он пишет по поводу Заявления ТАСС: «Такого рода выступление авторитетного государственного учреждения притупило бдительность войск. У командного состава оно породило уверенность в том, что есть какие-то неизвестные обстоятельства, позволяющие нашему правительству оставаться спокойным и уверенным в безопасности советских границ. Командиры перестали ночевать в казармах. Бойцы стали раздеваться на ночь»[13].

В результате произошло то, что и должно было произойти. Войска встретили противника, даже не успев привести себя в боевую готовность, не успев занять отведенные для них участки обороны. Неудивительно, что план прикрытия утратил актуальность уже через несколько часов после начала войны, три из четырех танковых групп немцев в первый же день вырвались на оперативный простор и устремились на восток, а вермахт встретил не фронт обороны, а во многих случаях очаговое сопротивление изолированных друг от друга гарнизонов.

И вновь мы вынуждены задаться вопросом: если Сталин *действительно* собирался напасть, если войска агрессора за две недели до нападения *действительно* беззащитны, как же он не только не предусмотрел возможного контрудара Гитлера, но и запретил принять хоть какие-то меры своим военачальникам? В чем же гениальность сталинского плана, который был столь авантюристичен, в котором *все* было поставлено на карту и который, в принципе, *мог быть сорван* «одним выстрелом»?[14]

В. Суворов, понимая слабость своей позиции, утверждает, что возможность превентивного удара Гитлера Сталин даже в расчет не принимал потому, что нападение немцев на СССР в любой ситуации было бы очевидным безумием, они просто не имели шансов. Гитлер якобы *не мог победить в принципе*. *НО ОН ЖЕ НАПАЛ,* тут же возразим ему мы, и напал, рассчитывая, вероятно, на победу. Отнюдь, нимало не смущаясь, возражает В. Суворов. Напасть мог, победить – ни при каких обстоятельствах. Вот его слова: «...Могла ли Япония одновременно победить Китай, Америку, Британию, Советский Союз и множество их союзников?

Ответ: не могла. Но она на Америку напала.

...Могла ли Германия победить всю Европу и Советский Союз? Ответ тот же. Следовательно... напасть не могла?

Нет, напасть могла. И напала.

Поэтому, когда говорят, что Сталин победить Гитлера не мог и потому не мог напасть, отвечаю: это разные вещи, они между собой не связаны. Из «не мог победить» вовсе не следует «не мог напасть»[15].

Согласитесь, эти сумбурные рассуждения выглядят несколько более чем парадоксальными. Получается, что Япония, нападая на США, и Германия, вторгаясь на нашу территорию, совершили акты агрессии *безо всякой надежды на победу!* На что же они надеялись, начиная военные действия, *и зачем же тогда они напали?* Смущает также и категоричность, с которой В. Суворов «обрекает» агрессоров на поражение, и его уверенность в том, что лидеры указанных держав якобы знали, что обречены. Собственно, приводятся два аргумента. Державам Оси приходилось якобы воевать на два фронта, и их экономика уступала промышленному потенциалу союзников.

Но так ли это? Повторюсь, до осени 1942 года, *почти три года*, Германия на два фронта не воевала. Немцы громили противников поодиночке, сами определяли очередность и направление молниеносных ударов, нимало не беспокоясь о тылах[16]. То, что смогли они это сделать во многом благодаря недальновидным действиям как англо-французов, так и Сталина, ничего не меняет.

Что касается Японии[17], то она действительно с самого начала воевала против целой коалиции. Но вклад англичан[18] и голландцев по известным причинам не мог быть весомым. Американцы и не думали до 7 декабря[19] переводить экономику на военные рельсы, а многомиллионная армия Гоминьдана[20] до самого конца ограничивалась лишь оборонительными действиями да блокадой Особого района. Сталина же японцы *еще долго* могли не опасаться.

Второй аргумент на первый взгляд представляется более весомым. Никто же не станет отрицать, что ресурсы СССР, и тем более США, были безграничны, и потенциально экономика союзников была куда мощнее, чем экономика стран Оси. Однако это еще не означает, что агрессоры изначально были обречены на неудачу. Агрессор, как правило, имеет в сравнении с жертвой иные, не менее значимые преимущества. У него отмобилизована армия, экономика загодя переведена на военные рельсы, освоены *принципиально новые способы ведения войны*. Агрессор, будучи потенциально слабее, за счет заблаговременной целенаправленной подготовки получает пусть кратковременное, но решающее *военное* преимущество. Это позволяет добиться быстрых, значительных успехов, за счет которых насколько усилить себя, настолько же ослабить противника. Ослабить до такой степени, что шансы уравниваются. Пока жертва найдет, что противопоставить вторгнувшемуся врагу, ее экономике будет нанесен такой ущерб...

К тому же война, как и любой катаклизм, зависит от многих субъективных факторов. Окажется ли способным атакованное государство выдержать первый жестокий удар, готов ли будет народ пойти на жертвы и лишения ради победы, успеет ли военный потенциал выравняться, до того как ситуация окончательно выйдет из-под контроля? Разве все это можно предусмотреть, разве можно определенно утверждать: Япония, скажем, не имела шансов? Тем более Германия.

Почему-то нападение Гитлера на Польшу или Францию не рассматривается В. Суворовым как безумие. Почему-то не задается он вопросом, имели шансы немцы победить Польшу, Францию, Англию, их союзников *и Сталина* в придачу – действительно, почти всю Европу. А вот когда с большей частью противников было покончено, когда вермахт, обезопасив тылы, беспрепятственно сосредоточил лучшие свои силы и все четыре танковые группы у наших границ, шансы почему-то упали до нуля.

Если рассуждать подобным образом, как оценить шансы Александра, вторгнувшегося в Персию с горсткой воинов? Что могло ожидать за Альпами оказавшегося среди римских легионов Ганнибала? Ответ дают Граник, Гавгамелы и Канны[21]. Все не так просто. Не всегда и не все, во всяком случае, не сразу, неопосредованно, решает экономика. В конце концов, победу добывают на поле боя.

Был ли Гитлер слабее Сталина? Нет, конечно. Современники, не сговариваясь, в предстоящем столкновении отдавали предпочтение немцам. Да и сейчас представляется вполне очевидным – *на 22 июня 1941 года в военном отношении Гитлер был сильнее.* Дойти до Волги позволил ему не столько внезапный, страшной силы первый удар, сколько именно общее военное превосходство.

Отчего же он был, в конце концов, остановлен и разбит нами? Бывают в истории нации моменты, когда само ее существование ставится под сомнение. Возможно, это высокие слова, но именно так было и с нами. Проснулось самосознание народа, вместе с ним пробудились те внутренние его силы, которые даже Сталину не дано было истребить. Когда все висело на волоске, войска... не отступали. Без танков, без артиллерии, без прикрытия с воздуха погибали, но не пропускали фашистов. И не из-за заградотрядов за спиной, хотя одно, конечно, не исключало другого. Танки с черными крестами на башнях в яростных атаках то тут, то там вдавливались в нашу оборону, но пробить ее, как прежде, уже не могли. И горели, горели... А время работало не на немцев, *оно никогда не работает на агрессора*.

Конечно же, выиграть войну позволили в том числе и определенные технические и военные традиции, и высокий промышленный потенциал. Но уцелеть в первый год удалось лишь благодаря тому, что постоять за свое Отечество поднялся осознавший нависшую смертельную угрозу народ[22]. Этого не учли блестящие немецкие генералы, да разве можно подобный фактор учесть? Это дает право и обязывает называть самую страшную из войн – *Отечественной*.

Если бы она таковой не являлась, Гитлер бы не проиграл. Другое дело, что сделал великую войну Отечественной не в последнюю очередь именно он. Рискну высказать крамольную мысль. Не будь фашистское вторжение столь жестоким, не имей оно целью физическое уничтожение большей части населения страны и натурализацию оставшихся, *не было бы и столь яростного сопротивления*. Ведь не секрет, что на Западной Украине жители встречали немцев цветами, не секрет, что партизанское движение приобрело свой размах далеко не сразу, не секрет, что солдатскую лямку в вермахте тянули сотни тысяч бывших советских граждан[23]. Конечно, большинство из них таким способом выбирались из концентрационных лагерей, спасая свою жизнь. Я не оправдываю этих людей, пытаюсь лишь поставить на их место себя. «Тому, кто не голодал, как наши военнопленные, не обгладывал летучих мышей, залетавших в лагерь, не вываривал старые подметки, тому вряд ли понять, какую необоримую вещественную силу приобретает всякий зов, всякий аргумент, если позади него, за воротами лагеря, дымится походная кухня и каждого согласившегося тут же кормят кашею от пуза – хотя бы один раз! *хотя бы в жизни еще один только раз!*»[24] Впрочем, были и национальные добровольческие антисоветские формирования, находились люди, пользующиеся случаем *отомстить*, находились и бессребреники, отдававшие жизнь ради порочно-святой, в данных обстоятельствах, идеи борьбы со сталинским режимом. Так уж распорядилась история, так уж предопределено им было – сражаться не с диктатором, но с собственным народом, диктатором предводительствуемым...

Если бы Гитлер боролся не с советским народом, а со сталинской кликой, если бы решился отнестись к зарождающемуся, пронизанному противоречиями русскому антибольшевистскому движению как к *равноправному* союзнику, он имел бы шанс[25]. Но... тогда Гитлер не был бы Гитлером – зверем в облике человеческом. К тому же уничтожение сталинского режима отнюдь не являлось для него самоцелью. Гитлер собирался уничтожить большую часть населения Советского Союза!

В. Суворов приводит и такое «доказательство». Гитлер не готовился к войне с Советским Союзом. Вернее, не готовился *к зимней войне*. Вот что он пишет: «Голиков[26] докладывал Сталину, что Гитлер не готовится к войне против Советского Союза. Оказывается, Голиков докладывал Сталину правду. *Гитлер действительно к войне против Советского Союза не готовился*.

Голиков знал, что Сталин документам не верит... поэтому, считал Голиков, надо найти какие-то ключевые индикаторы, которые *безошибочно* покажут момент начала приготовлений Гитлера к войне против Советского Союза. Голиков такие индикаторы нашел. Всем резидентам ГРУ в Европе было приказано следить за баранами, внедрить свою агентуру во *все* ключевые организации, прямо или косвенно связанные с «бараньей проблемой»... Голиков дважды в день получал сведения о ценах на баранье мясо в Европе.

...Советская разведка начала настоящую охоту за грязными тряпками и промасленной бумагой, которую солдаты оставляют в местах чистки оружия....

Кроме того, через границу легально и нелегально в гораздо больших количествах, *чем обычно*, переправлялись керосиновые лампы, керогазы, примусы...

Все это анализировалось *сотнями* советских экспертов... а Голиков докладывал Сталину, что Гитлер подготовку к вторжению в СССР еще не начинал, *а на всякие концентрации войск и на документы германского Генерального штаба внимания обращать не следует*.

...Важнейшим элементов готовности Германии к войне против Советского Союза являются бараньи тулупы... Он тщательно следил за европейскими баранами. Он знал *совершенно точно*, что, как только Гитлер действительно решит напасть на СССР, он должен отдать приказ на подготовку *операции*. Немедленно Генеральный штаб даст приказ промышленности начать производство миллионов тулупов... Несмотря на войну, цены на баранье мясо должны дрогнуть и пойти вниз из-за одновременного уничтожения миллионов животных...

Голиков считал, что для войны в СССР германская армия должна использовать новый сорт смазочного масла для своего оружия. Обычное германское масло застывало на морозе... Советская экспертиза грязных тряпок показывала, что вермахт пользуется своим обычным маслом... Советские эксперты следили и за германским моторным топливом. Обычное германское топливо на морозе разлагалось на несгораемые фракции[27]. Голиков знал, что если Гитлер решится, *несмотря ни на что*, на самоубийственный шаг воевать на два фронта[28], то он... должен отдать приказ сменить марку производимого жидкого топлива... Именно образцы германского жидкого топлива советская разведка переправляла через границу в зажигалках, фонарях и других подобных предметах»[29].

Прошу у читателей прощения. Столь пространный отрывок привожу, чтобы подчеркнуть всю абсурдность посылов. Вдумайтесь, концентрацию в приграничной полосе без малого *двух сотен* вражеских дивизий ГРУ игнорировало. Да и неудивительно, сотни разведчиков и аналитиков торговали бараниной и переправляли по цепи зажигалки и примусы в промасленной бумаге. Потому, получается, и советские зенитчики не приветствовали немецкие самолеты-разведчики салютом по плоскостям. Цены-то на баранье мясо все не падали, летайте, ребята, высматривайте все хоть до Урала. Это же *не в военных целях, это же нам не угрожает*.

Понятно, что в сравнении со мной В. Суворов имеет решающее преимущество – будучи *еще советским* разведчиком, В. Резун имел доступ к архивам ГРУ. Но тем не менее... где же доказательства всего вышеизложенного? А доказательство одно – Сталин Голикова *не наказал*. Ну, прошляпил тот 22 июня, с кем не бывает? Зато рассуждал логически, зажигалки через границу переправлял. Что пять с половиной миллионов человек ждали лишь сигнала, что снаряды уже складировались у наведенных на цели орудий, что самолеты и танки уже заправились – все это якобы Голиков знал, но во внимание не принимал[30]. Ведь поголовного уничтожения европейских баранов не наблюдалось. «Это все доказательства?» – поинтересуется читатель. Все...

Ну ладно, поверим В. Суворову на слово и примем за аксиому тот факт, что Гитлер миллионы тулупов для нужд армии не закупал, о морозостойком смазочном масле и моторном топливе не позаботился и вообще к зимней войне не подготовился. Разве из этого следует, что Советский Союз *в разгар лета* был от нападения застрахован? Не зациклился ли Голиков на тряпках и примусах, не перемудрил ли он? Как это не пришла начальнику ГРУ в голову простая мысль? С Польшей, имея в тылу объявивших ему войну англо-французов, Гитлер покончил за три недели. Для *полного* разгрома Франции вместе с Голландией, Бельгией и британским экспедиционным корпусом хватило шести недель. От начала Великой Отечественной войны до наступления морозов оставалось от 18 до 20 недель. При этом вермахт уже сосредоточился в компактных группировках у границы, а Сталин все еще сомневался, можно ли обозначить выдвижение на запад армий Второго эшелона. При этом за два года войны не было еще случая, чтобы немецкие танки не смогли прорвать оборону противника на направлении главного удара, а у нас все продолжались споры о целесообразности применения мехкорпусов, и заместитель наркома по вооружению маршал Г.И. Кулик ратовал за артиллерию на конной тяге...[31]

То, что Гитлер не позаботился о зимнем обмундировании, свидетельствует скорее, что подавить сопротивление Красной Армии он рассчитывал в сжатые сроки. Вот слова маршала Жукова, отнесенные, правда, к периоду, когда приграничное сражение было уже нами проиграно: «Гитлер и его окружение считали, что Советский Союз «практически проиграл войну». Когда генерал Паулюс доложил Гитлеру о возможных трудностях снабжения немецких войск в России в зимних условиях, Гитлер вспылил: «Я не хочу слышать этих разговоров... *никакой зимней войны не будет*... Армия должна нанести русским лишь пару мощных ударов... и затем, вы увидите, что русский колосс стоит на глиняных ногах»[32].

Могло случиться, чтобы тяжелые предчувствия не посетили помешавшегося на подозрительности Сталина? Мог ли он с ходу отбросить мысль о том, что Гитлер решил уничтожить СССР не то чтобы до зимы – до осени?[33] На мой взгляд, нет.

Бывают моменты, когда человек точно знает – с ним случится самое худшее. Вот он оценивает, что может его ожидать. И все вроде бы хорошо. Вдруг – легкое, едва осознанное беспокойство. Человек даже не представляет пока – от чего. Но напрягается и вспоминает. При определенном стечении обстоятельств все может быть совсем не хорошо – очень и очень плохо. Однако вероятность этого столь мала, к тому же он застраховался от всяких, кажется, случайностей... А беспокойство тем временем перерастает в тревогу, и вот уже человек приходит к убеждению: *так оно и случится*. И то страшное, трагическое, еще недавно казавшееся нереальным, будто предупреждает о своем неизбежном скором пришествии.

Человек все еще надеется, все убеждает себя, что бояться нечего, но в глубине души он уже уверен – произойдет самое худшее.

Именно это, я уверен, испытывал перед войной Сталин. Вождь уже свыкся с мыслью, что все ему удается, что, опираясь на аппарат и тайную полицию, меняя окружение, словно костяшки бесконечного домино, он добился *абсолютного* контроля над страной и людьми. Сталин уверился, и не без оснований, что, играя на противоречиях, рожденных Версалем, он может добиваться своих целей в Европе, *ничем особенно не рискуя*. Попустительство и недальновидность недавних победителей, их нежелание ради противодействия агрессору отказаться даже от малой толики сытой, спокойной жизни убедили его в этом.

Но вдруг из ничего, из жестокого поражения и национального унижения, из ожесточения, непосильных репараций и бредовых человеконенавистнических идей выросла и окрепла непонятная для него, страшная сила. Гитлер, конечно же, тоже юлил, тоже интриговал время от времени, но все это было... так – прикрытие, рутина. Гитлер не просто демонстрировал готовность к риску, он ставил на карту *все*. Гитлер брал не хитростью, но дьявольской, рвущейся из вдруг ставших тесными границ силой. После Чехословакии Гитлер уже не заботился о пятой колонне, где-то она возникала сама, в большинстве случаев немцы обходились и без нее...

Мертвым, многим миллионам погибших безразлично, что послужило причиной трагедии. Прозевал ли Сталин выпад Гитлера, увлекшись последними приготовлениями к собственному сокрушительному, якобы решающему удару, или настолько боялся немцев, настолько не желал рисковать своей властью, что разоружил перед самым вторжением собственную армию. Но нам-то, думается, не все равно, небрежность гения или *порочная ущербность тоталитарного управления* подвели страну к краю пропасти.

Имея такого соседа, как завоевавшая половину Европы фашистская Германия, наблюдая сосредоточение ударных группировок агрессора у своих границ, *насторожиться должен был всякий*. И то, что Сталин запретил принимать очевидно назревшие меры, может быть объяснено лишь одним: вождь смертельно боялся Гитлера. Он решил для себя еще весной 40-го, что мы гораздо слабее, что столкновение с вермахтом один на один будет лично для него, Сталина, губительным.

Он пошел на выдвижение армий Второго эшелона ближе к границе, он позволил Жукову сделать то, что не бросалось немцам в глаза. Но ни о каких оборонительных мерах на границе не могло быть и речи. Занятие частями КОВО Предполья вызвало гнев вождя не случайно. Он, *несмотря ни на что*, надеялся, что сосредоточение ударных сил вермахта у его границ – часть сложной игры немцев, направленной на дезинформацию Черчилля[34]. *Ему ничего другого не оставалось, ибо в победу над Гитлером Сталин не верил. Во всяком случае, в победу Красной Армии в борьбе один на один*[35]. Надо отдать должное Жукову и Тимошенко. Находясь под прессом сталинского авторитета, зная, что даже мысли о возможной войне ему неприятны и вполне могут самым негативным образом отразиться на их судьбе, указанные военачальники смотрели на вещи куда с большей трезвостью. Не только посмели возражать, но требовали позаботиться, наконец, о безопасности страны и кое-чего смогли добиться. К сожалению, немногого.

Сталина их настойчивость раздражала еще и потому, что, по его мнению, *все это было бесполезно*. Не оттого, что мы опоздали или недостаточно изготовили орудий, самолетов и танков. Просто фашизм был еще относительно молод и, находясь в состоянии непрекращающейся войны, *еще не начал разлагаться изнутри*. Гитлер и был сильнее потому, что опирался пока еще на почти всю одураченную им нацию. *Сталин мог рассчитывать на безусловную поддержку лишь аппарата да опричины и потому не верил, что его армия способна победить!* К тому же даже длительная война на истощение таила в себе смертельную угрозу его режиму[36]. Гитлер же *до этого* добивался разгрома противников в сжатые сроки, блицкриг пока еще удавался.

В этой ситуации вождь выбрал линию поведения, которую достойной не назовешь. Растерявшись, не зная, что предпринять, и боясь предпринять что-либо, он не только ничего не сделал сам, но не дал сделать и другим. Будто страус, товарищ Сталин зарылся головой в песок и вверил себя и страну безжалостной судьбе.

Примечания

[1] Суворов В. Ледокол, с. 248, 249.

[2] Тот же В. Суворов утверждает, что «План Барбаросса» лежал на столе у Сталина едва ли не через несколько дней после принятия его немцами. Однако подтвердить это вряд ли возможно.

[3] Речь идет о первой декаде июня.

[4] Баграмян И.Х. Так начиналась война, с. 76, 77.

[5] И это неудивительно. Немцы собирались напасть месяцем раньше, однако неблагоприятное для них развитие событий в Югославии вынудило вермахт провести вначале Балканскую кампанию, что оттянуло агрессию против СССР почти на месяц.

[6] Нетрудно понять, что на подобный шаг Кирпонос мог решиться, лишь будучи *абсолютно* уверенным в неизбежности скорой войны с Гитлером. За куда меньшую инициативу люди расставались не только с карьерой, но и со свободой, и с самой жизнью. Уверен, немало было таких, кто, и зная наверняка о надвигающейся войне, пальцем не пошевелил без прямого приказа. Немцев они боялись куда меньше, нежели усатого «гения».

[7] Жуков Г.К. Воспоминания и размышления. Т. 1, с. 385, 386.

[8] Сандалов Л.М. Пережитое, с. 78, 79.

[9] По московскому радио сообщение было озвучено 13 июня.

[10] У. Черчилль вполне искренне пытался предупредить Сталина о скором нападении, рассматривая последнего как потенциального союзника. Но вождь в последние предвоенные дни видел союзником другого человека. В сообщении, помимо прочего, назывался источник «дезинформации» – британский посол Криппс.

[11] Жуков Г.К. Воспоминания и размышления. Т. 1, с. 383.

[12] Суворов В. Ледокол, с. 198.

[13] Сандалов Л.М. Пережитое, с. 78.

[14] В самом деле, как можно было, обладая *подавляющим*, как утверждает В. Суворов, преимуществом, рассчитывать исключительно на единственный сокрушительный удар и оказаться полностью неспособным не то чтобы отразить, но даже принять во внимание саму возможность подобного же удара противника? Либо «вождь всех времен и народов» при всей своей гениальности оказался слеп, либо теория В. Суворова попросту несостоятельна.

[15] Суворов В. Последняя республика, с. 127, 128.

[16] Более того, само существование второго фронта, то, что он был в конце концов развернут и не опрокинут вермахтом, обусловлено в первую очередь действиями Красной Армии. Не удержи мы фронт в 41-м и 42-м годах, немцы, без сомнения, быстро подавили бы сопротивление нескольких английских дивизий в Северной Африке. Долго потом смогла бы продержаться метрополия? И о каком форсировании Ла-Манша, о какой Италии шла бы речь? В любом случае мы вынуждены были держать на Дальнем Востоке, в Забайкалье, Монголии, Иране и Закавказье никак не меньше сил и средств, нежели немцы в оккупированной Франции и Северной Африке.

[17] Ладно немцы, они уже ввязались в *серьезную* войну, но что могло заставить японцев напасть на Перл-Харбор, если они не надеялись на победу?

[18] С потоплением 10 декабря японской авиацией линкора «Принс оф Уэлс» и линейного крейсера «Рипалс» ядро Восточного флота было уничтожено, и в последующем британские эсминцы могли выполнять лишь вспомогательные задачи.

[19] 7 декабря 1941 года в 13 часов 20 минут по вашингтонскому времени японские палубные бомбардировщики сбросили первые бомбы и торпеды на стоявшие в гавани Перл-Харбора американские военные корабли. По токийскому времени война началась в 3 часа 20 минут 8 декабря.

[20] Правящая партия в Китае. В более широком смысле – название режима Чан Кайши.

[21] У реки Граник в 334 году до н. э. македоняне разбили передовую персидскую армию. При Гавгамелах в 331 году до н. э. Александр сумел разбить почти вдвое превосходящего противника. Персидский царь Дарий бежал, судьба олигархии была решена. В 216 году до н. э. после ряда блестящих побед укрепившемуся на Апеннинском полуострове карфагенскому полководцу Ганнибалу пришлось выдержать бой с огромной римской армией. Несмотря на значительное численное преимущество, римские легионы были обойдены с флангов, окружены и уничтожены.

[22] Отнюдь не утверждаю, что высокие порывы свойственны избранным. Хватило стойкости подняться на борьбу с агрессором британцам, чудеса героизма демонстрировали югославские и французские патриоты. Да и сами немцы воевали достойно, изыскивая возможности организованного сопротивления *до самого конца*. Но война для них не могла быть Отечественной. Начинали они ее не защищая Родину, а, напротив, пытаясь лишить ее соседей. Потому и победить не могли.

[23] Отдельные исследователи говорят о 800 000(!) советских граждан, так или иначе боровшихся против советского государства во время войны с фашистами (Солженицын А. Малое собрание сочинений. Т. 5, с. 160, 181).

[24] Солженицын А. Малое собрание сочинений. Т. 5. Архипелаг ГУЛАГ, I–II, с. 174.

[25] Так считал Солженицын. Вот его слова: «Гитлеру недоступно было, что единственная историческая возможность свергнуть коммунистический режим – движение самого населения, подъем измученного народа. *Такой* России и *такой* победы Гитлер боялся больше всякого поражения» (Солженицын А. Малое собрание сочинений. Т. 5, с. 181). Мне все же представляется, что создание антисталинской прогерманской оппозиции вряд ли было возможным.

[26] Был перед войной начальником Главного разведывательного управления (ГРУ).

[27] Читаешь и удивляешься, как вермахт умудрился захватить Норвегию и три с лишним года воевал в Заполярье.

[28] Эти слова – «на два фронта» повторяются едва ли не в каждой главе «Ледокола». Ну и я не поленюсь вновь подчеркнуть, Гитлеру удалось воплотить в жизнь мечту кайзеровских генералов – войны на два фронта избежать. Когда он громил Францию, СССР, верный союзник, обеспечивал тыл. Когда же настала очередь Сталина, англичанам было не до наступательных операций. Они ограничились обороной Египта и рады были уже тому, что истекающая кровью Красная Армия вольно или невольно отвела непосредственную угрозу от Островов.

[29] Суворов В. Ледокол, с. 312–314.

[30] Там же, с. 314.

[31] Жуков Г.К. Воспоминания и размышления. Т. 1, с. 310.

[32] Там же. Т. 2, с. 48.

[33] План «Барбаросса» предусматривал разгром Вооруженных сил СССР в течение одной «скоротечной» кампании и выход вермахта на линию Архангельск–Котлас–Казань–Куйбышев–Саратов–Камышин–Сталинград–Астрахань. Возьми немцы Москву, и сталинская система управления почти наверняка столкнулась бы с определенными центробежными тенденциями. Впрочем, также очевидно, что сопротивление не прекратилось, и немцы были бы остановлены на другом рубеже.

[34] В нашей литературе как-то обойден вопрос о целесообразности подобного плана. Неужели, перебрасывая на тысячи километров до 70% своих войск, Гитлер мог рассчитывать, что сам факт их перемещения ослабит бдительность англичан? Но даже если это и произошло, что потом? Неизбежная передислокация ударных сил обратно, на север Франции, неизбежная утечка информации, и в результате немцы вернулись бы к тому же, с чего начали.

[35] О том, что произошло бы, высадись немцы на Островах, остается только догадываться. Мое личное мнение – и в этом случае Сталин занял бы выжидательную позицию и ударил лишь в том случае, если сопро-

тивление англичан оказалось бы успешным, и бои приняли затяжной характер.

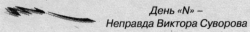

[36] Как-то вскользь, невпопад обронил Наполеон: «От любви до ненависти один только шаг». Подобная перспектива при определенных обстоятельствах, при любом масштабном провале, без сомнения, могла открыться перед вождем. Пока люди были затравлены и уязвимы, пока им обеспечено было сносное существование, пусть даже и в клетке, никто не порывался выступить против сталинской олигархии. С возможными военными неудачами, с неурядицами и разорением и так не слишком богатой страны этот шаг, казалось, становился неизбежным. Относительно любви «до гроба» советского народа к собственной персоне Сталин иллюзий не питал. В противном случае зачем тогда непрекращающиеся *массовые* чистки и содержание чудовищно огромного аппарата тайной полиции? Впрочем, угрозу режиму таили в себе как длительные промежутки относительного покоя, вызывающие его быстрое разложение (вспомним, что СССР перестал существовать во многом именно вследствие того, что пресытившаяся бюрократия разложила систему управления и до основания развалила производство), так и затянутые во времени чистки. Стресс подрывал силы государства. Вождь вынужденно чередовал их с завидным постоянством, но балансировал он на лезвии ножа.

Глава 11

О «ЛЮДЯХ ЖУКОВА» И ВТОРОМ СТРАТЕГИЧЕСКОМ ЭШЕЛОНЕ

В последнее время появляются отдельные публикации, в которых талант Георгия Константиновича Жукова, более того, его роль в достижении победы над врагом ставятся под сомнение. Собственно, в вину ему вменяется то, что успеха Жуков добивался ценой большой крови, даже имея превосходство над противником. При этом современные авторы едва ли не слово в слово повторяют высказывания все того же В. Суворова. Такие, например, как это: «Хороший был маршал. Но только *во всей человеческой истории* более кровавого полководца, чем Жуков, не было. Ни один фашист не загубил *зря* столько своих солдат...

Мы лепим из Жукова идола, и это мешает нам задать простой вопрос: а почему его не судили?»[1]

Хотелось бы высказать свою точку зрения относительно человека, чья подпись в протоколе о капитуляции Германии – первая. С точки зрения общечеловеческой морали некоторые поступки Жукова, сам стиль его руководства не могут не показаться излишне жестокими. То, что человек, попадая в его подчинение, либо делал головокружительную карьеру, либо прощался с должностью, а то и с жизнью, то, что Жуков требовал расстрела нерасторопных офицеров и расстреливал, то, что наши потери в наступательных, да и оборонительных операциях превосходили потери противника *в разы,* – все это правда. Но война сама по себе аморальна. Критерии нравственности к ней неприменимы. У войны своя жестокая правда.

И правда эта вот в чем. В 1941 году на главных стратегических направлениях никто из советских военачальников не мог парировать удары вермахта. Никто, кроме Жукова. Кто знает, не останови его войска немцев в пригородах Ленинграда и под Москвой, как еще сложилась бы война? Считаю, что победа все равно осталась бы за нами. Но знаю немало людей, придерживающихся иной точки зрения – с падением столицы режим попросту развалился бы, а с ним прекратилось и организованное сопротивление немцам.

Да, войска, оборонявшие Подмосковье, несли тяжелые потери, но они не дали немцам окружить и разгромить себя, сохранили тяжелое вооружение и удержали фронт. Думаю, не требует доказательств тот факт, что потери окруженных и уничтоженных немцами в предшествующих операциях частей и соединений РККА *на порядок выше*. И подобных тяжелейших неудач в одном лишь сорок первом не одна и не две. Вспомним окружение и разгром Западного фронта в конце июня. Окружение 6-й и 12-й армий в районе Умани, 16-й и 20-й армий восточнее Смоленска. Вспомним трагедию Юго-Западного фронта, когда оказались в окружении и погибли 21-я, 5-я, 37-я, 26-я армии и часть сил 40-й и 38-й армий, окружение и разгром части сил воссозданного Западного и Брянского фронтов в октябре.

Если после Сталинграда, после капитуляции одной лишь 6-й своей армии вермахт так и не сумел закрыть образовавшуюся брешь и вынужден был от предгорий Кавказа и Волги откатиться к Харькову и Ростову, что же говорить о нас. Ведь гибли не дивизии, не армии – *фронты*[2]. И немцы вырывались на оперативный простор и с ходу продвигались в глубь страны еще на несколько сот километров...

Вспоминаю полковника, начальника военной кафедры, который лично вел занятия, посвященные войне, и вколачивал в нас, что тактика немцев в итоге оказалась шаблонной и несостоятельной. Не спорил и не спорю, немцы действовали шаблонно. Они сосредотачивали на флангах наших группировок мощные подвижные силы, прорывали фронт и охватывали, окружали. Но раз за разом это проходило и приносило успех. Иногда мы не успевали создать заблаговременно глубокоэшелонированную оборону на участках предполагаемого вражеского прорыва. А иногда советские военачальники, еще не уловившие сути наступательных операций вермахта, по привычке растягивали войска в тонкую линию равной плотности и с равной степенью обреченности на прорыв ее врагом. *Первым* противоядие нашел Жуков. Он *просто*[3] концентрировал боеспособные части там, где немцы готовились нанести свой удар. И когда немецкие танки пытались прорваться, их встречала не тонкая полоска окопов, а плотные массы изготовившейся к бою пехоты, артиллерийские засады и танковые бригады в ближайшем тылу[4]. Враг маневрировал, стараясь нащупать слабое место, но и Жуков умело и своевременно перебрасывал войска. Недостаток транспортной техники с лихвой компенсировался решимостью отстоять столицу. *Под Москвой солдаты гибли, но не бежали.* То тут, то там немцы вклинивались в нашу оборону, но прорвать ее не могли. Три танковые группы, выдыхаясь, напрягая последние силы, бились о невидимую стену. До этого они с боями прошли тысячи километров. Здесь – не могли преодолеть и десятка. А в тылу советских войск сосредотачивались свежие, обученные и хорошо вооруженные резервы – полнокровные кадровые сибирские дивизии[5].

Конечно, мы воевали пока еще хуже[6], и люди гибли десятками тысяч. Да только ценой своей жизни они перемалывали войну в нашу пользу. Начинали перемалывать...

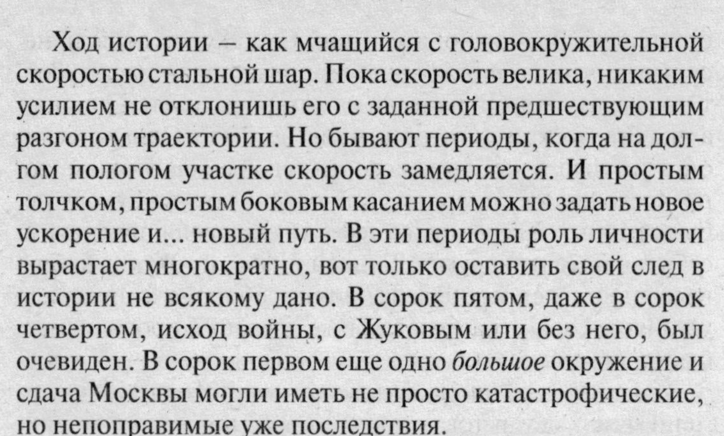

Ход истории – как мчащийся с головокружительной скоростью стальной шар. Пока скорость велика, никаким усилием не отклонишь его с заданной предшествующим разгоном траектории. Но бывают периоды, когда на долгом пологом участке скорость замедляется. И простым толчком, простым боковым касанием можно задать новое ускорение и... новый путь. В эти периоды роль личности вырастает многократно, вот только оставить свой след в истории не всякому дано. В сорок пятом, даже в сорок четвертом, исход войны, с Жуковым или без него, был очевиден. В сорок первом еще одно *большое* окружение и сдача Москвы могли иметь не просто катастрофические, но непоправимые уже последствия.

В этой связи хотелось бы высказать следующее. Иногда приходится слышать и такое: вот, французы капитулировали, и их потери в войне на порядок меньше наших. Но, во-первых, *для нас* капитуляция была равносильна гибели страны и физическому уничтожению большей части населения. А во-вторых, если бы все сдавались, рассчитывая избежать людских потерь, кто бы тогда противостоял агрессору и что бы тогда стало со всеми нами?

В том, что Жуков часто настаивал на расстреле провинившихся, нерадивых... не сумевших, хорошего мало. Однако не думаю, чтобы войска под его командованием несли большие потери, нежели соединения, вверенные другим нашим военачальникам. Глупо было бы утверждать, что в ужасающе огромных наших военных потерях виноват исключительно Жуков[7]. Повторюсь, всю войну мы подтягивались к немцам в умении воевать. Подтягивались командующие фронтами, подтягивались и комбаты, и рядовые. И тот из командиров, кто был умнее, берег солдат. Хотя, чего скрывать, как-то у нас это было не принято.

Утверждают также, что среди военачальников Великой Отечественной находились и более подготовленные, лучше, нежели Жуков, разбирающиеся в тактике и стратегии[8]. Возможно, это и так. Сам Жуков отнюдь не скрывал, что даже отдаленно не представлял масштабов того удара, который нанесли немцы на рассвете 22 июня, а значит, до конца готов к нему не был[9]. Однако если он и уступал в чем-то некоторым своим соратникам, то превосходил их в главном. Как организатору Жукову не было равных. Уверенный в себе, он заставлял поверить в себя и в победу и других. Так или иначе, но Жуков добивался поставленных целей, при нем оборона отличалась устойчивостью, а наступательные операции проводились быстро и решительно.

Повторюсь, если бы Жуков *только* отстоял Москву и Ленинград, уже и тогда о нем, без сомнения, говорили бы как об одном из творцов Победы. А ведь были еще Сталинград, Курск, Белоруссия, форсирование Одера и Берлин...

Любопытно, однако, другое. Так или иначе, принижая военный гений Георгия Константиновича, В. Суворов использует в своих целях имена тех, кого он называет «людьми Жукова». Якобы они были собраны последним по всей стране и сосредоточены на тех или иных должностях в Киевском и Одесском округах напротив Румынии. При этом упоминаются: генерал армии[10] И.В. Тюленев – командующий Южным фронтом, генерал-майор авиации А.З. Устинов – командующий ВВС Южного фронта, генерал-полковник Я.Т. Черевиченко – командующий 9-й армией Южного фронта, генерал-майор П.А. Белов – командир кавкорпуса, входящего в состав 9-й армии, генерал-лейтенанты И.Н. Музыченко и Ф.Я. Костенко – командующие соответственно 6-й и 26-й армиями Юго-Западного фронта, полковник И.Х. Баграмян – начальник оперативного отдела штаба Юго-Западного фронта, генерал-лейтенант А.И. Еременко – после отстранения от должности и расстрела Д.Г. Павлова командующий воссозданным Западным фронтом, генерал-майор К.К. Рокоссовский – командир 9-го мехкорпуса окружного подчинения КОВО, генерал-майор танковых войск М.И. Потапов – командующий 5-й армией, генерал-майор А.А. Власов (тот самый! – *А.Б.*) – командир 4-го мехкорпуса 6-й армии, полковник И.В. Галандин – командир 17-го стрелкового корпуса, полковник И.П. Алексеенко – командир 5-го мехкорпуса, полковник В.И. Мишулин – командир 57-й отдельной танковой дивизии, майор И. И. Федюнинский – командир 15-го стрелкового корпуса 5-й армии, генерал-лейтенант И.С. Конев[11] – командующий 19-й армией Второго эшелона и другие[12].

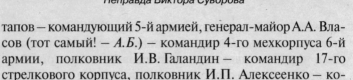

В. Суворов утверждает, что одно лишь появление их у границы свидетельствует о готовящемся превентивном ударе по фашистам. Но так ли это? На мой взгляд, тот факт, что эти люди либо служили под началом Жукова на Халхин-Голе, либо в разное время соприкасались с ним на долгом армейском пути, не говорит ни о чем. Да, приняв командование Киевским округом, Жуков обновил командный состав. Да, он предпочитал видеть среди своих подчиненных людей, им лично проверенных, деловые качества которых успел узнать. Людей, которым мог доверять. Ну и что из этого следует?

По-разному сложилась военная судьба этих командиров, как и многих, многих других. Кто-то погиб, кто-то не избежал плена[13]. Одни тянули суровую лямку всю войну, так и не сделав карьеры, некоторые командовали фронтами и в итоге примерили маршальский мундир...

Ни в коей мере не претендуя на монополию во мнении, попытаюсь проанализировать готовность некоторых из них к современной войне. О Рокоссовском и говорить нечего, этот человек, как и Жуков, рожден был для войны. Остановлюсь на двоих, чьи личность и биография представляются мне наиболее яркими. Это Еременко и Конев.

Мое мнение о Маршале Советского Союза Андрее Ивановиче Еременко противоречиво. До определенного времени все, что думал я об этом человеке, могло быть выражено словами Жукова: «...откровенно говоря, народ его (Еременко. – *А.Б.*) не любил за чванливость, с одной

стороны, за идолопоклонство – с другой»[14]. Но недавно, прочитав его выгодно отличающиеся от рутины мемуары, я убедился: каким бы этот человек ни был, он обладал широким кругозором и смотрел на вещи трезво.

Еременко, по-видимому, единственный, кто о походе РККА в западные области Украины и Белоруссии в сентябре 39-го говорит открыто, масштабные столкновения с польскими частями обозначает отнюдь не намеками. Понятно, что, будучи командиром 6-го казачьего кавкорпуса, он находился в гуще событий, но ведь не он один... Между тем лишь Еременко более-менее подробно пишет о группировке советских войск в Белоруссии, о трудностях «освободительного похода», а главное, о том, что далеко не везде Красную Армию встречали цветами. Согласитесь, нужно обладать определенным гражданским мужеством, чтобы в то время[15] написать следующие строки: «...Польские части свернули свой боевой порядок и полями отошли к Гродно. Во второй половине дня наши части подошли к городу с южной стороны. Здесь поляки оказали нам сильное, но совершенно бессмысленное сопротивление.

Мне довелось впервые принять личное участие в танковых атаках... Это был, в общем, не очень веселый опыт: в бою на подступах к Гродно я и все танкисты из экипажа танка, служившего мне подвижным КП, были ранены, а все три танка, на которых я последовательно руководил боем, выведены из строя противотанковым огнем пилсудчиков.

После взятия Гродно мы продолжали двигаться на запад.

...Дело шло к тому, что вскоре должны были где-то встретиться две армии: освободительная Красная Армия и разбойничий немецко-фашистский вермахт»[16].

Последние строки у непредвзято настроенного читателя могут вызвать улыбку, но факт остается фактом: о боях за Гродно, в которых один лишь командир кавкорпуса вынужден был сменить три один за другим подбитых танка, нигде более в советской историографии не упоминается. Столь же далека от принятого официоза его оценка итогов совещания высшего командного состава РККА.

Однако война – не философский диспут, и трезвый взгляд на вещи еще не гарантия успеха в бою. Куда важнее для командира вера в себя и в своих подчиненных и умение организовать и скоординировать действия вверенных ему частей и добиться выполнения поставленной задачи. Да и нас интересует прежде всего, готов ли был Еременко к проведению широкомасштабных *наступательных* операций в начале войны. На мой взгляд, нет, не готов.

И вот почему. В сентябре 41-го судьба предоставила Еременко шанс проявить себя. Ему, командующему Брянским фронтом, надлежало нанести удар по растянутому флангу танковой группы Гудериана. Условия были более чем благоприятные. Танками и авиацией Сталин фронт пополнил, насколько это было в сложившихся условиях возможно. Еременко пытался наступать, но неудачно. И это обернулось гибелью, на мой взгляд, самого боеспособного нашего фронта – Юго-Западного. А сбей он тогда немецкие заслоны, как знать, возможно, удалось бы избежать многих смертей, а может, и война переломилась раньше...

Мы смотрим на войну *с нашей стороны* – лицом к противнику, спиной к Уралу. И потому забываем как-то, что и у немцев были свои проблемы, свои трудности. Вначале незначительные, не оказывающие влияния на то главное, что они делали. Затем все более существенные, справиться с которыми вермахт мог лишь, напрягая все свои силы. Немцам казалось, еще одно усилие, еще одно большое окружение, и все будет кончено. Но гибли целые наши фронты, *гибла кадровая армия*, а сопротивление усиливалось. И приходилось менять саму тактику вторжения. Гитлер, поворачивая танковые дивизии от Смоленска на юг, считал, что, отказавшись от немедленного наступления на Москву, он всего лишь рационально использует сложившуюся конфигурацию линии фронта. Ни он, ни его генералы не поняли тогда, что изменить направление главного удара их вынудили, что блицкриг, по существу, сорвался, и война принимает затяжной характер. Впрочем, этот эпизод великой войны заслуживает того, чтобы остановиться на нем подробнее.

До сих пор спорят историки, что считать началом перелома? А он не наступает в одночасье, его надо подготовить, вынести, выстрадать. Если хотите, дождаться. И если, в силу ряда субъективных причин[17], стойкая оборона советских войск у Киева и под Смоленском не стала началом перелома в войне, то предпосылки его, как и в Бресте, как в Одессе и во множестве других безвестных по большей части местечек, где роты, полки, дивизии держались до последнего, она заложила вне всякого сомнения...

Покончив в начале июля с окруженными в районе Новогрудка дивизиями Западного фронта, немцы продолжили движение на восток. Вновь 2-я и 3-я танковые группы прорвали советский фронт, и уже 15 июля немецкие танки ворвались в Смоленск.

Однако Смоленское сражение только еще начиналось. С падением города две трети пути от границы до Москвы немцами были уже пройдены. Понимал это Сталин, понимали это и в Генштабе. Смоленское направление сколь спешно, столь и решительно прикрывалось свежими силами. 14 июля в тылу был развернут фронт резервных армий[18]. Для нанесения контрудара и освобождения Смоленска в полосе от Рославля до озера Двинье было развернуто пять армейских групп в составе шестнадцати стрелковых и четырех танковых дивизий[19].

Немцы считали, что с падением Смоленска дорога на Москву останется открытой, но попытки продвинуться дальше совершенно неожиданно вылились во встречный бой. Красной Армии не удалось вернуть город, но и вермахт не мог прорвать фронт. Напряженные бои продолжались с переменным успехом[20] до начала августа. Ги-

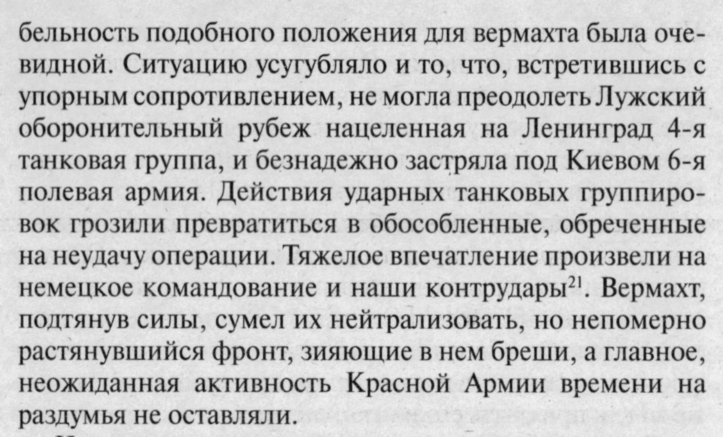

бельность подобного положения для вермахта была очевидной. Ситуацию усугубляло и то, что, встретившись с упорным сопротивлением, не могла преодолеть Лужский оборонительный рубеж нацеленная на Ленинград 4-я танковая группа, и безнадежно застряла под Киевом 6-я полевая армия. Действия ударных танковых группировок грозили превратиться в обособленные, обреченные на неудачу операции. Тяжелое впечатление произвели на немецкое командование и наши контрудары[21]. Вермахт, подтянув силы, сумел их нейтрализовать, но непомерно растянувшийся фронт, зияющие в нем бреши, а главное, неожиданная активность Красной Армии времени на раздумья не оставляли.

Надо отдать врагу должное, выход из создавшегося положения был найден. Собственно, бесперспективность ведения наступательных действий одновременно на всех направлениях стала очевидной. Можно было либо, не обращая внимание на фланги, продолжить наступление на Москву, либо выровнять фронт. Гитлер остановился на последнем. Полевые армии группы армий «Центр» перешли западнее Смоленска и Ельни к обороне, 3-я танковая группа повернула на север, 2-я танковая группа Гудериана развернула наступление в тыл советским войскам, обороняющим Киевский укрепрайон. Правый ее фланг обеспечивала 2-я полевая армия, о левом немецкие танкисты должны были позаботиться сами.

Одновременно войска группы армий «Юг» развернули наступление на Правобережной Украине. Во второй половине августа враг вышел к Днепру во всей полосе обороны Юго-Западного и Южного фронтов. 25 августа был оставлен Днепропетровск, к 9 сентября дивизии 17-й полевой немецкой армии форсировали Днепр и захватили юго-восточнее Кременчуга крупный плацдарм.

К этому времени армии Юго-Западного фронта находились уже в критическом положении. Еще 8 августа, после перегруппировки, войска 2-й полевой армии и 2-й танковой группы перешли в наступление против

Центрального фронта[22]. Советские войска не выдержали удара и отступили на юг. Положение усугублялось еще и тем, что длительное время советское командование предполагало, что удар наносится с целью последующего охвата войск Западного и Резервного фронтов с юга через Брянск. Для предотвращения этого 14 августа в тылу Центрального был развернут Брянский фронт[23], командовать которым и предстояло А.И. Еременко. Однако противник на Брянск не повернул, к 16 августа немцы вышли в район Гомеля и Стародуба. В считаные дни правый фланг Юго-Западного фронта оказался охваченным противником, рассеченные армии Центрального фронта не могли прикрыть его и откатывались на юг.

Именно тогда произошла стычка Жукова со Сталиным. Начальник Генштаба требовал оставить Киев, отвести войска за Днепр и за счет высвободившихся сил и средств заткнуть бреши в обороне. Верховный Главнокомандующий рассчитывал Киев удержать и все надежды возлагал на Еременко. Надо признать, вождь имел некоторые основания сохранять оптимизм. На фронте к этому времени сложилась уникальная ситуация. 2-я танковая группа Гудериана, прорываясь к Лохвице, перехватывая коммуникации Юго-Западного фронта, в свою очередь подставила под удар свой непомерно растянутый левый фланг. Защитить его немцам было нечем. Успех решали часы, и на острие главного удара требовалось иметь *все* силы. В Ставке это учли[24], учли и то, что над флангом Гудериана нависал будто специально созданный для сокрушительного удара Брянский фронт.

24 августа между Сталиным и Еременко произошли переговоры по прямому проводу. Отрывки записи их разговора имеет смысл привести дословно.

«**Сталин:** У аппарата Сталин. Здравствуйте!

У меня к вам несколько вопросов:

1. Не следует ли расформировать Центральный фронт, 3-ю армию соединить с 21-й и передать в ваше распоряжение соединенную 21-ю армию? Я спрашиваю об

этом потому, что Москву не удовлетворяет работа Ефремова[25].

2. Вы требуете много пополнения людьми и вооружением...

3. Мы можем послать вам на днях, завтра, в крайнем случае послезавтра две танковые бригады с некоторым количеством «КВ» в них и два-три танковых батальона; очень ли они нужны вам?

4. *Если вы обещаете разбить подлеца Гудериана,* то мы можем послать еще несколько полков авиации и несколько батарей РС. Ваш ответ?

Еременко: Здравствуйте! Отвечаю:

Мое мнение о расформировании Центрального фронта таково: в связи с тем, что я хочу разбить Гудериана и, *безусловно*, разобью, то направление с юга надо крепко обеспечивать. А это значит – прочно взаимодействовать с ударной группой, которая будет действовать из района Брянска. Поэтому прошу 21-ю армию, соединенную с 3-й армией, подчинить мне...[26]

Я очень благодарен вам, товарищ Сталин, за то, что вы укрепляете меня танками и самолетами. Прошу только ускорить их отправку. Они нам очень и очень нужны. А насчет этого подлеца Гудериана[27], безусловно, постараемся задачу, поставленную вами, выполнить, то есть разбить его»[28].

К.С. Москаленко утверждает, что в успехе операции Брянского фронта Сталина убедил Шапошников[29]. Даже если и так, это лишний раз подчеркивает – тактически ситуация была стопроцентно выигрышной, войска Брянского фронта занимали столь выгодную позицию, что разгром ими левого крыла танковой группы Гудериана *даже в августе 41-го* представлялся весьма вероятным.

«Однако на деле произошло иное. Танковая группа Гудериана, оставив в полосе Брянского фронта две дивизии, ушла главными силами на юг и наносила удар за ударом во фланг и тыл войскам Юго-Западного фронта.

Обещание, которое генерал А.И. Еременко, как мы

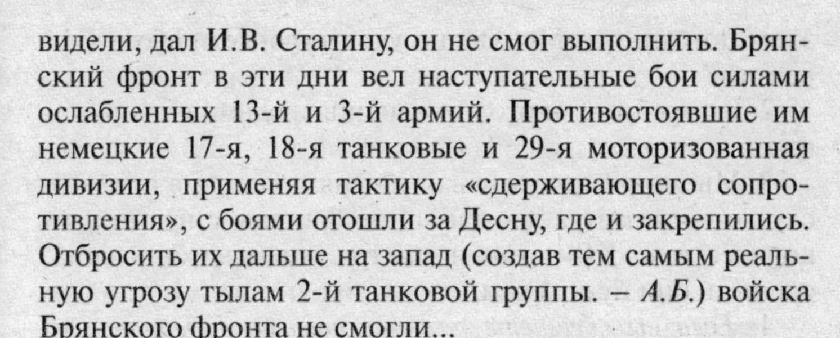

видели, дал И.В. Сталину, он не смог выполнить. Брянский фронт в эти дни вел наступательные бои силами ослабленных 13-й и 3-й армий. Противостоявшие им немецкие 17-я, 18-я танковые и 29-я моторизованная дивизии, применяя тактику «сдерживающего сопротивления», с боями отошли за Десну, где и закрепились. Отбросить их дальше на запад (создав тем самым реальную угрозу тылам 2-й танковой группы. – *А.Б.*) войска Брянского фронта не смогли...

...Гудериан продолжал основными силами стремительно продвигаться в тыл Юго-Западному фронту. Более того, всю 17-ю танковую дивизию вместе с моторизованным полком «Великая Германия» он снял со своего растянутого левого фланга и бросил в наступление против 40-й армии»[30].

Результаты не заставили себя ждать. Уже 2 сентября сплошной организованной обороны советских войск между Черниговом и Шосткой не существовало. 12 сентября немцы нанесли удар с Кременчугского плацдарма и заняли Хорол. На следующий день передовые части 2-й танковой группы овладели Ромнами и прорвались к Лохвице. Парировать удары Юго-Западному фронту было нечем, его войска изолировались немцами друг от друга концентрическими ударами с многих направлений.

14 сентября начальник штаба Юго-Западного фронта генерал-майор В.И. Тупиков, информируя Ставку о создавшемся положении, закончил свой доклад словами: «Начало понятной вам катастрофы – *дело пары дней*». Шапошников назвал доклад Тупикова паническим...[31] Он все еще надеялся на удар Еременко. Лишь 17 сентября Верховное главнокомандование дало разрешение на оставление Киева. Глубокой ночью Кирпонос отдал приказ всем армиям с боями выходить из окружения, но было уже поздно. Почти сразу же была потеряна связь как со штабами армий, так и со Ставкой. Противник рассекал окруженные армии на части и уничтожал их поодиночке. 20 сентября в бою в роще Шумейково, у хутора

Дрюковщина Сенчанского района, погибли командующий фронтом генерал-полковник М.П. Кирпонос и член Военного совета М.А. Бурмистенко. Начальник штаба фронта генерал-майор В.И. Тупиков был убит 21 сентября при попытке прорыва.

Кто-то сумел вырваться из окружения, пробился к своим и воевал еще. Большинство, многие сотни тысяч, погибли или попали в плен[32]. Потеряна была и вся почти техника. Четыре армии, 5-я, 21-я, 26-я, 37-я, и часть сил 38-й армии были уничтожены. Фронт откатился на восток еще на несколько сот километров. Собственно, его пришлось восстанавливать заново. Клейст, который потерял в непрерывных тяжелых боях больше половины своих танков, который и думать не смел в одиночку противостоять Юго-Западному фронту, получил возможность продвинуться до Ростова.

Все приходилось начинать и готовить заново...

Многие, в том числе и В. Карпов, считали и считают, что немалая доля вины за происшедшее ложится на генерала Еременко. Но что же он сам? Нимало не смущаясь, Еременко утверждает следующее: «...отдельные историки считают, что Брянский фронт... был создан Ставкой якобы в предвидении возможного развития наступления врага в направлении Чернигов – Конотоп – Прилуки. *Это толкование искажает реальные исторические факты*. Общеизвестно, что по плану «Барбаросса» гитлеровцы стремились как можно быстрее овладеть Москвой... Но упорное сопротивление и контрудары наших войск в районе Смоленска, Ярцева, Ельни *(!)* заставили врага оттянуть танковую группу Гудериана несколько южнее с целью захватить Брянск[33]. Ставка своевременно поняла этот замысел и весьма обоснованно решила создать Брянский фронт с задачей *прикрыть с юга Московский стратегический район, не дать гитлеровцам прорваться через Брянск на Москву* и нанести им поражение... Именно эта задача подчеркивалась Ставкой и в последующих ее директивах. Таким образом, приведенное выше мнение об иной задаче фронта совершенно не соответствует действительности. К сожалению, на основании этого домысла, хотя и намеком, командование Брянского фронта упрекается в том, что оно допустило поворот и удар вражеской группы армий «Центр» на юг...

Мы можем сказать, что войска Брянского фронта добросовестно выполнили *основную* задачу, поставленную перед нами Ставкой, не допустить прорыва группы Гудериана через Брянск на Москву»[34].

Иными словами, Еременко, по существу, утверждает, что перед Брянским фронтом стояла задача не нанести фланговый удар по 2-й танковой группе немцев с целью если не разгрома ее, то прикрытия правого фланга Юго-Западного фронта, а исключительно воспрепятствовать возможному продвижению Гудериана на Москву. Абсурдность этого утверждения очевидна. Вплоть до 30 сентября немцы на Москву не наступали, у них не хватало для этого сил. Тот факт, что Брянский фронт был спешно усилен танками и авиацией также не свидетельствует в пользу Еременко. Если Сталин и Шапошников не рассчитывали на удар Брянского по флангу и тылам Гудериана, на что же они надеялись, запрещая сдавать Киев, когда коммуникации Юго-Западного фронта уже перерезались противником? И, наконец, если перед Еременко в действительности стояла лишь ограниченная задача – прикрыть Московское направление, зачем Сталину было расформировывать Центральный фронт и переподчинять его войска, прикрывающие фланг Кирпоноса, Еременко?

Разумеется, в мемуарах Еременко о разговоре по прямому проводу со Сталиным, состоявшемся 24 августа, о своем обещании безусловно разбить «подлеца Гудериана» не упоминает. Но... из песни слова не выкинешь.

Рассуждения о том, что заслон, выделенный Гудерианом для прикрытия фланга, был не так уж и слаб, и напротив, Брянский фронт не имел сил для наступления с решительными целями, тоже достаточно спорны. Сталин, надо отдать ему должное, усилил Брянский фронт, как только мог. «Брянский фронт задачу на наступление получил 30 августа... Для удара на Стародубском направлении, которое Ставка считала главным, она предлагала сосредоточить *не менее десяти дивизий* с танками...[35]

Возлагая на Брянский фронт ответственность за ликвидацию опасности, нависшей с севера над Юго-Западным фронтом, Ставка значительно укрепила его своими резервами, в том числе танками и артиллерией. Кроме того, в полосе Брянского фронта была сконцентрирована авиация Центрального и Резервного фронтов, 1-я резервная авиагруппа, части дальнебомбардировочной авиации. Брянский фронт поддерживали 464 самолета, в том числе 230 бомбардировщиков, 179 истребителей и 55 штурмовиков...»[36]

Но даже если это и так, и Еременко действительно не имел физической возможности сбить заслон немцев на Десне, как же посмел он пообещать Сталину *разбить* танковую группу Гудериана? Никто ведь не тянул за язык. Ответил бы, извините, товарищ Сталин, никаких гарантий дать не могу, *сильны немцы*. Не расстреляли бы его за это. Но Еременко держался бодро и уверенно. Непонятно, на каком основании *еще до соприкосновения вверенного ему фронта с противником* обещал Гудериана разгромить непременно. И Сталин в то время, когда дела шли из рук вон плохо и фронт то здесь, то там прогибался и рушился, решил, что такой уверенный и основательный человек ему и нужен, на такого и следует опереться. Своими безответственными заверениями Еременко дезориентировал Ставку и лично Верховного, что, вне всякого сомнения, и привело к запоздалому отходу Юго-Западного фронта и в конечном счете к происшедшей трагедии...

Несколько слов об упомянутом Жуковым идолопоклонстве. Надо признать, Еременко оно было присуще. В августе 42-го в разговоре по прямому проводу Василевский проинформировал Еременко о точке зрения

Верховного Главнокомандующего относительно ряда организационных вопросов по обеспечению обороны Сталинграда[37] и поинтересовался его мнением. Высказывая его, Еременко обронил крылатую фразу, надолго ставшую атрибутом этикета советского и российского чиновничества. Он сказал: «Я отвечаю. *Мудрее товарища Сталина* не скажешь, и считаю: совершенно правильно и своевременно»[38]. Сразу вспоминается и «подлец Гудериан», и «армия-освободительница», вошедшая в Польшу вместе с «разбойничьим вермахтом».

При этом вовсе не утверждаю, что вермахт – не разбойничий. А просто для части советской, в том числе и военной номенклатуры (отнюдь не для всех!) стало правилом хорошего тона ронять при случае подобные определения.

Представьте пилота в современном воздушном бою. Времени ответить на запросы у него не остается. Аппаратура сама передает спасительный отзыв: «Я – свой! Я – свой!» Так и здесь. Меняется время, меняются вожди[39] и приоритеты, но суть остается прежней. Хороший номенклатурщик помнит об этом всегда и не забывает время от времени семафорить: «Я – из обоймы, ныне правящей команде, ныне здравствующему вождю, ныне утвержденному флагу – предан».

И пристрастие к идолопоклонству вовсе не определяет уровень военной подготовки конкретного человека. Скорее заставляет задуматься, а почему, собственно, из двух, скажем, с одинаковой биографией комбатов одного расстреляли без суда и следствия, а другой – сразу поставлен был на дивизию, а то и корпус? Задуматься о критериях отбора великой чистки. И кажется мне почему-то, что критерии эти были сколь случайны, столь же мелки и ничтожны...

С уничтожением окруженных армий Юго-Западного фронта, как известно, наши злоключения не кончились. Сдавив удавкой окружения не сдающийся Ленинград, обеспечив свой южный фланг, вермахт мог, наконец,

сосредоточить усилия на решающем Центральном направлении.

После перегруппировки в полосе от Андреаполя до Рыльска в составе группы армий «Центр» немцы сосредоточили 3-ю, 4-ю и 2-ю танковые группы, 9-ю, 4-ю и 2-ю полевые армии. Им противостояли три наших фронта: Западный[40], Резервный[41] и Брянский[42].

И вновь, в который уже раз с начала войны, немцы нанесли несколько рассекающих ударов, прорвали наш фронт[43] и устремились к Москве. При этом им удалось окружить в районе Вязьмы части пяти наших армий Западного и Резервного фронтов, а под Трубчевском – основные силы Брянского фронта[44]. Бои отличались особым ожесточением, однако поставленные в очередной раз в тактически проигрышное положение советские войска вынуждены были отступать. К концу октября ценой неимоверных усилий фронт удалось на какое-то время стабилизировать уже в непосредственной близости от столицы. Немцам показалось, что от победы их отделяет один только шаг. Как известно, сделать его вермахту было не дано...

Хотелось бы отметить вот что. Немцы, конечно, располагали значительным преимуществом, однако в живой силе их перевес был не столь велик. Командующие фронтами имели более чем достаточно времени для подготовки надежной обороны[45]. Тактику наступления немцев *пора было бы уже изучить досконально* и найти противоядие против рассекающих ударов компактных танковых группировок. Наши войска вышли из сентябрьских боев ослабленными, но и немцы были не железными. В частности, 2-я полевая армия и 2-я танковая группа, едва успев проделать с боями тяжелейший марш-бросок к югу, без какой-либо оперативной паузы вновь привлекались для наступления с решительными целями. О тактической внезапности, подобной той, которую немцам удалось достичь в начале войны, не было и речи[46].

К тому же во главе Западного фронта стоял Иван Степанович Конев, заслуживший репутацию грамотного, *думающего* командира. Однако наша оборона вновь не выдержала. Вот что говорит по этому поводу Г.К. Жуков: «Несмотря на превосходство врага в живой силе и технике, наши войска могли избежать окружения. Для этого необходимо было своевременно более правильно определить направление главных ударов противника и сосредоточить против них основные силы и средства за счет пассивных участков. Этого сделано не было, и оборона наших фронтов не выдержала сосредоточенных ударов противника. Образовались зияющие бреши, которые закрыть было нечем, так как никаких резервов в руках командования не оставалось.

К исходу 7 октября все пути на Москву, по существу, были открыты»[47].

Но почему войска всех трех фронтов были традиционно растянуты в линию одинаковой плотности? Почему командующие не позаботились о создании в тылу мобильных резервов, способных контратаковать прорвавшегося противника? Почему, наконец, не были предприняты попытки выявить направление будущих ударов и создать на этих участках устойчивую глубокоэшелонированную оборону? В то, что наши военачальники, тот же Конев, даже отступив до Москвы, все еще не понимали тактики немцев, – не верю. Тогда в чем же дело?

Бытует мнение, что Конев все делал правильно, но перевес врага в силах был слишком велик. Но ведь тот же Жуков сумел организовать оборону Москвы, находясь в куда более сложной ситуации, выстроив ее едва ли не «с нуля», и столицу отстоял.

Когда прилетевший из Ленинграда Жуков после короткого разговора со Сталиным выехал в войска, в штабе Западного фронта он мог наблюдать неприглядную картину. Командующий и штаб выглядели не просто усталыми, но какими-то потрясенными, напуганными. И отнюдь не немцами[48]. Доказать это невозможно, но

думаю, этот самый довлеющий над ними страх и стал в конечном итоге причиной очередного разгрома.

Ведь усилить наиболее угрожаемые участки – *значит в той же мере ослабить остальные*. Но кто его знает, где противник будет прорываться и какой участок обороны окажется главным, а какой – второстепенным? В том и талант полководца – встретить врага в оптимально выстроенной группировке. Только, как известно, одаренные люди ошибаются даже чаще, чем простые смертные. Но за подобным просчетом вполне может последовать вопрос: а кто вас, товарищ, надоумил оголить фронт и открыть врагу дорогу на Москву? Создашь в тылу мощный кулак, и, в случае неудачи, компетентные органы не преминут поинтересоваться, как это получилось, что перед самым боем лучшие части с фронта были удалены? Это по недомыслию или как?

Так стоит ли рисковать? Не проще и *не безопасней ли* растянуть войска тонкой ниточкой, пусть зыбкой, ненадежной, зато перекрывающей *все*, и надеяться на авось, на то, что пронесет, что солдаты не выдадут, совершат чудо, лягут костьми, но немцев не пропустят. *Убежден, подобным образом наши военачальники и рассуждали*. Страх принять неверное решение не давал взять на себя дополнительную ответственность, сковывал их инициативу, заставлял «не высовываться». Все это было и раньше, но так или иначе нивелировалось нашим превосходством в силах и средствах и оставалось если не незамеченным, то ненаказуемым. Однако воевать подобным образом с вермахтом, давать немцам *такую* фору, было равносильным заранее обречь себя на поражение. Не случайно сказал Жуков о Коневе: «Надо сказать, что до Курской битвы И.С. Конев плохо командовал войсками, и ГКО неоднократно отстранял его от командования фронтом»[49]. Обратите внимание, Жуков не говорит «был плохим командиром», а – «плохо командовал». Согласитесь, это не одно и то же.

Когда на южном фасе Курской дуги обескровленные

танковые дивизии немцев отступили и инициатива прочно перешла в наши руки, многие, до того не блиставшие наши военачальники словно стряхнули с себя оцепенение. И неудивительно. Если до Сталинграда любой просчет был чреват катастрофическими последствиями, то начиная со второй половины 43-го ошибки уже не были смертельными, уже можно было принимать смелые неординарные решения и... почти не бояться их последствий.

Чистка, все та же чистка не обошла стороной никого. Люди изменились, и не в лучшую сторону. Конева Жуков спас тогда от неминуемого расстрела, назначив после октябрьского разгрома Западного фронта на должность своего заместителя. Прошли годы, отгремели бои, и бывший подчиненный ответил Георгию Константиновичу черной неблагодарностью. Когда Сталин посчитал, что Жуков может стать для него опасным, была организована травля маршала. По существу, ему были предъявлены обвинения в антиправительственном заговоре. На собрании высшего командного состава, где Жукова унижали как могли, одним из первых выступил с резкой критикой Конев. Не стоит и говорить, чем это было чревато для маршала. Случалось, после такого люди бесследно исчезали из этой жизни.

Мне возразят, *все были такими, все так поступали*. Нет, не все! Тот же Рыбалко совестью не поступился и не побоялся выступить в защиту опального маршала. А Конев продолжал в том же духе, с готовностью подхватывая любое, самое мерзкое начинание властей одним из первых. Вот что сказал о нем Хрущев: «...Конев – это человек особого склада ума и особого характера. Он – единственный из крупных военачальников, кто «откликнулся» на материал, который был разослан Сталиным по делу «врачей-вредителей», арестованных под конец жизни Сталина. Конев в ответ на эти псевдоматериалы прислал Сталину письмо, в котором солидаризировался с разосланной фальшивкой, хотя это была липа. Он укреплял

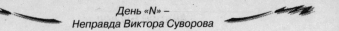

Сталина в мысли о правильности ареста врачей... Это просто позор для честного человека! Не могу примириться с тем, как это мог культурный человек согласиться с бредом, который выдумал Сталин»[50].

Умер Сталин, арестовали и судили Берию[51]. Жуков вернулся ненадолго на пост министра обороны и тут же... попал в опалу вторично. Теперь уже им тяготился Хрущев. В октябре 57-го Пленум освободил Георгия Константиновича от занимаемой должности, вывел из состава членов Президиума ЦК КПСС и членов ЦК КПСС. А менее чем через месяц с «разоблачительной» статьей в «Правде» выступил И.С. Конев. В ней он, помимо прочего, ставил в вину Жукову недостаточную нашу готовность к войне. Нравится нам или нет, но *так было*.

Повторюсь, прямой связи между военным талантом и, как бы это сказать, особенностями характера нет, и отдельные неблаговидные поступки высших командиров никоим образом не умаляют их боевые заслуги. Только вот зачастую эти особенности не позволяли таланту своевременно раскрыться.

В свете всего изложенного возникает вопрос: так соответствовали даже лучшие наши военачальники, вне всякого сомнения, заслуженные, сильные командиры, требованиям современной войны, готовы ли они были организовать и провести широкомасштабные наступательные операции в июле 41-го? Способны успешно атаковать сильнейшую армию мира?

Могли ли мы позволить себе напасть первыми?

На мой взгляд, ответ очевиден. Впрочем, читатель вправе судить об этом сам...

Несколько слов о Втором стратегическом эшелоне. То, что пять армий[52] выдвигались с середины июня к Днепру, – факт. Но разве из этого непременно следует, что мы готовили превентивный удар? В защиту «наступательного плана» В. Суворов приводит следующие аргументы: войска уходили, и в случае *бунта (!)*[53] во внутренних округах Сталин уже не мог рассчитывать на поддержку армии.

Ряд советских военачальников в своих мемуарах якобы утверждали, что Второй эшелон создавался для развития возможного успеха и что некоторые командиры, так или иначе соприкасавшиеся с Жуковым, и часть его халхингольских боевых товарищей занимали в армиях Второго эшелона те или иные должности.

О «людях Жукова» сказано, полагаю, достаточно.

Что касается бунтов в оставляемых войсками внутренних округах... Поверьте мне, если бы советской власти, власти товарища Сталина действительно хоть что-то угрожало, если серьезные беспорядки, подавить которые можно было бы, лишь применив армию, стали бы реальностью, из внутренних округов не то что армии, батальоны не были бы переброшены на запад.

Только Иосиф Виссарионович мог не опасаться. Миллионы тех, кто могли бунтовать *и бунтовали*, в большинстве своем были постреляны-порубаны еще в Гражданскую. Не то что бунтовать, не то что слово сказать, *бросить косой взгляд* было уже некому. *Недовольные*, излишне информированные, доверчивые и не в меру разговорчивые укрепляли социализм, *доходили* в бесчисленных гулаговских лагерях. Да и когда это НКВД выпускал ситуацию из-под контроля? Зачем ему помощь армии, когда этой самой РККА чекисты *без малейшего с ее стороны сопротивления* нанесли урон едва ли не больший, чем вермахт с самураями за всю бесконечно долгую войну?

Кстати, В. Суворов утверждает, что еще до войны во внутренних округах прошла тотальная мобилизация, и затем выбрано все подчистую. Но за счет чего же тогда *и за счет кого* формировались в спешном порядке и отправлялись на фронт затыкать очередную брешь все новые и новые армии? Как известно, фронт пришлось восстанавливать не один раз. Думается, что пополнялась действующая армия не за счет приписного состава и резервистов оккупированной немцами Прибалтики, Белоруссии и Украины.

Но ведь сказал же генерал-майор В.Земсков: «Эти

резервы мы вынуждены были использовать не для наступления в соответствии с планом, а для обороны»[54]. Не собираюсь втягиваться в дискуссию, *о каких*, собственно, резервах речь. Отмечу лишь, что к тому времени в Советском Союзе была создана обстановка, в которой никто не мог даже высказать предположения, что вермахт прорвет оборону советских войск и продвинется в глубь страны на тысячи километров. Очевидно, что командиры выдвигающихся к Гомелю и Киеву соединений *не могли* быть нацелены на ведение оборонительных операций на этих, столь удаленных от границы рубежах. В лучшем случае, им предписывалось быть готовыми ликвидировать просочившегося врага.

И главное.

Если бы войска Второго эшелона предназначались исключительно для наступательных действий на территории противника, армии выгружались бы не в пятистах километрах от границы, а в непосредственной от нее близости. Судите сами, какой смысл поднять громоздкое армейское хозяйство, перевезти его за тысячи километров, выгрузить и обустроить, а затем вновь погрузить, вновь перевезти к рубежу развертывания и вновь выгрузить. Речь ведь идет не о роте – об армии с ее инфрастуктурой, техникой, транспортом, тылами. Достаточно упомянуть, что на перемещение из Забайкалья в район Шепетовки и развертывание 16-й армии генерал-лейтенанта М.Ф. Лукина планировалось затратить почти месяц[55]. Если бы она предназначалась исключительно для введения в прорыв[56], ее целесообразно было бы выгрузить западнее, в Бродах, Тернополе или Ровно, откуда войска могли выдвинуться к фронту походным порядком.

Приходится сделать вывод о том, что Второй эшелон на деле являлся стратегическим резервом Ставки и применение свое должен был найти в зависимости от сложившейся обстановки. Опрокинь мы немцев в приграничном сражении, не исключаю, что та же 16-я армия *со временем* была бы подтянута к фронту и развила успех.

Но это вовсе не означает, что был разработан *и утвержден* конкретный план превентивного удара.

Повторюсь, Сталин оказался в безвыходной ситуации. С одной стороны, почти не скрываемая концентрация всей мощи вермахта у его границ, непрекращающиеся пролеты немецкой разведывательной авиации в глубокий наш тыл, глухое молчание немцев в ответ на известное Заявление ТАСС, настойчивые увещевания военных и угрожающие, из разных источников, разведсводки *не могли его не насторожить*.

С другой – Сталин не верил, что его армия способна разгромить врага[57], единственный выход видел в том, чтобы убедить немцев в своем миролюбии. Возможно, как ему представлялось, все еще оставался шанс перенацелить следующий удар вермахта с востока на запад, отвести на месяц-другой непосредственную угрозу и тогда уже *делать выводы*[58]. Отсюда и половинчатость его решений. Отсюда и сроки. Как свидетельствует Жуков, Генеральный штаб дал директиву выдвигать войска из внутренних округов на запад 13 мая[59], первый эшелон с войсками 34-го стрелкового корпуса, перемещаемого с Северного Кавказа на Украину, должен был прибыть 20 мая[60], но ведь и война *должна была начаться раньше*. Ее почти на месяц оттянули известные события в Югославии, вынудившие немцев перед нападением на СССР провести Балканскую кампанию. Логично предположить, что Сталин санкционировал выдвижение отдельных соединений в приграничные округа, ориентируясь на соответствующие разведывательные данные, в которых сообщалось, что немцы, как ими и планировалось, нападут в конце мая – первых числах июня.

То, что выдвижение армий Второго эшелона, – не часть «сталинского плана», а его уступка настойчивости Жукова и Тимошенко, не введение в действие всех механизмов войны[61], а скорее рефлекторная реакция спящего хищника, почуявшего приближение врага, – для меня очевидно.

В итоге Второй стратегический эшелон хотя и с запозданием, но начал разворачиваться, на наше счастье, именно там, *где надо*. Если бы его армии выгрузились у границы, то, вполне вероятно, разделили бы судьбу войск прикрытия. Вот что говорит по этому поводу Жуков: «В последние годы принято обвинять И.В. Сталина в том, что он своевременно не дал указаний о подтягивании... наших войск из глубины страны для встречи и отражения удара врага. Не берусь утверждать, что могло бы получиться в таком случае – хуже или лучше. Вполне возможно, что наши войска, будучи недостаточно обеспечены противотанковыми и противовоздушными средствами обороны, обладая меньшей подвижностью, чем войска противника, не выдержали бы рассекающих мощных ударов бронетанковых сил врага и могли оказаться в таком же тяжелом положении, в каком в первые дни войны оказались некоторые армии приграничных округов. *И еще неизвестно, как тогда в последующем сложилась бы обстановка под Москвой, Ленинградом и на юге страны*»[62].

К счастью, этого не произошло. И это, пожалуй, единственный случай, когда неуверенность Сталина в силе собственной армии принесла свои положительные плоды.

Примечания

[1] Суворов В. Последняя республика, с. 241.

[2] Следует, правда, отметить, что по количественному составу пехотная дивизия вермахта превосходила стрелковую дивизию РККА в полтора-два раза. Так же и полевые армии немцев по своей структуре ближе к нашему фронтовому объединению.

[3] Это кажется, конечно, что все просто, а на самом деле... Непросто было немецким танкистам раз за разом прорывать наш фронт, отбивая при этом яростные фланговые контратаки советских мехкорпусов. Непросто было и Жукову точно определить, где противник нанесет удар, и заставить поверить привыкающих к череде поражений, опустивших руки подчиненных в то, что врага *можно остановить*.

[4] Вермахт брал свое во многом за счет маневра. Даже намек на позиционную войну был для немцев гибельным, и проиграли они не тогда, когда «тридцатьчетверки» ворвались на улицы Берлина, а когда их ударные группировки уже не в состоянии были прорывать фронт советских войск.

[5] Войска были сняты с дальневосточных границ *до 6 декабря*. Сталин не мог наверняка знать, что японцы не воспользуются моментом и не нападут, но деваться было некуда. Его судьба решалась не в Забайкалье, а под Москвой. После Перл-Харбора вождь, без сомнения, вздохнул спокойно.

[6] Мое мнение, лишь в конце войны армия вплотную подошла к той черте, за которой равенство с немцами в военном искусстве. Воевать они, что ни говорите, были мастера. Мы же, если взглянуть правде в глаза, зачастую брали числом, а не умением. Другое дело, что сохранять почти всю войну, а потом и наращивать количественное превосходство в живой силе и технике – это тоже искусство.

[7] Собственно, начало разговорам о том, что Жуков мало ценил жизнь вверенных ему людей и допускал бессмысленные жертвы, положил Эйзенхауэр. В своих мемуарах американский генерал упоминает о том, что Жуков якобы поведал ему, как, торопясь сбить немцев с Зееловских высот, он направил пехоту штурмовать укрепления противника, не позаботившись о разминировании Предполья. Не берусь комментировать, ведь кто и когда считал у нас погибших? Впрочем, могло быть и так, что Жуков подобными действиями пытался сделать атаку неожиданной для противника и, следовательно, решить задачу с меньшими потерями.

[8] В этой связи упоминаются, в частности, К.К. Рокоссовский и А.М. Василевский.

[9] Халхин-Гол и окружение Западного фронта далеко не аналогичные операции. Если Жуков имел дело с изолированной, втянувшейся в полуокружение вражеской группировкой, то немцы рвали всю нашу тысячекилометровую оборону. Если танковым бригадам Жукова для окружения японцев пришлось преодолеть десяток-другой километров, то немцы прошли их – до пятисот.

[10] Воинские звания даны на начало войны.

[11] Справедливости ради следует отметить, что В. Суворов не называет Конева «человеком Жукова».

[12] Суворов В. День М, с. 216–222.

[13] Музыченко, Потапов, Понеделин, Лукин, Власов.

[14] Жуков Г.К. Воспоминания и размышления. Т. 1, с. 248. Эти строки цензура также не пропустила.

[15] Воспоминания А.И. Еременко «В начале войны» были опубликованы в 1964 году, когда хрущевская «оттепель» шла уже на убыль.

[16] Еременко А.И. В начале войны, с. 23.

[17] Среди которых и не лучшим образом проведенная Еременко наступательная операция Брянского фронта.

[18] В состав фронта вошли 29-я, 30-я, 24-я, 28-я, 31-я и 32-я армии. Задача – подготовить оборону от Старой Руссы до Брянска. Командующий – генерал-лейтенант И.А. Богданов.

[19] История Великой Отечественной войны Советского Союза. 1941–1945. Т. 2, с. 69, 70.

[20] Достаточно упомянуть, что 21 июля советским войскам удалось выбить противника из Великих Лук, а 27 июля части 16-й армии ворвались в Смоленск с севера и заняли вокзал. Противнику удалось окружить 16-ю и 20-ю армии северо-западнее города, и хотя большая часть личного состава вырвалась из окружения, наступление на Смоленск пришлось отменить.

[21] Еще до начала Смоленского сражения, 6 июля из района севернее Орши нанесли контрудар 5-й и 7-й мехкорпуса. В нем приняли участие *до тысячи (!)* танков. 13 июля 63-й стрелковый корпус комкора Л.Г. Петровского форсировал Днепр, освободил Жлобин и Рогачев и, охватывая правый фланг могилевской группировки противника, двинулся на Бобруйск. 14 августа 34-я армия и часть сил 11-й армии Северо-Западного фронта нанесли внезапный удар и продвинулись почти на 60 километров, охватив фланг старорусской группировки противника. Чтобы отбросить советские войска в исходное положение, немцам пришлось подтянуть из района Смоленска 39-й моторизованный корпус. Нет нужды говорить, что упомянутые контратакующие действия, не принесшие успеха, тем не менее держали немцев в постоянном напряжении и вынуждали их отвлекать значительные силы, потенциально ослабляя ударные группировки.

[22] Создан Ставкой Верховного командования в составе выделенных из Западного фронта 13-й и 21-й армий. Командующий – генерал-полковник Ф.И. Кузнецов.

[23] В его составе 50-я и 13-я армии.

[24] Как видим, Жуков не верил в способность Еременко радикально повлиять на ситуацию, но в данном вопросе он оказался в меньшинстве, был снят Сталиным с должности начальника Генштаба, направлен на Резервный фронт и с трудом, но взял Ельню. Его прогноз о скорой катастрофе под Киевом более чем оправдался.

[25] В августе на должность командующего Центральным фронтом был назначен генерал-лейтенант М.Г. Ефремов. После расформирования фронта он вступил в должность заместителя командующего Брянским фронтом.

[26] 25 августа Ставка расформировала Центральный фронт и передала его войска в состав Брянского фронта. Однако вскоре войска были отрезаны от основных сил, и 6 сентября Ставка передала их в состав Юго-Западного фронта.

[27] Риторика-то какая. Сталин ему необычное: *подлец Гудериан*. И командующий фронтом подхватывает, будто эхо: *подлец*... Видно, нравилась вождю столь грубая лесть. Во всяком случае, разговаривал он с Еременко иначе, чем с тем же Кирпоносом, которому позже, когда

катастрофа стала фактом, бросил в сердцах: «Перестать, наконец, заниматься исканием рубежей для отступления, а искать пути для сопротивления...»

[28] Цит. по: К.С. Москаленко. На Юго-Западном направлении, с. 78.

[29] Назначен вместо Жукова начальником Генерального штаба.

[30] Москаленко К.С. На Юго-Западном направлении, с. 79, 87.

[31] Великая Отечественная война Советского Союза. 1941–1945. Т. 2, с. 108.

[32] Гудериан говорит о 290 000 советских пленных, взятых в районе восточнее Киева. Можно оспаривать эти цифры, но факт остается фактом: к зиме Красная Армия только лишь пленными потеряла более трех миллионов человек!

[33] Не правда ли, может создаться впечатление, что Гудериан устремился к Ромнам и Лохвице, едва ли не пытаясь выйти из-под ударов Западного фронта. При этом 2-я танковая группа все пыталась повернуть на восток, но Брянский фронт преграждал ей дорогу к столице и, сопровождая на параллельных курсах, гнал на юг.

[34] Цит. по: *В. Карпов*. Маршал Жуков, его соратники и противники в годы войны и мира. Роман-газета, 1991, № 12, с. 44, 45.

[35] Нелишне напомнить, что Гудериан смог выделить против Брянского фронта лишь три дивизии, одну из которых к тому же вскоре перебросил на главное направление. Не могли немцы усилиться и за счет других соединений группы армий «Центр». Одновременно с Брянским наступательные действия развернул и Резервный фронт. Жуков брал Ельню.

[36] История Великой Отечественной войны Советского Союза. 1941–1945. Т. 2, с. 104, 105.

[37] Речь шла отнюдь не о проблемах мировой революции и марксизма-ленинизма. Сталин предлагал передать под начало Еременко наряду с Юго-Западным фронтом и Сталинградский и назначить начальником гарнизона генерала от НКВД Сараева.

[38] Москаленко К.С. На Юго-Западном направлении, с. 293.

[39] Умер Сталин, и Еременко враз забыл о его мудрости. Более того, всю вину за гибель Юго-Западного фронта переложил на лучшего друга всех полководцев. Судите сами: «Сталин в данном случае пренебрег одним из главных принципов военной стратегии о необходимости сберечь армию, даже рискуя потерять территорию... Командующий Юго-Западным фронтом М.П. Кирпонос под давлением Сталина не смог принять своевременно мер для спасения своих армий, хотя и знал, что угроза окружения стала неизбежной... В самом начале окружения вражеский фронт едва ли был повсеместно прочным, поэтому при организованном ударе он мог и не устоять. Однако Сталин разрешил отход из Киева слишком поздно... К таким катастрофическим итогам привело грубое попрание Сталиным азбучных истин» (Еременко А.И. В начале войны, с. 332, 338). Что к этому добавить? Мудрее не скажешь...

[40] В составе фронта 22-я, 29-я, 30-я, 19-я, 16-я и 20-я армии. Командующий – генерал-полковник И.С. Конев.

[41] В составе фронта 31-я, 49-я, 32-я, 33-я армии, которые были развернуты в тылу Западного фронта, 24-я и 43-я армии. Командующий – Маршал Советского Союза С.М. Буденный.

[42] Командовал фронтом в составе 50-й, 3-й, 13-й армий и оперативной группы генерал-майора А.Н. Ермакова все тот же генерал-полковник А.И. Еременко.

[43] Следует отметить, что вермахт прорвал с ходу оборону не только Брянского и Западного, но и расположенного в его тылу Резервного фронтов.

[44] Окружены были 3-я и 13-я армии. Немцы, продвигаясь по тылам Брянского фронта на Орел и Брянск, не имели ни сил, ни времени, чтобы создать сплошной фронт окружения, и нашим войскам хотя и с трудом, но удалось вырваться. Любопытно, что на всех почти картах их отход обозначен тонким пунктиром. В мемуарах же Еременко прорыв Брянского фронта назван «ударами на восток с перевернутым фронтом». При этом жирные красные стрелы разгоняют со своего пути неброские синие ромбики немецких моторизованных корпусов, будто щука стаю мальков. Такой бы напор выказать при ударе на запад, с «нормальным» фронтом, Смоленск точно был бы освобожден еще в 41-м.

[45] Смоленское сражение завершилось еще 10 сентября, когда Западный и Резервный фронты перешли после взятия Ельни к обороне. Что касается Еременко, то ему сам Бог велел подготовиться к обороне. Ведь согласно его версии Сталин отдал устный приказ прикрыть Московское направление со стороны Брянска еще в середине августа.

[46] На основании разведданных Ставка предупредила командующих фронтами о возможности крупного наступления немцев в ближайшие дни на Московском направлении еще 27 сентября.

[47] Жуков Г.К. Воспоминания и размышления. Т. 2, с. 217, 218.

[48] Было чего испугаться. После аналогичного, пожалуй, даже меньшего по масштабам, разгрома были расстреляны Сталиным высшие офицеры этого самого Западного фронта во главе с его командующим Д.Г. Павловым.

[49] Жуков Г.К. Воспоминания и размышления. Т. 2, с. 226.

[50] Хрущев Н.С. Воспоминания, с. 199. Справедливости ради следует отметить, что сам Никита Сергеевич «солидаризировался» в свое время и не с таким бредом.

[51] Арест осуществил Жуков с генералами Батицким, Москаленко, Неделиным и двумя адъютантами. Впоследствии при Хрущеве все три генерала получили маршальские погоны.

[52] В состав Второго эшелона входили 22-я, 20-я, 21-я, 16-я и 19-я армии, которые разворачивались на рубеже вдоль Западной Двины и Днепра от Полоцка до Кременчуга. Всего из внутренних округов выдвигалось 28 дивизий.

[53] Вот его слова: «Если бы вспыхнул бунт, то его нечем было подавить: ВСЕ дивизии ушли к германским границам... Бунты подавляет НКВД, но в случае достаточно серьезных событий одними войсками НКВД не обойдешься – нужна армия... войскам предстояло совершить нечто более серьезное, чем сохранение советской власти во внутренних районах Советского Союза...» (Суворов В. Ледокол, с. 230, 231). Это – «более серьезное», утверждает В. Суворов, – превентивный удар по Германии.

[54] ВИЖ, 1971, № 10, с. 13.

[55] Жуков Г.К. Воспоминания и размышления. Т. 1, с. 365.

[56] Наряду с 32-м стрелковым корпусом, рядом артиллерийских и вспомогательных частей, армия располагала и 5-м механизированным корпусом.

[57] Для Сталина одинаково смертельным был как скорый разгром, так и затяжная война. Того же, как ему представлялось, должен был опасаться и Гитлер. Однако немцы с какой-то бесшабашностью набрасывались на сильнейшего противника и добивались молниеносной победы. Такая уверенность в своих силах, такое балансирование на острие иглы были непонятны вождю и страшили его не меньше достигнутых вермахтом успехов.

[58] При этом вовсе не исключаю, что и тогда Сталин *не рискнул бы*. Он-то прекрасно понимал, что при определенных обстоятельствах демонстрация силы куда эффективней ее применения.

[59] Жуков Г.К. Воспоминания и размышления. Т. 1, с. 361.

[60] Баграмян И.Х. Так начиналась война, с. 63.

[61] Суворов В. Ледокол, с. 278.

[62] Жуков Г.К. Воспоминания и размышления. Т. 2, с. 26, 27.

Глава 12

НЕТ СВЯЗИ!

Когда знакомишься с работами В. Суворова, невольно обращаешь внимание на ту избирательность, с которой автор оперирует фактами. Все, что вписывается в его теорию, разбирается более чем подробно и выдвигается на передний план.

Но война, *такая* война, втянула в свою орбиту десятки миллионов. И каждый человек, по-своему представляя свою роль в войне, по-своему и действовал, по-своему и рассказывал о ней впоследствии. И если направление равнодействующей того, что мы знаем о войне, более-менее определено, то ее составляющие зачастую с ней не совпадают.

В жизни не бывает такого, чтобы все сходилось, чтобы каждое лыко – в строку. Как правило подразумевает наличие исключений, так и истина, требуя определенного количества доказательств, не может обойтись без опровержений.

Однако В. Суворову «неувязки» ни к чему. Все, что его не устраивает, автором если не отбрасывается напрочь, то интерпретируется весьма и весьма своеобразно, да и упоминается им вскользь, походя.

Вот, например, как комментирует В. Суворов развертывание накануне войны противотанковых артиллерийских бригад (птабр), характер действий которых отнюдь не наступательный: «...если готовится грандиозное советское наступление из Львовского выступа в глубину территории противника, то левый фланг самой мощной группировки войск, которая когда-либо до того создавалась в истории человечества, будет прикрыт Карпатами... а правый фланг надо будет прикрыть сверхмощным противотанковым формированием, причем у самой границы. Именно там бригада и находится...»[1]

При всем желании невозможно было требовать от 1-й птабр, о которой и идет речь, прикрыть растянутый фланг «грандиозного наступления». Задача бригады – локализация танкового прорыва противника. Эффективным ее применение могло быть лишь на относительно узком участке фронта, при поддержке авиации и прикрытии пехотных частей. Так, в первом своем бою бригада Москаленко оседлала *шоссе* и, понеся большие потери, немцев на Луцк не пропустила. В составе «сверхмощного противотанкового формирования» были 110 орудий калибра 76 и 82 мм, шестнадцать зенитных орудий калибра 37 мм и семьдесят два пулемета «ДШК»[2]. *Любой стрелковый корпус РККА с его двумя артполками имел орудий и минометов больше*, но разве из этого хоть что-то следует? Но, даже если допустить, что 1-я птабр действительно должна была прикрыть правый фланг нашего решительного наступления, следует учесть, что в приграничных округах формировалась не одна такая бригада и не две – *десять*[3]. Чьи фланги должны были прикрывать остальные девять? Об этом В. Суворов скромно умалчивает. Очевидный ответ: тактику немцев все же изучали и предпринимались меры, чтобы их танковым клиньям было что противопоставить, – его не устраивает.

Умалчивает В. Суворов и еще об одном обстоятельстве, обрекающем наступательные действия Красной Армии на неудачу. *В войсках практически не применялась беспроводная связь.*

Приходится лишь удивляться нашей беспечности. «Перед войной считалось, что для руководства фронтами... в случае войны будут использованы преимущественно средства Наркомата связи и ВЧ Наркомата внутренних дел. Узлы связи Главного командования, Генштаба и фронтов получат все нужное от местных органов Наркомата связи. Но они, как потом оказалось, к работе в условиях войны подготовлены не были...

Все эти обстоятельства обусловили главный недостаток в подготовке командиров, штабов соединений и армейских объединений: отсутствие умения хорошо управлять войсками в сложных и быстро меняющихся условиях боевой обстановки. Командиры и штабы *избегали пользоваться радиосвязью*, предпочитая связь проводную. Что из этого получилось в первые дни войны – известно...

Подземной кабельной сети, необходимой для обслуживания оперативных и стратегических инстанций, не было вовсе»[4].

Результаты ждать себя не заставили. В первые же часы немцы разбомбили узлы гражданской связи, и управление войсками, по существу, было потеряно. Последующее отступление и даже просто передислокация частей лишь усугубили положение. «Не имея связи, командармы и некоторые командующие округами выехали непосредственно в войска, чтобы на месте разобраться в обстановке. Но так как события развивались с большой быстротой, *этот способ управления еще больше осложнил работу*»[5]. Оно и понятно. Когда командующий фронтом выезжает в армию, в отсутствии связи он способен осуществлять руководство, в лучшем случае, армией. Соответственно, когда в войска выезжает командарм, в его подчинении в подобной ситуации – дивизия, и.т.д.

Мы все удивляемся, как это Павлов перебросил из-под Минска на запад войска, когда к городу уже подходили немцы, и кольцо окружения вокруг основных сил Западного фронта готово было замкнуться. *А он, возможно, и не знал об этом.* Да и он ли один? *Не владел обстановкой Генштаб.* «...Связь все не налаживалась. 28 июня пал Минск, и одиннадцать наших дивизий, оказавшихся западнее его, вынуждены были продолжать борьбу уже в тылу противника. *Генштаб узнал об этом не сразу*»[6].

К вечеру 22 июня в Ставке даже отдаленно не представляли, насколько положение серьезно. Напротив, информация, пришедшая с фронтов, вселяла оптимизм: враг якобы лишь вклинился незначительно в нашу оборону, но повсюду остановлен подошедшими регулярными частями. Первые наши контрудары производились не просто без надлежащей подготовки – *вслепую!*

К несчастью, подобное положение сохранялось вплоть до зимы. Широкую огласку получил эпизод, связанный со взятием немцами Юхнова. Когда 5 октября части 4-й танковой группы ворвались в этот городок и устремились к Малоярославцу, комендант Малоярославецкого укрепрайона комбриг Елисеев доложил об этом члену Военного совета Московского военного округа генерал-майору К.Ф. Телегину. Последний сообщил о случившемся в Генштаб и стал перепроверять полученные сведения. Командующий ВВС округа полковник Н.А. Сбытов несколько раз высылал к Юхнову опытных летчиков, чьи доклады сомнений не вызывали – немцы в городе.

Юхнов находился в глубоком тылу, на тот момент все пути от него на Москву были для врага открыты[7]. Информация была настолько угрожающей, что Сталин, которому доложили о происходящем из Генштаба, не поверил. Вместо того чтобы перепроверить полученные данные по своим каналам, Верховный Главнокомандующий потребовал от Телегина разыскать и арестовать «этого коменданта». Тем временем Сбытова вызвал к себе начальник Особого отдела РККА Абакумов. По понятным причинам вылеты осуществляли не оснащенные фотоаппаратами истребители. Подтвердить сообщения летчиков Сбытову было нечем. По иронии судьбы, данные о разведывательных полетах не были занесены и в журнал боевых действий. Полковника от крупных неприятностей спасло лишь то, что немцы и в самом деле заняли Юхнов. Согласитесь, однако, столь важная информация дошла до Ставки едва ли не случайно.

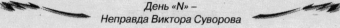

И этот пример далеко не единственный. Не случайно в первый период войны был создан так называемый корпус офицеров (связи) Генерального штаба. О том, что входило в круг обязанностей его работников, рассказывает Штеменко: «...в первые тяжелые месяцы войны до Генштаба доходили *порой* самые скудные и противоречивые данные о положении на фронтах. *Нередко мы знали о противнике гораздо лучше, чем о своих войсках.* И чтобы хоть как-то восполнить этот пробел, операторы сами летали выяснять, где проходит передний край нашей обороны, *куда переместились (!)* штабы фронтов и армий. При этом одни погибали, другие надолго выходили из строя по ранению...

Убыль квалифицированных кадров была настолько значительна, что руководству Генштаба пришлось в конце концов принять решение о создании специальной группы командиров для связи с войсками... Ставка назвала эту группу корпусом офицеров Генерального штаба. За всю историю Красной Армии слово «офицер» было применено здесь впервые...»[8]

Между тем Штеменко продолжает: «Впрочем, не легче доставались и данные о противнике. К каким только ухищрениям не приходилось прибегать! Помню, однажды нам никак не удавалось установить положение сторон на одном из участков Западного фронта. Линии боевой связи оказались поврежденными. Тогда кто-то из операторов решил позвонить по обычному телефону в один из сельсоветов интересующего нас района. На его звонок отозвался председатель сельсовета. Спрашиваем: есть ли в селе наши войска? Отвечает, что нет. А немцы? Оказывается, и немцев нет, но они заняли ближние деревни... В итоге на оперативных картах появилось вполне достоверное, *как потом подтвердилось,* положение сторон в данном районе»[9].

А если бы данные *потом* не подтвердились? На картах

появилось бы вполне *недостоверное* положение сторон? Все это прекрасно, но базировать работу Генштаба на полученной таким способом информации было просто опасно.

Немцы, несмотря на свою чопорную педантичность, импровизировали охотно и умело. Известны случаи, когда, захватив того или иного штабного работника, пользуясь нашей неразберихой, они настраивались на соответствующую частоту и передавали ложные приказы соединениям РККА. И командиры зачастую их выполняли. Если связь не мог наладить Генштаб, нетрудно представить, что творилось на фронтах, в армиях и корпусах. Только кого в этом винить?

Тысячу раз прав Еременко: «...с политической точки зрения война не была внезапной для нашего государства, но с военно-стратегической – такая внезапность была налицо, а с оперативно-тактической она была абсолютной»[10]. Именно *война*, широкомасштабные боевые действия. Наша поощряемая сверху безалаберность, самоуспокоенность, бравада, граничащая с хвастовством, наше нежелание принимать вещи такими, какие они есть, допущенные серьезные ошибки в военном строительстве, роковой просчет и роковые действия Сталина, *все эти обстоятельства* наложились на абсолютную, нашим же высшим руководством подготовленную тактическую внезапность немецкого вторжения.

А главная причина, если хотите, первопричина – все та же. Уничтожение большей и лучшей части командного состава, научной и технической интеллигенции, управленческих кадров, насаждение в стране режима кровавого террора, готовность подвергнуть репрессии любого, способного отстаивать собственное мнение, свою порядочность, в конце концов, не просто затормозили военное строительство, но отбросили его на многие и многие годы. Ситуация начала хоть в какой-то мере улучшаться лишь после финского конфликта, когда Сталин вдруг с удивлением обнаружил, что угроза режиму

его правления может исходить и не только изнутри[11]. Но... кардинально что-либо изменить было уже невозможно. Пришли, вполне вероятно, и трудолюбивые, во многих случаях достойные люди, но, враз перескочив через две-три ступени, они оказались некомпетентными. Утвердившиеся бюрократические порядки, стремление выдать не результат, а благовидный отчет повышению боеспособности армии тоже не способствовали.

Приведу слова маршала Жукова: «Принимая участие во многих полевых учениях, на маневрах и оперативно-стратегических играх, я не помню случая, чтобы наступающая сторона ставилась в тяжелые условия и не достигала бы поставленной цели. Когда же по ходу действия наступление не выполняло своей задачи, *руководство учением обычно прибегало к искусственным мерам, облегчающим выполнение задачи*...

Короче говоря, не всегда обучались тому, с чем им пришлось встретиться в тяжелые первые дни войны...»[12]

То же вполне может быть отнесено и к связи. Люди, ответственные за ее организацию, либо не понимали ее значения в современной войне, либо довольствовались каналами Наркомата связи. И всех это устраивало. Как и все новое, внедрение беспроводной связи в войсках предполагало на первых порах определенные трудности. Наверняка случались и срывы. И кому все это было надо, когда достаточно только поднять трубку... Кто же знал, что немецкие диверсанты в первые же часы будут резать провода и валить телеграфные столбы, кто же мог представить, что события на фронте будут развиваться столь стремительно, а война примет ярко выраженный маневренный характер?

Со временем *все, что надо*, наладилось и утвердилось в войсках. Сама жизнь наладила и утвердила.

Только, если даже в оборонительных сражениях связь была таковой, что временами терялось управление, можно ли рассчитывать, что лучше она была бы организована при наступлении? Сомневаюсь...

«Связь хорошо работала, *когда войска стояли на месте* и когда ее никто не нарушал. А разгорелись бои, и все приходится налаживать сначала»[13].

И разве одно лишь это обстоятельство не ставит саму возможность нанесения нами *успешного* превентивного удара под большое сомнение?

Примечания

[1] Суворов В. Ледокол, с. 285.
[2] Москаленко К.С. На Юго-Западном направлении, с. 23.
[3] Там же, с. 14.
[4] Жуков Г.К. Воспоминания и размышления. Т. 1, с. 330.
[5] Там же. Т. 2, с. 11.
[6] Штеменко С.М. Генеральный штаб в годы войны, с. 30.
[7] Немецкие танки не пошли сразу к столице, а, замыкая кольцо окружения, повернули на север, к Вязьме.
[8] Штеменко С.М. Генеральный штаб в годы войны, с. 138.
[9] Там же, с. 31, 32.
[10] Еременко А.И. В начале войны, с. 479.
[11] После Зимней войны Сталин начал догадываться, а после разгрома Франции знал уже точно, что есть в Европе силы, которые войны не боятся, а напротив, видят в ней быстрый и *верный* способ достижения своих целей. Сам-то он большой войны страшился и пытался избежать даже тогда, когда она уже началась.
[12] Жуков Г.К. Воспоминания и размышления. Т. 1, с. 339.
[13] Баграмян И.Х. Так начиналась война, с. 120.

Глава 13

О НАШИХ ВОЕННЫХ ПЛАНАХ

У читателя не может не возникнуть вопрос: если мы не готовились напасть на Германию, как удалось В. Суворову подобрать впечатляющее количество вполне достоверных фактов, трактовать которые можно *по-разному*?

А ответ парадоксален и в то же время прост. Сталин действительно не собирался напасть первым, но в то же время и к обороне, по типу французской стратегической обороны в 1940 году, армия не готовилась.

Специфика сталинской диктатуры в небывалой концентрации власти узким кругом лиц, в чудовищной пропасти, отделяющей правящую верхушку от народа. Если власть и не рассматривала народные массы как явного врага, то и доверять им не могла. Отсюда традиционная жестокость и лицемерие режима.

Отсюда и откровенно пропагандистский характер военной доктрины. До определенного периода Сталин был уверен, сытый благополучный Запад связываться с ним не станет. Угроза режиму, исходящая изнутри страны, казалась ему куда более реальной. И надо отдать тем, кого принято называть большевиками, должное. Наряду с другими масштабными «мероприятиями», им длительное время удавалось вдалбливать в головы людей мысль: их правление – единственно возможное и *самое лучшее*, и если уж завтра война, то, вне всякого сомнения, быстрый успех достигнут будет «малой кровью», а боевые действия развернутся исключительно на чужой территории. Чего скрывать, в армии и народе перед войной эти «аксиомы» пользовались известной популярностью.

Только рано или поздно за все приходится платить, и укрепившая авторитет власти *наступательная* военная доктрина была не только мало чем подкреплена, но и с реалиями войны оказалась попросту несовместимой.

А тот факт, что доктрина была наступательной, сомнений не вызывает. Вот выдержки из проекта Полевого устава 1939 года:

«На всякое нападение врага Союз Советских Социалистических Республик ответит сокрушающим ударом всей мощи своих Вооруженных Сил.

Наша война против напавшего врага будет самой справедливой из всех войн, какие знает история человечества.

Если враг навяжет нам войну, Рабоче-Крестьянская Красная Армия будет самой нападающей из всех когда-либо нападавших армий.

Войну мы будем вести наступательно, перенеся ее на территорию противника.

Боевые действия Красной Армии будут вестись на уничтожение, с целью полного разгрома противника и достижения решительной победы *малой кровью*»[1].

Подобные воззрения на характер будущей войны широко распространились и в войсках. Когда в неразберихе первых дней член Военного совета Юго-Западного фронта корпусной комиссар Вашугин в резкой форме отчитал якобы допустившего отступление своих частей командира 8-го мехкорпуса Рябышева, тот ответил: «А что это такое – «отступление»? *Таких боевых действий не знаю*»[2].

Но и наступать мы тогда не умели. Натыкаясь на немецкие заслоны, мехкорпуса, как правило, не могли их сбить и несли тяжелые потери. Разгром их довершала авиация противника. Наша же оборона не отличалась устойчивостью не только в июне-июле, но и в октябре, да зачастую и позже.

Повторюсь, советская военная доктрина предназначалась не столько для реализации оперативно-стратегических воззрений в будущей войне, сколько *для пропагандистских целей*. Обратимся к В. Карпову. Вот какой разговор состоялся у него с Молотовым:

«Мне хотелось узнать мнение Молотова об ошибках Сталина в первый период войны и в предвоенное время...

– Вот вы говорите (обращается к Молотову Карпов – *А.Б.*) – к войне мы не были готовы, воевать не намеревались, а доктрина наша была довольно воинственная: бить врага на его территории...

Молотов улыбнулся. Улыбнулся на этот раз как-то хитренько и, посмотрев на меня с явной иронией, сказал:

– Ну кто же, какой стратег скажет: пожалуйста, приходите на нашу землю и здесь будем воевать! И тем более не скажет, что к войне он не готов, а наоборот, будет утверждать, что силен и непобедим[3]. Это элементарно. Так во все времена было... Не наше изобретение. Пропагандистский прием.

– Значит, это прием для пропаганды? Но ведь должна же быть и *настоящая* доктрина, которой предстояло руководствоваться в случае войны?

– *Конечно, была,* она отражена в планах нашего Генерального штаба»[4].

О настоящей доктрине и наших планах мы еще поговорим, но прежде хотелось бы отметить вот что. Что значит «пропагандистская» доктрина? До какого командного звена она рассчитана «на публику», а начиная с какого вступает в силу другая доктрина, реальная, возможно, по смыслу совершенно иная? Нельзя же, в самом деле, скажем, командиру дивизии разъяснить, что война будет вестись «малой кровью» и на чужой территории, а командарму, чтобы на *официальную* пропаганду он внимания не обращал и готовился к боям в окружении в глубоком нашем тылу? И как быть НКВД? Хватать паникеров, злонамеренно преувеличивающих силу противника, или принимать это как должное?

Конечно же, такого быть не могло. Генштаб, особенно после Финской, после прихода Тимошенко и Жукова занимался *реальным* планированием. Но и от наступательной, во многом дутой доктрины отказаться было уже невозможно, военное строительство осуществлялось именно в соответствии с ней. И попробовал бы кто поставить ее под сомнение. В лучшем случае, его ждало обвинение в трусости. В худшем – лагеря. Отсюда и многие наши беды, и неоправданные действия.

Связь развалилась после отхода? А мы что, разве допускали саму возможность отступления и бомбежки узлов связи?

Укрепленные районы, аэродромы, армейские склады оборудовались у самой границы? Попробовал бы кто обратить на это внимание. Что, товарищ, предлагаете строить в глубине, заранее отдать врагу советскую территорию, пытаетесь, осуществляя коварный замысел, оставить Красную Армию без боеприпасов?

Демонтировали старые укрепрайоны, а новые вооружать не спешили? Так не век же мы собирались отсиживаться на границе.

«Ишачки» и «бэтушки»[5] для *этой* войны не годились? А не подрывают ли подобные мысли веру советского народа в силу и мощь РККА? Да и не в них дело, сокрушающий удар будет нанесен «всей мощью», а что она такое – секрет!

Как видим, *все* объясняется куда проще, и вовсе не обуславливает подготовку превентивного удара.

Наступательная военная доктрина отчасти повлияла на военное строительство, но это вовсе не значит, что Сталин собирался ударить первым. Войска на границе не зарылись в землю, но из этого не следует, что они готовились наступать. Высказывания отдельных советских военачальников действительно носили агрессивный характер, *но они и не могли быть иными*.

С реальными военными планами ничего общего это не имело...

Стараясь обосновать наше превосходство, В. Суворов не упускает случая раскритиковать стратегическую концепцию вермахта. В частности, он пишет: «...каждый, кто удосужился прочитать план «Барбаросса», знает, что *ничего более глупого* во всей человеческой истории придумано не было. Наступать по двум расходящимся направлениям – это тот самый признак, по которому в советских штабах выявляли дураков. Давали задачку-летучку: вот – мы, вот – противник, наступай. Тот, у кого на карте стрелки в две разные стороны расползались, о карьере оператора мог не мечтать...

А по плану «Барбаросса» – стрелки в три разных направления разошлись. Это удар растопыренными пальцами. *Это верх идиотизма*»[6].

Позволю себе ответить словами А. Митяева. Давая оценки плану «Барбаросса», он пишет: «...почему же, придавая такое значение Москве, фашистские войска не бросятся на нее всеми силами? Почему они одновременно начнут еще наступление на Ленинград и Киев? Зачем им нужно растягивать войска по огромному фронту – от Баренцева моря до моря Черного?

План «Барбаросса» предусматривает удар трезубцем, а не удар штыком потому, что на северо-западе и на юго-западе страны стоят сильные группировки советских войск; клин немецких армий, направленных на Москву, подвергнется нашему удару во фланги и тыл...»[7]

Да, немцы прежде всего обеспечивали фланги главной, ударной, центральной группировки, нацеленной на быстрое окружение и уничтожение Западного фронта. И то, что параллельно им удалось вести успешные наступательные действия на других направлениях, лишь подчеркивает, насколько вермахт на первых порах был сильнее.

В. Суворов утверждает, что Гитлер напал на СССР,

поставленный Сталиным в безвыходное положение, от отчаяния, без малейших якобы шансов на успех.

Напротив, главная ошибка его в том и заключается, что он не рассматривал Советский Союз как серьезного противника, не принимал в расчет специфики нашего государства и не допускал, чтобы после первых серьезных неудач, после страшных потерь сила сопротивления только лишь возрастет. «...Если мы недооценили имевшийся у вермахта опыт ведения современной войны, то немецко-фашистские высшие штабы и сам Гитлер чрезмерно переоценили этот опыт и сочли, что он вполне достаточен, чтобы разбить *любого* противника»[8].

Но что же мы? В СССР армия всегда являлась предметом особой заботы властей. На военное строительство денег не жалели. Если учесть, что страна имела безграничные людские и природные ресурсы, развитую промышленную базу, давние военные традиции, стоит ли удивляться, что ко второй половине тридцатых Красная Армия переживала период своего расцвета. Устоявшийся костяк командных кадров, наличие командиров всех степеней, отдавших службе до двух десятков лет, имевших опыт боев с сильным противником, обеспечивал гармоничное, поступательное развитие вооруженных сил. Крепкая школа, блестящий профессорско-преподавательский состав предопределили то, что советская военная стратегия занимала передовые рубежи. В те годы в Советском Союзе впервые была подробно рассмотрена теория «глубокой операции», затрагивались вопросы применения танковых соединений для развития прорыва, проблемы взаимодействия стрелковых подразделений с танками и авиацией. Однако в какой-то момент Сталин посчитал, что крепкие, уверенные в себе, пользующиеся авторитетом в войсках командиры представляют для него лично определенную угрозу.

Страшный разгром, пик которого пришелся на 37-й год, поверг армию и народ в состояние шока. Катастрофические потери понесла и военная наука. Однако не менее страшным было и то, что теперь объективно оценивать происходящее и делать самостоятельные выводы было уже невозможно.

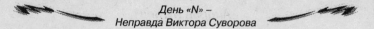

Когда говорят, положения советской военной стратегии оставались верными, мне хочется спросить, *какие положения?* И в 38-м, и в 39-м, даже в 40-м людей брали за то, что они превозносили якобы силу вермахта и указывали на наши недостатки. Перед тем как сослаться на то или иное положение, следовало трижды подумать, вписывается ли оно в официоз, и прежде всего проверить, не исходит ли от «врага народа». А врагов, как известно, хватало. И те, кто хоть строчку написал, кто хоть слово произнес невпопад, отправлялись в места не столь отдаленные куда чаще остальных. При Ворошилове Вооруженные силы не просто пришли в упадок, армия начала разлагаться. Повальное доносительство становилось традиционным, дисциплина падала на глазах. О развитии военного искусства и говорить нечего. Если переосмысливать стратегические воззрения и можно было без опаски, то только лишь на лесоповале, где терять уже нечего.

Финский конфликт, будто лакмусовая бумажка, высветил нашу военную несостоятельность. Сталин понял, что при всей потенциальной мощи мы слабы и дальше так нельзя. На смену Ворошилову пришли Тимошенко и Жуков, ситуация вначале стабилизировалась, а затем хотя и со скрипом, но начала выправляться. Во всяком случае, на совещании высшего командного состава большинство его участников выступали смело и открыто – наболело. Не следует только забывать, что это не была разработка конкретных рекомендаций для внедрения в войска – теоретический спор, и не более того. Как известно, теория и практика далеко не тождественны, а практического опыта тяжелой войны с сильным противником, не говоря уже об опыте крупномасштабных наступательных операций[9], мы не имели.

Даже если учесть, что положения советской страте-

гии, нацеленность на решительные действия наступательного характера[10], отвечали требованиям времени, даже, если представить, что они были подкреплены соответствующими тактическими воззрениями и разработками (чего, как мы успели убедиться, не было), по типу той концепции наступательной операции, которой располагали немцы, то и тогда «...нужно иметь в виду, что многие весьма важные теоретические положения стратегии (и тем более тактики. *–А.Б.)* не могут быть проверены в мирное время»[11] и остаются научными предположениями.

А теперь разберемся, на основании чего делает В. Суворов вывод о том, что войска в приграничных округах располагались именно в наступательной группировке и были готовы нанести превентивный удар.

Первая группа «доказательств» базируется все на том же: войска Первого эшелона, укрепленные районы, склады располагались в непосредственной близости от границы. Это правда, но из этого еще не следует, что мы собирались ударить первыми. Армии прикрытия *не могли* быть расквартированы в глубине, это означало заранее отдать противнику часть территории СССР. Уже само предложение организовать оборону на линии, скажем, старых укрепрайонов, рискни кто его высказать, вполне могло повлечь за собой обвинение в государственной измене. Такая была обстановка, *такие были настроения.*

Вот что пишет Штеменко: «...под влиянием наших временных неудач на фронте некоторые наши командиры прониклись излишней подозрительностью. *В какой-то мере* это болезненное явление коснулось и Генштаба. Как-то один из вновь прибывших командиров, наблюдая работу полковника А.А. Грызлова над картой, обвинил его в преувеличении мощи противника. К счастью, наша партийная организация *оказалась достаточно зрелой* и отвергла нелепые домыслы»[12]. Какая, собственно, разница, хотел вновь прибывший товарищ, воспользовавшись традиционными методами, расчистить себе место либо действительно считал, что отражение реального положения на фронтах, пусть даже и на картах Генштаба, недопустимо? Уверен, партийная организация Генштаба «оказалась достаточно зрелой» лишь потому, что война уже изменила нашу жизнь. Знающих, опытных, *смелых* работников уже нельзя было в одночасье вычеркнуть из общего списка. Период, когда брали всех подряд за «щи ленивые»[13] и использование в определенных целях газетных обрезков с портретами вождей, отодвинулся до лучших времен. Но представляете, сколько откликов доброхотов всех рангов вызвала бы одна лишь мысль об организации обороны в глубине нашей территории? Сколько доносов пошло бы «куда надо», сколько голов полетело?..

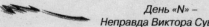

Никто ведь не отрицает, что командиры рекогносцировали местность у самой границы, только что из этого следует? Войска-то не могли располагаться между пограничными столбами, они были расквартированы на некотором, иногда значительном, отдалении, в военных городках. Где были магазины, баня, клуб, казармы – выделенные горсоветом бараки, электричество, вода... Где была инфраструктура. А рубеж развертывания, окопы, землянки, если успели их отрыть до того, как на самом верху закусили удила, – вдоль границы. Вот и выезжали командиры, не все, лишь те, которые были поумнее, посмотреть, что там, перед окопами, на сопредельной территории.

Вот одно из высказываний, на которые ссылается В. Суворов: «...Наблюдая немецких пограничников в каких-нибудь двадцати – тридцати шагах, встречаясь с ними взглядами, мы и виду не подавали, что они существуют для нас, что мы ими хоть в малейшей степени интересуемся...

...Может быть, нужно было *с самого начала*, не опасаясь дипломатических тонкостей, прямо говорить с бойцами о неизбежном противнике... ясно и четко называть полевые учения гитлеровцев прямой подготовкой войны»[14]. Как видим, о превентивном ударе – ни слова. Ясно и четко заявить о надвигающейся войне не мог себе позволить не только дивизионный комиссар, но и командующие округами. Скажи такое Севастьянов не то чтобы солдатам, друзьям и жене, вполне может статься, что мемуары его оказались бы *совсем о другом*.

Возможно, я и ошибаюсь, но то, как отзываются в своих воспоминаниях о немцах наши командиры, то, что они якобы «с самого начала» видели в них врага, представляется мне весьма и весьма сомнительным. Не могло же после *такой* войны прозвучать в воспоминаниях следующее: «Немцев, после совместных операций в Польше, после парада в Бресте, мы рассматривали как союзников. Встречаясь с их пограничниками, улыбались, поздравляя, таким образом, с очередной победой над общим империалистическим врагом. И они в ответ приветствовали нас характерным поднятием руки. Ребята все были крепкие, на подбор. Ладная, красивая форма сидела на них как влитая, выгодно отличаясь от линялых наших гимнастерочек...»

Вторая группа «доказательств» представляется более серьезной. В. Суворов утверждает, что был разработан план нашей грандиозной решающей наступательной операции. Вот что он пишет: «Как же могло случиться, что Красная Армия вступила в войну без планов?.. Как же получилось, что Красная Армия в первые месяцы войны была вынуждена импровизировать?..

На прямой вопрос, были ли планы войны у советского командования, Жуков отвечает категорически: да, были. Тогда возникает вопрос: если планы были, почему Красная Армия действовала стихийной массой без всяких планов? На этот вопрос Жуков ответа не дал. А ответ тут сам собой напрашивается. Если советские штабы работали очень интенсивно, разрабатывая планы войны, но это были не оборонительные и не контрнаступательные планы, то – какие тогда? Ответ: чисто наступательные»[15]. Выстроенная логическая цепочка просто поражает своей стройностью. Все говорят, что плана не было, Жуков говорит – был, следовательно, план был наступательным.

Однако откуда автор взял, что Генштаб не разработал план военных действий, кто ему об этом сказал? Жуков, Баграмян, Василевский, Штеменко утверждают как раз обратное: план развертывания советских войск не только существовал, но с изменением обстановки весной 41-го был переработан. В случае начала войны, в частности, в Киевском военном округе должен был вступить в силу план прикрытия границы «КОВО-41»[16]. Аналогичные планы выдвижения войск существовали и в других приграничных военных округах. Был разработан и план мобилизации, предусматривающий не только призыв приписного состава, но и передачу в войска из народного хозяйства автотранспортной техники[17]. Замечу, о том, что планировалось именно наступление, не говоря уже о превентивном ударе, нигде не упоминается.

Ссылка на содержимое Красных пакетов[18] также весьма и весьма сомнительна. Если бы, как утверждает В. Суворов, в них действительно содержался хоть намек на наше наступление, немцы, в первые же дни захватившие десятки таких «пакетов», раструбили бы об этом на весь мир. Во всяком случае, он не приводит *ни одного документа*. А я приведу. Вот докладная записка командира 75-й стрелковой дивизии генерал-майора С.И. Недвигина, представленная командующему 4-й армией генерал-майору А.А. Коробкову на 12-й день войны:

«Товарищ генерал-майор, наконец, имею возможность черкнуть пару слов о делах прошедших и настоящих. Красный пакет опоздал, а отсюда и вся трагедия! Части попали под удар разрозненными группами. Лично с 22-го по 27-е вел бой с преобладающим по силе противником. Отсутствие горючего и боеприпасов вынудило оставить все в болотах и привести для противника в негодность.

Сейчас с горсточкой людей занял и обороняю город

Пинск, пока без нажима противника. Что получится из этого, сказать трудно.

Сегодня получил приказание о подчинении меня 21-й армии. Пока никого не видел и не говорил, но жду представителей.

Настроение бодрое и веселое. Сейчас занимаюсь приведением в порядок некоторых из частей. За эти бои в штабе осталось 50–60 процентов работников, а остальные перебиты.

Желаю полного успеха в работе. Вашего представителя информировал подробно.

С комприветом генерал-майор Недвигин»[19].

Делать купюры в этом документе рука не поднимается. Если бы немецкие генералы могли это прочитать, уже тогда, в начале июля, они бы поняли, насколько упорной и длительной будет эта война. И уж поверьте, будь в пакете приказ выдвинуться с боями, скажем, в район Люблина, генерал Недвигин, упоминая о нем, использовал бы другие слова.

А вот как описывает момент вскрытия пакета К.С. Москаленко: «Мы быстро прошли в штаб. Здесь я вскрыл мобилизационный пакет и узнал, что с началом военных действий бригада должна форсированным маршем направиться по маршруту Луцк, Радехов, Рава-Русская, Немиров на Львовское направление в район развертывания 6-й армии»[20]. Если бы 1-я птабр предназначалась для прикрытия правого фланга нашей наступающей из Львовского выступа группировки, ей следовало бы развернуться восточнее Сокаля, но уж никак не между Львовом и Немировом, в самом центре предполагаемого якобы сосредоточения мехкорпусов[21]. А главное, от Луцка до Немирова *по прямой* не менее ста пятидесяти километров.

Теперь понятно, почему план боевых действий так и не успел вступить в силу и Красной Армии пришлось импровизировать? Пока войска поднялись по тревоге, пока разбросанные по гарнизонам полки и батальоны начали выдвигаться к границе, отведенные им рубежи зачастую уже оказывались заняты противником.

Если учесть, что советская авиация понесла в первые часы невосполнимые потери и выдвигавшиеся к границе колонны подвергались на марше непрерывной ожесточенной бомбардировке, если вспомнить, что фактически отсутствовала связь, станет понятным, какая началась неразбериха. Станут понятны и слова генерал-майора Крылова, на которые ссылается В. Суворов: «Конечно, у нас были подробные планы... Но, к сожалению, в них ничего не говорилось о том, что делать, если противник внезапно перейдет в наступление»[22].

Поставьте себя на место командира дивизии. Полки его, на ходу приводя себя в порядок, под непрерывным воздействием авиации противника, выдвигаются к границе, и вдруг выясняется, что оговоренный планом рубеж уже немцами занят. Связи со штабом армии нет. Что делать в этой ситуации? Каждый принимал решение на свой страх и риск. Одни пытались во что бы то ни стало прорваться к границе, другие – обороняться там, где их разведка столкнулась с дозорами противника, третьи занимали ближайшие выгодные рубежи и ждали указаний. Известны случаи, когда вышестоящие начальники, как правило, командармы, своей властью подчиняли оказавшиеся под рукой части и, не обращая уже внимания на директивы Красных пакетов, направляли войска, сообразуясь со сложившейся обстановкой. Это помогло им втянуться в войну с меньшими потерями, но усилило неразбериху и, по существу, ставило на мобилизационном плане жирный крест. Уже в первые часы стало очевидным, довоенные планы безнадежно устарели и применены быть не могут.

Создается впечатление, что планирование производилось в расчете либо на незыблемость нашей обороны, которая одна лишь могла обеспечить свободное перемещение подразделений вдоль линии фронта, либо на развертывание войск до начала *масштабных* военных действий.

Об этом же говорит и Жуков: «При переработке оперативных планов весной 1941 года практически не были полностью учтены особенности ведения современной войны в ее начальном периоде. Нарком обороны и Генштаб считали, что война между такими крупными державами, как Германия и Советский Союз, должна начаться по ранее существовавшей схеме: *главные силы вступают в сражение через несколько дней после приграничных сражений*»[23].

Между тем, если бы войска заняли подготовленные участки обороны заранее, хотя бы за сутки, за двое до вторжения, если бы они успели организовать взаимодействие, если бы план обороны вступил в силу, вполне возможно, что при прорыве нашей обороны немцы понесли бы куда большие потери и не смогли поддерживать заданный темп наступления. В этом случае в Генштабе могли своевременно разгадать замысел противника на окружение Западного фронта и вывести войска из-под удара, и все еще могло сложиться не столь для нас трагично.

В немалой степени вина за срыв мобилизационного плана лежит на высшем руководстве. Занять укрепления на границе, иными словами, произвести развертывание войск на оговоренных рубежах *заранее*, Тимошенко предложил Сталину еще 13 июня[24]. Однако вождь не разрешил. Как уже отмечалось выше, гнев Сталина вызвало и занятие Предполья, произведенное войсками Юго-Западного фронта по личной инициативе его командующего. Части от границы были отведены в казармы, Кирпонос – наказан. Результат известен, войска встретили войну в лучшем случае в местах постоянного расквартирования. В худшем – на марше.

Как видим, из всего этого не следует, что план военных действий обязательно был наступательным. Напротив, достаточно взглянуть на расположение войск, и его оборонительный характер становится очевидным.

Части армий прикрытия должны были занять оборону вдоль западной границы, *точно* повторяя линией

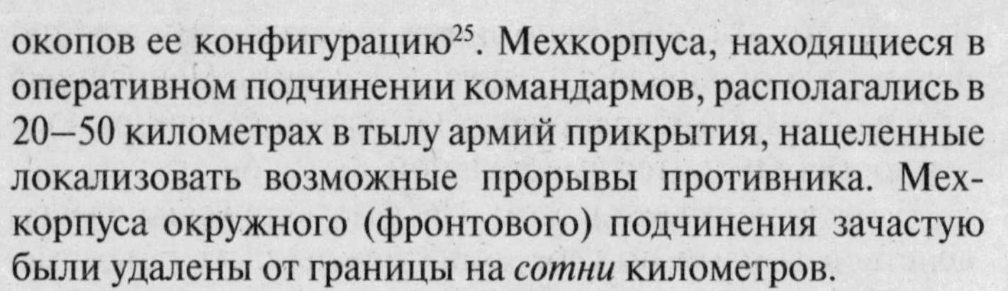

окопов ее конфигурацию[25]. Мехкорпуса, находящиеся в оперативном подчинении командармов, располагались в 20–50 километрах в тылу армий прикрытия, нацеленные локализовать возможные прорывы противника. Мехкорпуса окружного (фронтового) подчинения зачастую были удалены от границы на *сотни* километров.

Представим себе, что действительно существовал некий план превентивного удара и масштабного наступления. Каким образом мог он быть осуществлен? В. Суворов говорит о сосредоточении сверхмощной подвижной ударной группировки во Львовском выступе[26]. Но так ли это? Из восьми мехкорпусов Юго-Западного фронта на 22 июня во Львовском выступе находились лишь два – 4-й 6-й армии и 8-й 26-й армии. Да и тем, чтобы выдвинуться в район Перемышля, пришлось бы преодолеть не менее восьмидесяти-ста километров. Остальные мехкорпуса располагались следующим образом: 22-й мехкорпус 5-й армии – в районе Луцк–Ровно, 16-й мехкорпус 12-й армии – в треугольнике Станислав – Черновцы – Каменец-Подольский; корпуса окружного (фронтового) подчинения: 15-й – в районе Броды (150–160 километров до Перемышля), 9-й – южнее Новограда-Волынского (340–350 километров), 24-й – северо-восточнее Проскурова (330–340 километров), 19-й – в районе Житомир – Винница (400–450 километров до Перемышля). Чтобы удар получился действительно сокрушительным, на рубеже развертывания требуется сосредоточить пять-шесть мехкорпусов. При этом желательно не трогать 22-й и 16-й корпуса – они прикрывают фланги группировки, а также и 15-й – он прикрывает стык 5-й и 6-й армий. Таким образом, наряду с 4-м и 8-м для удара должны быть привлечены 9-й, 19-й и 24-й мехкорпуса. Вот только как их передислоцировать к границе? За одну ночь *такое* расстояние не преодолеть[27]. Если же выдвигать корпуса поэтапно, от рубежа к рубежу, немецкая авиация немедленно это зафиксирует. Насколько опасно концентрировать тысячи танков на весьма ограниченной площади

Львовского выступа, напоминать не надо. Эту группировку можно, обойдя с флангов, окружить. Напрашивается также и бомбардировка, которая при данной скученности становится смертельной.

Но дело не только в этом. Пять мехкорпусов не могут действовать сами по себе, они должны быть объединены единым командованием. Причем это не может быть командующий одной из армий Юго-Западного фронта, равно как и командующий фронтом – у них и своих забот хватает. Допустим, вновь создается объединение по типу танковой армии. Но такие вещи не делаются перед самым наступлением. Представьте ситуацию: мехкорпуса выдвигаются во Львовский выступ, и здесь командирам корпусов представляют их нового командующего, который ставит задачи и организует взаимодействие... Сколько дней на это потребуется? А скученность такая, что повернуться негде, и подразделения вот-вот перемешаются. Могло такое быть? Едва ли.

Те же немцы не подтягивали танковые группы к границе, они сразу их выгрузили в непосредственной от нее близости. Потому что собирались наступать. Мы же, Нарком и Генштаб, на первых порах решили ограничиться обороной, втянуться в войну, нащупать слабые места у противника, а уж потом пробовать...

И надо признать, выстроенная, согласно утвержденному плану, оборона казалась стройной и достаточно прочной. Кто же мог предвидеть, что войскам не дано будет занять оговоренные оборонительные рубежи, а немцы смогут пробивать насквозь оборонительные порядки не батальонов и полков, но армий и приданных им мехкорпусов. Только кого в этом винить?

Если наше наступление действительно было бы подготовлено, ударные танковые группировки объединили бы в соединения более высокого порядка заранее. И механизированные корпуса не были бы разбросаны на огромной территории, в сотнях километров от рубежа развертывания. В частности, 9-й, 19-й и 24-й мехкорпуса Киевского Осо-

бого военного округа должны были в этом случае выдвинуть хотя бы ко Львову, а возможно, даже и к Перемышлю.

И такая возможность была! Нежданная Балканская кампания отвлекла отнюдь не малые силы вермахта и восточно-европейских союзников до конца мая, Крит немцы очистили лишь к 1 июня. Создай Сталин в это время действительно сверхмощные ударные *наступательные* группировки, гитлеровские генералы, конечно, приняли бы это к сведению, *но сделать ничего бы не смогли*. Однако Сталин последним шансом не воспользовался[28]. Он ограничился лишь тем, что под давлением Жукова и Тимошенко дал разрешение на выдвижение двадцати восьми дивизий из внутренних округов на рубеж Днепра и Западной Двины. *Одно лишь только это не оставляет ни малейших сомнений – Сталин не собирался нападать первым!*

Несколько слов о факторе внезапности. Кто же спорит, сторона, заставшая противника врасплох, сумевшая добиться тактической, тем более оперативной внезапности, получает поначалу серьезные преимущества. Однако абсолютизация внезапного удара, тем более утверждение, что Сталин поставил на внезапный удар *все*, что, нанеся подобный удар, мы разгромили бы вермахт уже к осени, а попав под него, *оказались беззащитны*, едва ли выдерживает серьезную критику.

Повторюсь, подставились мы сами, Сталин допустил роковой просчет и в развитие его сделал едва ли не все возможное, чтобы войска встретили противника неорганизованно, на худших позициях и, в большинстве своем, к боевым действиям неготовыми. Чем противник воспользоваться не преминул.

Сильно сомневаюсь, чтобы нечто подобное удалось нам. Немцы-то как раз понимали, к чему все это может привести. Не случайно их самолеты, ведя *непрерывную* воздушную разведку, залетали восточнее Минска, Киева и Севастополя. Предпримикмы шаги для создания *действительно* ударной группировки, не думаю, чтобы Гитлер ограничился нотами, подобными печально знаменитому Заявлению ТАСС.

Ссылки на положения нашей военной стратегии тоже едва ли уместны. Как же тогда быть с этим? «...Советская военная наука в целом правильно и достаточно четко оценивала характер и особенности будущей войны... Война будет длительной; *победа в ней не может быть одержана одним «молниеносным» ударом,* что вытекает как из политического характера войны, так и способности государств, даже терпящих в войне временные неудачи, к быстрому воспроизводству своих вооруженных сил...»[29]

Эти строки, плод коллективного труда уничтоженных в угаре массового психоза советских военных теоретиков – то самое, о чем говорил Молотов. «Вниз» спускалось иное: «малой кровью», «сокрушительный удар»... Но правители, и Сталин не исключение, даже если и верили в победу, прекрасно понимали, какого напряжения сил, *каких жертв* это будет стоить, какую угрозу несет в себе тяжелая изнурительная война их режиму. В представлении Сталина, точно так же должен был рассуждать и Гитлер. А тот рвался в драку, будто и вовсе не задумывался о последствиях, будто был абсолютно уверен, что дотянется до мирового господства в ближайшие год-два. Сталин даже и допустить не мог, что кто-то способен сделать столь рискованный шаг, как нападение на великую державу, *если остаются хоть малейшие сомнения в конечном, относительно быстром успехе.* Бешеная, граничащая с авантюризмом самоуверенность Гитлера поколебала веру Сталина в себя самого и в столь не вовремя ослабленную им армию.

Немцы, располагавшие, помимо «внезапного удара», куда более весомыми аргументами, в правильности приведенного выше положения убедились очень и очень скоро. Но в равной степени это *могло бы* относиться и к нам.

Разразившаяся война обречена была быть *длительной*. Каковой она, собственно, и была.

Примечания

[1] Проект Полевого устава 1939 г., с. 9.

[2] Пенежко Г. Записки советского офицера, с. 87.

[3] Нашлись такие стратеги! Именно своей слабостью оправдывали и оправдывают французские генералы мюнхенский сговор и сентябрьское бездействие.

[4] Карпов В. Маршал Жуков, его соратники и противники в годы войны и мира. Роман-газета, 1991, № 11, с. 77, 78.

[5] Не правда ли, режет слух? Привычнее «бэтешки». Однако солдаты в тридцатых – начале сороковых называли эти танки именно так – «бэтушки».

[6] Суворов В. Последняя республика, с. 138, 139.

[7] Митяев А. Книга будущих командиров, с. 200. И пусть В. Суворов не обижается на эту ссылку. Она верна.

[8] Еременко А.И. В начале войны, с. 481.

[9] При этом создается впечатление, что цельной концепции ведения боевых действий, устоявшегося, безоговорочно принятого представления о характере будущей войны, тактике боя попросту не было. Как уже упоминалось, Жуков и, быть может, даже Шапошников считали, что начало войны будет традиционным, *с постепенным* втягиванием в нее основных сил противоборствующих армий. А сколько было командиров всех степеней, возлагающих свои надежды на кавалерию?

[10] Французы оказались в заведомо проигрышной ситуации, в том числе и потому, что, понадеявшись на полосу укреплений, отказались от ведения активных действий, заранее отдав инициативу вермахту.

[11] Еременко А.И. В начале войны, с. 481.

[12] Штеменко С.М. Генеральный штаб в годы войны, с. 31.

[13] Этот случай описан в книге А. Рыбакова «Дети Арбата». Посчитали, что подобное название дискредитирует рабочий класс, и забрали повара. Говорят, происшедшее автором не придумано.

[14] Севастьянов П.В. Неман – Волга – Дунай, с. 7. К началу войны П.В. Севастьянов был комиссаром 5-й стрелковой дивизии.

[15] Суворов В. Ледокол, с. 326, 327.

[16] Баграмян И.Х. Так начиналась война, с. 92.

[17] Жуков Г.К. Воспоминания и размышления. Т. 1, с. 349. Речь идет о «МП-41».

[18] Такое название получили запечатанные документы, которые предписывали командирам подразделений порядок действий в случае войны.

[19] Цит. по: Симонов К. С/с. Т. 8, с. 62.

[20] Москаленко К.С. На Юго-Западном направлении, с. 26.

[21] Если бы и впрямь задумывался удар, то мехкорпуса, вне всякого сомнения, были бы сосредоточены перед прорывом между Львовом и Перемышлем, как можно ближе к границе. На 22 июня 4-й мехкорпус был расквартирован севернее, а 8-й – юго-западнее Львова.

[22] ВИЖ, 1965, № 9, с. 84.

[23] Жуков Г.К. Воспоминания и размышления. Т. 1, с. 354.
[24] Там же, с. 383.
[25] Говорю «должны были», так как войска стояли гарнизонами на некотором, зачастую значительном удалении от границы и в большинстве случаев выдвинуться к ней не успели. Понятно, что тактически невыгодные для обороны Белостокский и Львовский выступы прикрывались куда более тщательно. В частности, если 4-я и 5-я армии держали фронт в 120–130 километров, 9-я армия прикрывала участок границы на протяжении почти 500 километров (!), то 26-я армия держала фронт в 80–90 километров. Отсюда и концентрация войск, и мехкорпуса в выступах. Заметьте, речь идет о мехкорпусах, подчиненных командармам. Где же было их держать, как не в ближайшем *армейском* тылу? Не наступать они должны были, а встретить прорвавшегося противника!
[26] Суворов В. День М, с. 61. Такая же группировка создавалась якобы и в Белостокском выступе.
[27] Следует отметить, что и подразделения того или иного мехкорпуса также были разбросаны на огромной территории. Зачастую они отстояли друг от друга на десятки километров. Когда 23 июня Ставка потребовала организовать контрудар, на Западном фронте танковые и моторизованные дивизии часто действовали не в составе корпуса, а самостоятельно.
[28] Уже слышу возражения. Проломить немецкую оборону должны были два-три мехкорпуса. А остальные вошли бы в прорыв, развили успех и т.д. Война показала, что разрозненные наши удары к прорыву фронта не приводили. Но даже и случись такое, пройти несколько сот километров до границы и далее *большинству* наших танков было просто не под силу. Износились...
[29] История Великой Отечественной войны Советского Союза. 1941–1945. Т. 1, с. 438.

Глава 14

ЕСЛИ ЗАВТРА ВОЙНА (НАЧАЛО)

Как вы думаете, когда Советский Союз вступил в войну? В ту самую, во Вторую мировую. Не стоит краснеть и рыться в справочниках. С присущей ему категоричностью В. Суворов разрушает устоявшиеся каноны. Изучая его работы, можно прийти к следующему выводу. *В первый раз* СССР вступил в войну *19 августа 1939 года* и уже через четыре дня одержал победу![1] *Во второй же раз – в феврале 1941 года*[2] и... потерпел поражение[3].

И это – не шутка, не игра слов. Это его позиция, согласно которой *любые* происходящие в Европе события ни больше ни меньше, как часть сталинского плана. И две даты названы, я думаю, не случайно, не в спешке остались они в рукописи. Анализируя документы, сопоставляя события и даты, В. Суворов наткнулся вначале на 19 августа, а затем на февраль 41-го и решил первую дату оставить. Предугадывая критику в свой адрес, он застраховался. Не нравится вам 19 августа? Ладно, есть запасной вариант. *Лишь бы уйти от 22 июня.* Ведь этот день при всем желании не отнесешь к «сталинскому плану».

Только... разве уйдешь?

Некоторые историки полагают, что датой вступления СССР во Вторую мировую войну следует считать 17 сентября 1939 года, когда части Красной Армии пересекли советско-польскую границу. И надо честно признать, определенная логика в этом суждении есть.

Но своя логика есть и у нас. *Разве можно сравнить все то, что было до 22 июня, с тем, что было после?*

Обратимся, однако, к В. Суворову. Чем же привлек его внимание тот далекий августовский день, отчего он был взят им за отправную точку самой страшной в истории человечества войны? Понятно, что время широкомасштабных сражений, даже случайных вооруженных стычек, еще не наступило, и речь может идти лишь о их подготовке. Но что же конкретно произошло?

Заседание Политбюро!

На котором якобы было принято решение «осуществить план «освобождения» Европы»[4]. Я присутствовать на означенном заседании по понятным причинам не мог. В. Суворов, впрочем, тоже. Он судит о рассматриваемых на нем вопросах по просочившимся в зарубежную печать материалам, в частности, ссылается на сообщение французского информационного агентства Гавас. Текстом этого сообщения я, к сожалению, не располагаю. Однако не приводит его и В. Суворов.

Читатель вправе задаться вопросом: исходя из чего же делается вывод, что на состоявшемся 19 августа 1939 года заседании Политбюро было принято решение *развязать Вторую мировую войну*? В. Суворов ссылается на статью в «Правде» от 30 ноября 1939 года. Вот что он пишет:

«Сталин реагировал на сообщение агентства Гавас молниеносно и совершенно необычно. Он выступил в газете «Правда» с опровержением. Сталинское опровержение – очень серьезный документ, который нужно читать только полностью[5]. Вот он:

О ЛЖИВОМ СООБЩЕНИИ АГЕНТСТВА ГАВАС

Редактор «Правды» обратился к тов. Сталину с вопросом: как относится тов. Сталин к сообщению агентства Гавас «о речи Сталина, якобы произнесенной им «в Политбюро 19 августа», где проводилась якобы мысль о том, что «война должна продолжаться как можно дольше, чтобы истощить воюющие стороны».

Тов. Сталин прислал следующий ответ:

«Это сообщение агентства Гавас, как и многие другие его сообщения, представляет вранье. Я, конечно, не могу знать, в каком именно кафе-шантане сфабриковано это вранье. Но как бы ни врали господа из агентства Гавас, они не могут отрицать того, что:

а) не Германия напала на Францию и Англию, а Франция и Англия напали на Германию, взяв на себя ответственность за нынешнюю войну;

б) после открытия военных действий Германия обратилась к Франции и Англии с мирными предложениями, а Советский Союз открыто поддержал мирные предложения Германии, ибо он считал и продолжает считать, что скорейшее окончание войны коренным образом облегчило бы положение всех стран и народов;

в) правящие круги Англии и Франции грубо отклонили как мирные предложения Германии, так и попытки Советского Союза добиться скорейшего окончания войны.

Таковы факты.

Что могут противопоставить этим фактам кафе-шантанные политики из агентства Гавас?

И. Сталин»[6].

Ну и что? Где хоть слово об «освобождении Европы», тем более планах развязывания мировой войны?

Из сталинского опровержения нетрудно понять, что речь на заседании Политбюро шла о переориентации советской внешней политики на сближение и союз с Гитлером, и не более того.

Если и было желание нагреть на этом руки, то под прикрытием гитлеровской агрессии. Гитлер, принимая пакт, *уже точно знал*, что 1 сентября нападет на поляков. Сталин в любом случае действовал по обстановке. Не удайся Гитлеру блицкриг в Польше, и Красная Армия не тронулась бы с места.

Как же берется В. Суворов утверждать, что войну развязал Советский Союз? Тем более что ведь не Сталин толкнул Гитлера на развязывание войны. Напротив, последнний использовал СССР, обеспечивая тыл. И не Сталин создал Гитлера. Куда большая ответственность за то, что фашизму удалось набрать чудовищную мощь, лежит на мюнхенских соглашателях.

Уверен, в то время как Гитлер рвался к мировому господству, Сталин надеялся лишь прирастить без особого риска территорию своей империи.

Если на Политбюро и озвучил Сталин свою мечту – втянуть Европу в затяжную кровопролитную войну на уничтожение, оставаясь при этом в стороне, так что из того? Даже если допустить, что Сталин еще тогда, в августе тридцать девятого, предугадал разгром Германией не только Польши, но и англо-французов, если действительно рассчитывал расчистить путь к мировому господству за счет побед Гитлера, то он жестоко просчитался. Затяжной войны не получилось, вермахт вышел из боев не только не ослабленным, но, напротив, усилившимся на порядок.

Дело, кстати, не только в том, что планам Сталина, даже если и были таковые, не суждено было сбыться. Мало ли кто о чем мечтает, пусть даже мысли его аморальны. Политика и нравственность едва ли совместимы в принципе. И уж во всяком случае – *большая политика*. И агрессора определяют отнюдь не по мечтаниям и наработкам. Агрессия – *это всегда действие*. Если рассматривать желание Сталина как начало Второй мировой войны, то известное высказывание Г. Трумэна[7] следует, вероятно, считать началом третьей.

Как видим, утверждать, что 19 августа 1939 года Сталин развязал Вторую мировую войну, вряд ли возможно.

Впрочем, В. Суворов приготовил следующий аргумент. Следуя решениям Политбюро, 1 сентября 1939 года – день в день – 4-я внеочередная сессия Верховного Совета СССР принимает Закон о всеобщей воинской обязанности. Это факт, от которого не уйти, но разве он свидетельствует о стремлении Сталина завоевать Европу?

Как известно, пакт Молотова – Риббентропа был подписан 23 августа 1939 года. Однако предварительный зондаж был предпринят куда раньше, еще в середине августа. Так что ничего удивительного в том, что сессию удалось собрать уже 1 сентября, нет. На Политбюро было принято принципиальное решение случая не упускать и от предложения немцев «о сотрудничестве» не отказываться. Сессия же Верховного Совета закрепляла это решение и нацеливала государственные органы на воплощение его в жизнь.

Одним из элементов перевода страны на новые рельсы и явился Закон о всеобщей воинской обязанности. Сталин был не тот человек, чтобы пускаться в авантюру. Обладая дьявольским терпением, он просчитывал каждый серьезный шаг и все равно откладывал его годами, перепроверяя, сомневаясь, ожидая лучших времен. Понятно, что пакт и секретные соглашения к нему развязывали Сталину руки. После сокрушительных ударов немцев восточные польские воеводства оставались беззащитными. Без англо-французской поддержки не могли оказать серьезного сопротивления и Прибалтийские республики. *Ожидалось, что не окажет его и Финляндия.*

Тем не менее агрессия, пусть даже и без больших боев, – дело серьезное. Скажем, поход на Западную Украину и в Белоруссию, несчастное наступление на Карельском перешейке были предприняты еще до того, как Франция была разгромлена. В условиях, когда ее реакцию, равно как и действия англичан, предугадать было невозможно[8]. Характерно, что после Зимней войны, страшных невосполнимых потерь и глухого недовольства народа Сталин уже не решался на открытую оккупацию Прибалтики до тех пор, пока вермахт не подавил сопротивление французской армии.

Сталин не был бы самим собой, если бы заранее не застраховался от неожиданностей. Не следует также забывать, что возможное сопротивление соседей следовало подавить в максимально сжатые сроки. А для этого перевес в силах и средствах должен был стать *подавляющим*. Пережить же грядущую большую войну без *большой* армии было попросту невозможно. В. Суворов утверждает, что подобный закон не был вызван необходимостью, так как 1 сентября 1939 года никто не знал, что начался не просто конфликт, но *мировая война*. Вряд ли это так. Во всяком случае, Сталин знал. Знал и Гитлер. Нетрудно было догадаться, что окончательный раздел Восточной Европы уже не останется *совсем* без последствий. Нетрудно было представить, что Гитлер Польшей едва ли уже удовлетворится.

Война, *большая война*, надвигалась, и отмахнуться от этого было невозможно. Невозможно было и рассчитывать, что не прошедшие военной подготовки резервисты приобретут необходимые навыки в сжатые сроки. Так что всеобщая воинская повинность – мероприятие в том числе и оборонительное, реакция огромного государства, почувствовавшего горячее дыхание грядущих событий.

К тому же Закон о всеобщей воинской обязанности не отменен, как известно, и поныне. Более того, подобные нормативные акты нашли широкое применение в мире. Разве это свидетельствует о тотальной подготовке к наступательной войне? Отнюдь...

Особняком стоит вопрос о мобилизации. Не секрет, что к середине июня в армию было призвано свыше пяти миллионов человек. В. Суворов утверждает, что это свидетельствует об агрессивности сталинских планов. Собственно, он говорит о «перманентной мобилизации» в СССР.

Суть этого понятия в следующем. Для того чтобы нанести внезапный удар, армии мирного или, если хотите, предвоенного времени, численный состав которой не превышает 1% населения страны, недостаточно. Но и произвести тотальную мобилизацию в мирное время невозможно, многомиллионные массы на призывных пунктах насторожат противника. Сталин нашел якобы выход. До начала боевых действий производится тайная – «перманентная» мобилизация, в ходе которой неспешно и незаметно для противника, в течение двух лет численность армии возрастает до 5,5 миллиона человек. В *День М* они наносят внезапный сокрушительный удар и углубляются на территорию противника. А тем временем в тылу, в спокойной обстановке призываются остальные – еще 5–6 миллионов резервистов, которые должны закрепить успех и превратить его в окончательную победу.

Именно эти механизмы, по мнению В. Суворова, и были запущены в Советском Союзе 19 августа 1939 года (все та же дата). Вот что он пишет: «...в мирное время Красная Армия была вообще крохотной: 500–600 тысяч человек. Сталин... численность армии держал ниже однопроцентного рубежа, чтобы не обременять экономику, чтобы не тормозить ее рост.

...К началу 1939 года численность Красной Армии составляла один процент от численности населения. Это был Рубикон. Сталин его переступил: на *19 августа 1939 года* численность Красной Армии достигла двух миллионов.

На этом Сталин не остановился...

...таким был замысел мобилизации Красной Армии и всего Советского Союза для ведения Второй мировой войны. Вначале осторожно, крадучись, увеличить армию до пяти миллионов. Потом броситься.

Пяти миллионов для нанесения внезапного сокрушительного удара достаточно, остальные подоспеют...

Когда численность армии достигла и превзошла 5 миллионов, дальнейшее продвижение – крадучись – стало невозможным. Дальше звериный сталинский инстинкт требовал – бросаться»[9].

Как видите, я ничего не придумываю. И надо сказать честно, этот аргумент представляется наиболее весомым. Численный состав кадровой армии действительно достиг к началу войны пяти миллионов человек. И это вполне можно назвать успешно проведенной тайной мобилизацией.

Однако выводы В. Суворова о том, что призыв был спланирован изначально для нанесения по Гитлеру внезапного удара и для завоевания Европы, не выдерживают серьезной критики.

Достаточно упомянуть, что в вермахте к началу войны под ружьем было *почти семь с половиной миллионов человек*[10]. Причем отмобилизованы они были заранее, отнюдь не тайно, успели набраться боевого опыта и почувствовать вкус победы. Однако Гитлеру В. Суворов отводит роль едва ли не решившейся на защиту жертвы.

На границе немцы имели пять с половиной миллионов. В компактных группировках, с четкими задачами, с уверенностью в своих силах. Мы же имели в армиях прикрытия лишь 2,9 миллиона человек, остальные разбросаны были по огромной территории от Амура до Закавказья. О каком превентивном ударе речь при таком соотношении сил? Даже взломай мехкорпуса фронт, что бы делали они без поддержки пехоты?

В. Суворов утверждает, что в мирное время содержать *такую* армию было невозможно, но можно ли говорить о каких-либо ограничениях, *о Рубиконе* применительно к нашей стране? Когда дело шло о сохранении режима, об устранении действительной, а зачастую и мнимой угрозы, производственные проблемы отступали на второй план.

Впрочем, разве западные демократии, те же американцы, действовали бы на месте Сталина иначе? Зная, что у Гитлера под ружьем более семи миллионов человек, *догадываясь*, что до пяти с половиной миллионов сосредотачиваются у границы, можно было пойти и на определенные сложности с экономикой. Можно было урезать паек, и допустить перебои со снабжением, и сделать многое-многое другое.

Тем более что нам-то не привыкать. Подобное, только куда в больших масштабах, творилось у нас в начале

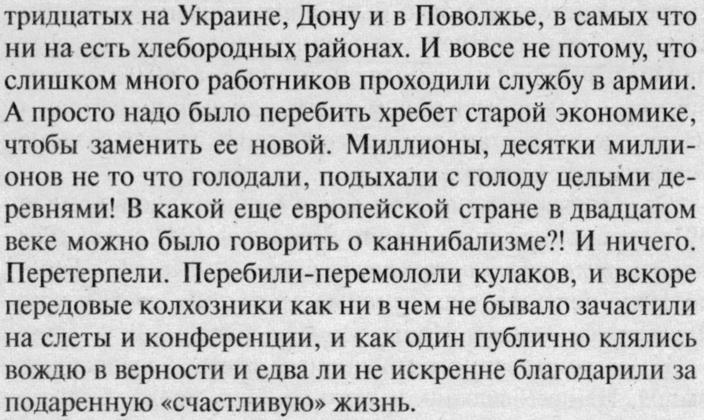

тридцатых на Украине, Дону и в Поволжье, в самых что ни на есть хлебородных районах. И вовсе не потому, что слишком много работников проходили службу в армии. А просто надо было перебить хребет старой экономике, чтобы заменить ее новой. Миллионы, десятки миллионов не то что голодали, подыхали с голоду целыми деревнями! В какой еще европейской стране в двадцатом веке можно было говорить о каннибализме?! И ничего. Перетерпели. Перебили-перемололи кулаков, и вскоре передовые колхозники как ни в чем не бывало зачастили на слеты и конференции, и как один публично клялись вождю в верности и едва ли не искренне благодарили за подаренную «счастливую» жизнь.

А тут – пара миллионов красноармейцев может привести к негативным тенденциям в экономике. Да не может! Ведь, как известно, народ и армия – едины. И парни, надевая гимнастерки, *вовсе не выпадают из народного хозяйства*. Армия у нас в той или иной форме принимала участие в производственной деятельности *всегда*. Другой вопрос, насколько эффективным был солдатский труд. Впрочем, когда все работают из-под палки, не все ли равно, кто во что одет?

Любопытно отметить следующее. Когда война уже стояла у нашего порога, Жуков обратил внимание Сталина на некомплект личного состава в армиях прикрытия. Так, численный состав отдельных стрелковых дивизий не превышал пяти-шести тысяч человек. Оно и понятно, ведь это были формирования *мирного времени*. Генштаб настаивал довести их численность хотя бы до восьми-девяти тысяч, и Сталин разрешил. В конце мая – начале июня под видом сборов[11] был осуществлен призыв *800 тысяч резервистов*. Все они были направлены в западные округа. Казалось бы, чем не зацепка для В. Суворова. Однако на этом факте он внимание читателя не акцентирует. И думаю, вот почему. Согласно его воззрениям, тайная мобилизация должна была проводиться планомерно и поступательно. Вливание в войска *такой* массы резервистов не могло быть спланировано при этом заранее. Если смотреть на вещи непредвзято, следует признать, что призыв в последний момент 800 000 резервистов не может быть ничем иным, как реакцией страны на изменение обстановки у ее границ. Но это как раз и не устраивает В. Суворова.

Он-то убеждает нас в том, что Сталин еще в августе 39-го решил вступить в войну *до осени 1941 года*[12]. *Вне зависимости от того, что произошло бы за два года в Европе*. Надо полагать, вне зависимости от того, *против кого пришлось бы воевать*. Но разве это не абсурд?

Из всего сказанного приходится сделать следующий вывод. Не все было так просто. Рискну предположить, что в августе 39-го Сталин пошел на союз с Гитлером прежде всего потому, что он сулил ему, помимо гарантий нескольких лет безопасности и скорых реальных дивидендов, весьма заманчивые перспективы. Весь опыт Первой мировой войны свидетельствовал, общеевропейская схватка неизбежно примет затяжной характер, и преимущество получит тот, кто вступит в войну последним. А тут ему предлагали Прибалтику, Бессарабию и Финляндию как раз в обмен на нейтралитет в будущей мировой бойне. Казалось, с нападением Гитлера на Польшу обстановка для СССР складывалась более чем благоприятная.

Вместе с тем предугадать развитие событий было невозможно, и Сталин начал наращивать численный состав армии. Финляндия лишь подхлестнула этот процесс, вождь хорошо знал, что бывает с теми, кто дал повод посчитать себя слабым. Когда же летом 40-го была разгромлена Франция, и вместо вцепившихся друг другу в глотки, истекающих кровью, смертельно усталых, израненных противников на границе возник закаленный в боях, набравший непомерную силу, жаждущий крови колосс, *не иметь достаточно большой армии стало равносильным спровоцировать немцев на нападение*. Сталин боялся Гитлера, но вместе с тем уверен был, что последнего остановит одна только лишь наша мощь, осознание того факта, что сопротивление будет жестоким, и победа вряд ли окупит понесенные ради ее достижения потери.

Как-то ускользнул из внимания В. Суворова тот факт, что до середины мая Сталин был куда смелее. В частности, именно в мае им была одобрена идея выдвижения на тыловой рубеж армий Второго стратегического эшелона. Дело в том, что первоначально немцы планировали напасть на СССР *15 мая 1941 года.* Именно эта дата и фигурировала в разведсводках, и я не вижу причин, по которым Сталин должен был безоговорочно отвергнуть эти сообщения. Известные события в Югославии, сдвинувшие начало войны более чем на месяц, масштабная кампания дезинформации, организованная абвером[13], а главное, абсолютная бесперспективность столкновения с немцами один на один, нежелание его[14] привели Сталина к мысли, что нужно просто переждать. Не дать Гитлеру повода. Уверить его в том, что СССР не только не нападет, но не представляет даже потенциальной угрозы.

Вместе с тем само сосредоточение, почти в открытую *(да разве можно такое утаить?)*, ударных сил вермахта у наших границ недвусмысленно указывало на скорое нападение. Это понимали многие. Другое дело, что даже командующие округами в обстановке, когда Сталин войны с немцами не желал и сам уверовал, что Гитлер не нападет, не могли не только предпринять мер по укреплению нашей обороноспособности, но даже заявить открыто о надвинувшейся угрозе. Смогли Жуков и Тимошенко. Надо полагать, когда они пытались убедить Сталина во всей серьезности положения, им было *что сказать*[15]. Надо полагать, настойчивость наркома и начальника Генштаба *что-то да значила.*

Отсюда и вся двойственность сталинских решений, среди которых запрет занять Предполье и призыв 800 тысяч резервистов, демонстрация нашей небоеготовности и столь счастливо выгруженный под Киевом и восточнее

Минска Второй эшелон, скрупулезное выполнение до последних часов торгового договора с немцами и тайная, если хотите, мобилизация. Отсюда и пять миллионов под ружьем, и разбросанность их по огромной территории. И многое, многое другое, свидетельствующее, что Вторая мировая война началась, конечно, не 19 августа.

Но что же «февраль 41-го»? Предоставим слово самому В. Суворову. Вот что он пишет: «Коммунистические[16] историки уверяют нас, что до 22 июня 1941 года между СССР и Германией существовал мир, который якобы 22 июня был нарушен Германией. Эта смелая гипотеза фактами не подтверждена. Факты говорят об обратном. **Развернув в феврале 1941 года командные пункты фронтов, Советский Союз фактически вступил в войну против Германии, хотя об этом и не заявил официально»[17].**

Что тут скажешь? Разве есть смысл доказывать, что готовить командные пункты начали лишь в середине мая, а вывести на них фронтовые управления планировалось лишь в середине июня?[18]

Вы вдумайтесь только в то, что пишет В. Суворов. Если развертывание командных пунктов фронтов – это признак агрессивных устремлений и вступление в войну с Германией, *то что же тогда такое план «Барбаросса», сосредоточение у наших границ всех ударных сил вермахта, наличие не просто общих директив, но конкретных наступательных планов?..*

Наконец, что же тогда 22 июня?!

Примечания

1. Суворов В. Ледокол, с. 51, 54.
2. Там же, с. 271.
3. Суворов В. Последняя республика, с. 28.
4. Суворов В. Ледокол, с. 51.
5. Согласен абсолютно. Именно по этой причине и привожу столь объемный текст.
6. Суворов В. Ледокол, с. 51, 52. Обратите внимание на дату публикации и на бодрый, вызывающий тон. 30 ноября 1939 года Красная Армия

вторглась в Финляндию. Опровержение должно было лишний раз показать Гитлеру, что договор остается в силе. Пусть союзник, не опасаясь за тылы, занимается своим делом, пока он, Сталин займется своим. Кто же знал, насколько ослабленной окажется после чистки армия и насколько жестокий отпор ждет ее на финской земле.

[7] 24 июня 1941 года сенатор, будущий президент США Гарри Трумэн в интервью «Нью-Йорк таймс» заявил буквально следующее: «Если мы увидим, что выигрывает Германия, то нам следует помогать России, а если выигрывать будет Россия, то нам следует помогать Германии, и, таким образом, пусть они убивают как можно больше...» Американская внешняя политика следовала именно этому посылу, и войска пересекли Ла-Манш лишь тогда, когда мощь вермахта уже была подорвана Красной Армией.

[8] Вполне допускаю высадку экспедиционного корпуса союзников, углубись Красная Армия на территории Финляндии.

[9] Суворов В. День М, с. 153–155.

[10] Приводится и другая цифра – восемь с половиной миллионов человек (Яковлев Н. Жуков, с. 98).

[11] Сборы планировалось провести с мая по октябрь.

[12] Суворов В. День М, с. 151.

[13] Были даже отпечатаны карты Островов с соответствующей утечкой информации.

[14] Не следует забывать, что Сталин добился *абсолютной* личной власти. За долгие годы он успел уже привыкнуть к тому, что, если ему чего-то не хочется, этого просто не может произойти. При этом Сталин подавлял своим авторитетом и других, тех, кто имел свой взгляд на вещи. Вот слова Маршала Жукова: «...нам... казалось, что в вопросах войны, обороны И.В. Сталин знает не меньше, а больше нас, разбирается глубже и видит дальше. Когда же пришлось столкнуться с трудностями войны, мы поняли, что наше мнение по поводу чрезвычайной осведомленности и полководческих качеств И.В. Сталина было ошибочным» (Жуков Г.К. Воспоминания и размышления. Т. 1, с. 345).

[15] Понятно, что немцы перебросили свои силы с востока на запад не в один день. Вот что пишет по этому поводу Еременко: «На сосредоточение такой массы войск потребовалось значительное время, переброска войск к нашим границам производилась поэшелонно с февраля до июня 1941 г.» (Еременко А.И. В начале войны, с. 68) *Не заметить этого было невозможно.*

[16] Можно подумать, *некоммунистические* историки, поддерживая В. Суворова, уверяют нас в обратном.

[17] Суворов В. Ледокол. М, 1993, с. 271.

[18] Жуков Г.К. Воспоминания и размышления. Т. 1, с. 361.

Глава 15

ВОЙНА, КОТОРАЯ БЫЛА.
НА ЮГО-ЗАПАДНОМ НАПРАВЛЕНИИ

История не признает сослагательного наклонения. Всякое предположение неизбежно предположением и остается. Слишком много факторов, слишком много событий. Зачастую связанных, переплетенных между собой и отнюдь не опосредованно.

Нам не дано знать, как развивалась бы ситуация, напади Сталин первым. *Мы можем лишь догадываться.*

В то же время история щедра на аналогии и примеры. И если мы хотим представить, чем мог обернуться наш превентивный удар, думаю, следует обратиться к ним.

Как-то не афишируется, что в июне 41-го на Юго-Западном и Южном фронтах, особенно в сравнении с другими направлениями, сложилась куда более благоприятная для нас обстановка. И война начиналась здесь иначе. Рискну утверждать, именно подобный характер носили бы первые бои, именно так они и закончились бы, напади мы первыми.

Основной удар немцы наносили в центре. В первую очередь им нужно было окружить и уничтожить войска Западного фронта. Группы армий «Север» и «Юг» прежде всего обеспечивали фланги танковых клиньев, устремившихся к Минску. И если наш Северо-Западный фронт оказался слишком слаб, чтобы разгромить врага, то на Юго-Западном направлении была сосредоточена самая крупная группировка войск, и это были лучшие наши силы. Если и имели немцы превосходство в живой силе, то незначительное. В танках же мы превосходили противника почти в четыре раза[1]. Не хватало вермахту и авиации. Во всяком случае, на аэродромах было уничтожено не более 180 наших самолетов[2], что на порядок меньше, чем на Западном фронте.

Если в других местах немцы в первый же день смяли оборону и вырвались на оперативный простор, то здесь с ходу прорвать фронт не удалось. Более того, вбив клин в стык между 5-й и 6-й армиями, танковые дивизии Клейста сами оказались в полуокружении...

Впрочем, бои на Юго-Западном направлении заслуживают особого внимания.

В предвоенные годы традиционно принято было считать, что немцы, напади они на СССР, нанесли бы основной удар на юге, стремясь оккупировать богатые хлебородные районы и открыть себе дорогу к промышленному Донбассу, а в перспективе и к северокавказской нефти. Соответственно, здесь, на Юго-Западном направлении, и была сосредоточена самая сильная группировка советских войск. В частности, в составе Юго-Западного фронта[3] границу прикрывали: в полосе от Влодавы до Крыстынополя – 5-я армия[4] (на удалении от 10 до 150 километров от границы – пять стрелковых дивизий, 22-й мехкорпус и части усиления); южнее, на Львовском направлении, в полосе от Крыстынополя до Радымно – 6-я армия[5] (три стрелковые, одна кавалерийская дивизии, 4-й мехкорпус и части усиления); на Перемышльском направлении, в полосе от Радымно до Творыльне – 26-я армия[6] (три стрелковые дивизии, 8-й мехкорпус и части усиления); наконец, на южном фланге – растянувшаяся от Радымно до Черновиц[7] 12-я армия[8] (шесть стрелковых дивизий, 16-й мехкорпус и части усиления).

Немцы имели подтянутые к границе, готовые к наступлению соединения группы армий «Юг»: 6-ю и 17-ю полевые армии, 1-ю танковую группу[9] и Венгерский корпус[10].

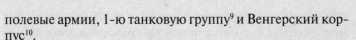

Следует отметить, что и боевая подготовка советских войск поддерживалась на достаточно высоком уровне[11], и новый командующий выгодно отличался эрудицией и трезвым взглядом на вещи.

Это отдельная тема, но обойти ее невозможно. Почему Западный фронт был окружен и разгромлен, практически уничтожен, уже в первых числах июля, а Юго-Западный в первые дни не просто успешно оборонялся, но и наносил настолько ощутимые контрудары, что в какой-то момент инициатива едва не выскользнула у немцев из рук? Понятно, что на Западном направлении вермахт располагал большими силами, понятно, что там они изначально нацеливались на окружение ядра наших войск. И все же...

Павлов и Кирпонос. На своем ли месте оказались они 22 июня?

Судьба командующих сильнейшими нашими фронтами схожа. Оба отличились на Карельском перешейке, оба, враз преодолев несколько ступеней карьеры, утвердились на самом верху[12]. А вот командовали в приграничном сражении по-разному. Павлов, потеряв связь, а с ней и управление войсками, выругался и выехал в войска. Кирпонос штаб не оставил и добился более-менее устойчивой связи. Павлов, уже, будучи в полуокружении, бросил последний свой резерв из-под Минска к Лиде, на самое дно готового затянуться мешка[13]. Кирпонос, напротив, был излишне осторожен и проявлял зачастую чрезмерную заботу о флангах. Павлов, думается, только под конец стал понимать, *какой будет эта война*. Кирпонос пристально следил за происходящими в Европе событиями, тактику вермахта изучил досконально и, судя по всему, предугадывал, что наша оборона таранного удара немецких танков не выдержит.

Это не предположение. Как свидетельствует Баграмян, при разработке оборонительного плана «КОВО-41»,

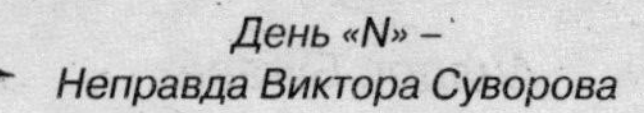

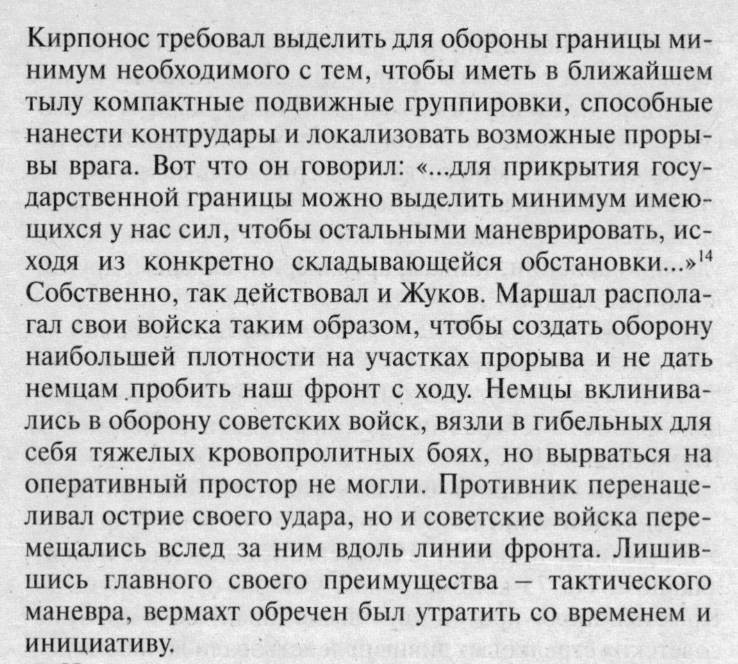

Кирпонос требовал выделить для обороны границы минимум необходимого с тем, чтобы иметь в ближайшем тылу компактные подвижные группировки, способные нанести контрудары и локализовать возможные прорывы врага. Вот что он говорил: «...для прикрытия государственной границы можно выделить минимум имеющихся у нас сил, чтобы остальными маневрировать, исходя из конкретно складывающейся обстановки...»[14] Собственно, так действовал и Жуков. Маршал располагал свои войска таким образом, чтобы создать оборону наибольшей плотности на участках прорыва и не дать немцам пробить наш фронт с ходу. Немцы вклинивались в оборону советских войск, вязли в гибельных для себя тяжелых кровопролитных боях, но вырваться на оперативный простор не могли. Противник перенацеливал острие своего удара, но и советские войска перемещались вслед за ним вдоль линии фронта. Лишившись главного своего преимущества – тактического маневра, вермахт обречен был утратить со временем и инициативу.

Не знаю, осознавал ли это в июне 41-го командующий Киевским округом генерал-полковник Кирпонос, но факт остается фактом. Он предпочитал не растягивать свои войска в одну линию вдоль оборонительного рубежа, а иметь под рукой мощные резервы. Нелишне вспомнить, что именно он, вопреки указаниям Сталина, приказал занять Предполье. Не слишком смелым выглядит и предположение, что уверенный в скором начале боевых действий командующий принял меры, чтобы война не застала вверенные ему войска врасплох. Об этом говорит и сам ход боевых действий. По существу, нигде в полосе Юго-Западного фронта советские части не были разгромлены при вторжении, напротив, на удивление быстро поднялись и выдвинулись к границе, спокойно и деловито начали воевать. Куда меньшие потери понесли здесь наши танкисты и авиация. Вот свидетельство Хрущева: «Немцы не достигли первым налетом намеченной цели, не смогли вывести из строя наши аэродромы и самолеты. Наши самолеты и танки целиком нигде не были уничтожены с первого удара. В КОВО (хотя, может быть, от меня что-нибудь и скрывали; но так докладывали мне тогда, а я верил *и сейчас верю*, что это была правдивая информация) немцы нигде не смогли использовать полностью внезапность для нанесения удара по авиации, танкам, артиллерии, складам, другой военной технике»[15].

Здесь мы оказались более-менее готовы. Здесь немцы не смяли нас с первого удара.

И немалая заслуга в этом командующего Юго-Западным фронтом генерал-полковника Михаила Петровича Кирпоноса...

Первый день войны оказался насыщен событиями.

Основной удар немцев пришелся по левому флангу 5-й армии, и поначалу их перевес в силах был подавляющим. На 75-километровом участке от Устилуга до Крыстынополя против двух выдвигавшихся к границе советских стрелковых дивизий действовали до шести пехотных и три танковые дивизии противника. Результат не замедлил сказаться. 87-я и 124-я стрелковые дивизии не дошли до границы и, обойденные немцами, заняли круговую оборону. О создании сплошного фронта на этом 75-километровом участке не было и речи, и танки Гудериана устремились в глубь советской территории.

Однако их ожидал сюрприз. Навстречу немцам из Луцка выдвигалась к границе 1-я противотанковая артиллерийская бригада Москаленко[16]. Восточнее Владимира-Волынского[17] произошел ожесточенный встречный бой, в результате которого обе стороны понесли чувствительные потери[18]. Однако немцы не только не разгромили бригаду, но, будучи не в состоянии прорваться по шоссе на Луцк, были вынуждены обходить ее боевые порядки с юга.

В то же время сопротивление окруженных у границы соединений было столь сильным, что большая часть пе-

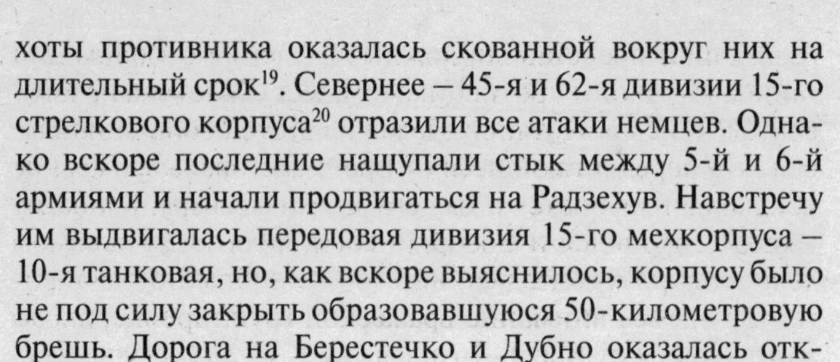

хоты противника оказалась скованной вокруг них на длительный срок[19]. Севернее – 45-я и 62-я дивизии 15-го стрелкового корпуса[20] отразили все атаки немцев. Однако вскоре последние нащупали стык между 5-й и 6-й армиями и начали продвигаться на Радзехув. Навстречу им выдвигалась передовая дивизия 15-го мехкорпуса – 10-я танковая, но, как вскоре выяснилось, корпусу было не под силу закрыть образовавшуюся 50-километровую брешь. Дорога на Берестечко и Дубно оказалась открыта.

На других участках фронта складывалась куда более благоприятная для нас обстановка. Там немцы не имели танкового кулака, и их наступательные возможности оказались куда скромнее.

В полосе обороны 6-й армии сильное давление оказывалось на правофланговые – 41-ю стрелковую и 3-ю кавалерийскую дивизии. Однако прорваться через боевые порядки советских войск противнику не удалось. В то же время и мы не смогли прикрыть все расширявшуюся брешь между 5-й и 6-й армиями[21].

99-я стрелковая дивизия 26-й армии, считавшаяся лучшей в РККА[22], не ударила в грязь лицом. Утром 22 июня немцы ворвались в пограничный Перемышль, но закрепиться им не удалось. Уже на следующий день части дивизии освободили город. Трижды Перемышль переходил из рук в руки и в конце концов остался за нами. Лишь 29 июня в связи с ухудшением обстановки на других участках Юго-Западного фронта, по приказу командования, город был оставлен.

Итак, уже к вечеру обозначились две ударные танковые группировки противника, оперирующие юго-западнее Луцка и в районе Сокаль-Радзехув. Именно они, прорываясь на восток, отрезали от основных сил 5-ю армию и представляли главную опасность.

К сожалению, неверную информацию о силах противника предоставила разведка. Занизив силы противника, действующие в центре и на правом фланге 5-й армии, разведчики представили ложные сведения о «движении танковых колонн противника от Брест-Литовска на юго-восток. Генерал Потапов сделал из этого сообщения вывод, что передвигающиеся от Брест-Литовска вражеские войска направляются в тыл его армии с севера. К такому выводу склонялся и Военный совет фронта... На самом деле эта угроза оказалась мнимой. Ошибка стоила дорого: уделив все внимание вражеской группировке, *якобы* двигавшейся от Брест-Литовска на Ковель (несуществующей группировке! – *А.Б.*), командарм не смог своевременно разобраться в обстановке на своем левом фланге и на стыке с армией Музыченко. *А именно там противник наносил главный удар*»[23].

Как это нередко случается, осторожность, и предусмотрительность Кирпоноса сыграли с ним злую шутку. Командующий не любил, *да, наверное, и не умел* рисковать. Желая избежать окружения 5-й армии, он принял впоследствии роковое решение. 22-й механизированный корпус, главная сила, сдерживающая рвущихся к Луцку немцев, был переброшен под Ковель. Мало того, что, воспользовавшись этим обстоятельством, противник направил на обнажившийся участок фронта танковую дивизию. И 135-я стрелковая дивизия[24] и 1-я противотанковая артиллерийская бригада оказались под угрозой окружения и разгрома[25]. Куда важнее то обстоятельство, что к предпринятому контрудару по вклинившимся в нашу оборону танковым дивизиям Клейста привлечь 22-й мехкорпус после этого было уже невозможно[26].

В такой обстановке ближе к полуночи 22 июня была получена очередная (о предыдущих мы еще поговорим) директива Ставки, в которой Юго-Западному фронту предписывалось: «Прочно удерживая государственную границу с Венгрией, концентрическими ударами в общем направлении на Люблин силами 5-й и 6-й армий, не менее пяти механизированных корпусов, и всей авиации фронта окружить и уничтожить группировку противника, наступающую на фронте Владимир-Волынский, Крыстынополь, к исходу 24.6 овладеть районом Люблин...»[27]

Нереальность поставленной задачи была очевидна, так как одним лишь мехкорпусам для выхода к месту сосредоточения требовалось от двух до четырех суток. Выдвигавшимся из глубины в полосу 5-й армии стрелковым корпусам второго эшелона для того, чтобы преодолеть 150–200 километров, требовалось не менее пяти-шести суток.

Об этом, а также о том, что главные силы *одновременно* к месту сражения подойти не смогут и корпуса неизбежно будут втянуты в бой по частям, прямо сказал на импровизированном военном совете Пуркаев. Он порекомендовал командующему доложить в Москву о сложившейся неблагоприятной обстановке и просить об изменении задачи[28]. Однако Кирпонос вступить в спор с Москвой, даже заявить о своем несогласии с полученной директивой не решился[29]. В сущности, было принято компромиссное решение. Пытались остановить противника, подтянуть к основанию его танкового клина мехкорпуса и нанести удар по мере их сосредоточения, ориентируясь не столько на оговоренный Ставкой срок, сколько на их готовность к боевым действиям[30]. Первоначально для проведения контрудара планировалось привлечь 4-й, 8-й, 9-й, 15-й и 19-й мехкорпуса[31].

В ночь на 23 июня в штаб прибыли в качестве представителя Ставки Г.К. Жуков и назначенный членом Военного совета фронта Н.С. Хрущев. Переговорив с командармом-6, «Жуков особо подчеркнул, насколько важно, чтобы 4-й мехкорпус как можно быстрее был переброшен на правый фланг армии»[32], и выехал в 8-й мехкорпус[33]. Вечером настроение его ухудшилось. Вот что пишет Баграмян: «Начальник Генерального штаба был хмур. Он молча кивнул в ответ на мое приветствие. Из разговора я понял, что Жуков считает действия командования фронта недостаточно энергичными и целеустремленными. По его словам, много внимания уделяется решению второстепенных задач и слишком медленно идет сосредоточение корпусов. А нужно определить главную опасность и против нее сосредоточить основные усилия... Только так можно добиться перелома в ходе приграничного сражения. *Жуков считал ошибкой, что Кирпонос позволил командующему 6-й армией оттянуть 4-й механизированный корпус с правого фланга армии, где враг наносит главный удар, на левый и ввести его в бой на этом второстепенном направлении»*[34].

24 июня начался наш контрудар. И развивался он далеко не так, как планировалось. 22-й мехкорпус прорваться к Владимиру-Волынскому не сумел. Более того, используя высокую мобильность своих соединений, немцы обошли частью сил наши позиции и стали угрожать коммуникациям. 15-й мехкорпус, понесший за два дня боев тяжелые потери, еще сдерживал противника, но наступать уже не мог. Все успевшие подойти части 4-го и 8-го мехкорпусов по замыслу командования должны были в течение ночи занять исходное положение, в 7 часов утра 25 июня нанести удар, выйти в район Войница — Милятын – Сокаль и соединиться с окруженными частями 87-й и 124-й стрелковых дивизий[35]. Однако обострение обстановки заставило пересмотреть принятое решение. Мощная танковая группировка противника прорвалась в район Дубно – Броды и угрожала уже коммуникациям всего фронта. В то же время немцы подставили под удар свои фланги. Исходя из этого, Кирпонос перенацелил для наступления на Дубно как подходившие к Радзивилову и Бродам танковые дивизии 8-го механизированного корпуса[36], так и сосредотачивавшиеся северо-восточнее части 9-го и 19-го мехкорпусов.

Ранним утром 26 июня 8-й мехкорпус силами 7-й моторизованной, 12-й и 34-й танковых дивизий нанес, наконец, мощный удар в северо-восточном направлении. Советские танкисты подошли к Берестечко, но дальше продвинуться не смогли. 15-й мехкорпус не смог поддержать соседа справа, так как сам с трудом отражал непрекращающиеся атаки противника[37].

К тому времени уже вступили в бой 9-й и 19-й корпуса, потеснившие немцев. Наибольшего успеха добилась 20-я танковая дивизия 9-го мехкорпуса. Она глубоко вклинилась в боевые порядки противника, но прорваться к Дубно с севера не смогла. К ночи бой затих. Командиры корпусов генералы К.К. Рокоссовский и Н.В. Фекленко заверили Потапова, что с утра возобновят наступление, но к этому времени командующий фронтом, по-видимому, уже склонился к мысли, что без временного перехода к обороне не обойтись.

Начальник же Генштаба все еще не терял надежды разгромить танковый клин Клейста[38]. Вновь приведу слова Баграмяна: «Из 5-й армии возвратился генерал армии Жуков. Узнав, что Кирпонос намеревается подходившие из глубины 36-й и 37-й стрелковые корпуса расположить в обороне на рубеже Дубно – Кременец – Новый Почаюв – Гологурцы, он решительно воспротивился против такого использования войск второго эшелона.

– Коль наносить удар, то всеми силами!

Перед тем как улететь 26 июня в Москву, Г.К. Жуков еще раз потребовал от Кирпоноса собрать все, что возможно, для решительного контрудара»[39].

На следующем же после убытия Жукова заседании Военного совета фронта[40] Пуркаев высказал то, к чему стали постепенно склоняться большинство работников штаба. *Пора переходить к обороне!* Предложение начальника штаба не явилось неожиданным для Кирпоноса. «Командующий фронтом сформулировал окончательное решение: стрелковым корпусам временно занять оборону по линии рек Стоход, Стырь и населенных пунктов Кременец, Золочев. Механизированные корпуса отвести за этот рубеж. За три-четыре дня подготовить мощный контрудар с целью уничтожения вторгшихся на Луцком и Дубненском направлениях войск противника.

Времени для разработки общего боевого приказа уже не оставалось. Кирпонос посылает в войска своих представителей»[41]. О принятом решении было доложено и в Москву. Уже к вечеру пришел ответ: отход прекратить и продолжать контрудар!

От кого исходило это указание – догадаться нетрудно. Не тот был человек Жуков, чтобы отказываться от своих решений. К тому же Кирпонос не пришелся ему по душе[42]. Да иначе и быть не могло, слишком уж разными были эти люди. Кирпонос, вне всякого сомнения, оценивал немцев очень высоко и ввязываться во встречный бой, не имея достаточной информации, рискуя остаться без резервов, отнюдь не спешил. Однозначно оценивать его действия при организации контратакующих действий в приграничном сражении невозможно.

Жуков превыше всего ценил инициативу. Если надо было сосредоточить силы на решающем направлении, он без колебания оголял другие участки фронта, которые считал второстепенными.

Конечно же, решительный, целеустремленный Жуков куда больше соответствовал требованиям этой войны. Но вместе с тем не будем забывать и о том, что ей пока еще не соответствовали боевая подготовка и возможности советских войск. В конце концов, факт остается фактом, мехкорпуса, потеряв в яростных атаках материальную часть, задержали, *но не обескровили* танковую группу Клейста. Не остановили немцев. К обороне, так или иначе, перейти пришлось. Только без танков в тылу и куда восточнее...

Не столько вина, сколько беда Кирпоноса в другом. Он не мог отстоять перед начальством свою точку зрения. Имея собственный план дальнейших действий, вынужден был выполнять чужой, навязанный ему сверху. Который считал ущербным и в который не верил. А без веры прежде всего в самого себя победы не добьешься...

Повторюсь, не только в нем дело. Помимо прочего,

не хватало элементарного опыта в управлении такими массами войск и боевой техники. А в результате – вся неразбериха, противоречащие друг другу приказы, метания танковых колонн от одного рубежа к другому. И главное – введение мехкорпусов в бой по мере подхода. Последовательно. По частям.

Вот что пишет об этом встретивший войну в должности командира 9-го механизированного корпуса генерал-майор К.К. Рокоссовский: «...Никому не было поручено объединить действия трех корпусов. Они вводились в бой разрозненно и с ходу, без учета состояния войск, уже двое суток дравшихся с сильным врагом, без учета их удаленности от района вероятной встречи с противником»[43].

А пока что не сумевший отстоять свою точку зрения в переговорах с Москвой, Кирпонос вынужден был отдать новый приказ, прямо противоположный предыдущему. Связь практически отсутствовала. Вновь пришлось использовать представителей – офицеров штаба. К этому времени 8-й и 15-й мехкорпуса уже начали отходить в юго-восточном направлении. Неизбежной неразберихой воспользовались немцы, которые к утру 27 июня заняли Дубно и, отбросив к югу находившиеся на марше части правофланговой дивизии 36-го стрелкового корпуса, двинулись на Острог. К счастью, в районе Шепетовки оставались еще некоторые части 16-й армии генерала М.Ф. Лукина[44]. Его инициатива и спасла положение. Командарм-16 немедленно приостановил погрузку и начал перебрасывать под Острог части 109-й моторизованной дивизии 5-го мехкорпуса, которые и остановили немцев[45].

Резкое ухудшение обстановки вынудило Кирпоноса поставить корпусам новые задачи. 8-й должен был теперь наступать прямо на Дубно, 15-й – на Берестечко. Повезли новый, *третий по счету*, приказ бригадный комиссар А.И. Михайлов и комбриг Н.С. Петухов. Туда же, проверить, выехал вскоре и член Военного совета фронта Н.Н. Вашугин. О нем еще речь впереди...

34-я танковая дивизия 8-го мехкорпуса, усиленная мотоциклетным полком, двинулась вперед и поначалу имела успех. 15-й наступать уже не мог, *не осталось танков*. С 9-м и 19-м корпусами, равно как и со штабом 5-й армии, связи не было.

В конце дня 27 июня генерал Д.И. Рябышев доложил, что передовые части его 8-го мехкорпуса с боями ворвались в Дубно. В штабе фронта повеселели. Казалось, складывается реальная возможность разгромить, наконец, танковую группировку противника. В самом деле, она оказывалась зажатой с трех сторон: с северо-востока ее атаковали 9-й и 19-й мехкорпуса; с юго-запада – 8-й и 15-й механизированные, 36-й и 37-й стрелковые корпуса и 14-я кавдивизия 5-го кавалерийского корпуса; с востока – группа Лукина.

Однако радость оказалась преждевременной. Реальная обстановка оставалась далекой от той, что была обозначена на штабных картах. 9-й и 19-й мехкорпуса не смогли прорвать оборону противника, подверглись массированным ударам авиации и, понеся катастрофические потери, откатывались к Ровно[46]. Подвижная группа 8-го мехкорпуса была окружена немцами в Дубно, и связь с ней потеряна. 15-й стрелковый и 22-й механизированный корпуса оставили Ковель и отошли за реку Стоход.

В сложившейся ситуации Кирпонос принял решение усилить удары по прорвавшимся в район Острога танковым соединениям Клейста, с тем чтобы если не разгромить их, то хотя бы вынудить приостановить продвижение на восток. Однако вскоре выяснилось, что 8-й мехкорпус, также понесший тяжелые потери, деблокировать свою 34-ю танковую дивизию был уже не в состоянии. Наступательные возможности Юго-Западного фронта были исчерпаны. И хотя в новом боевом приказе еще упоминалось о контрударе силами 5-й армии с целью отсечения прорвавшейся к Ровно группировки противника, весь он был пронизан духом обороны. Остатки 4-го, 8-го и 15-го мехкорпусов выводились в резерв.

В ходе тяжелых боев они, как и другие мехкорпуса фронта, участвовавшие в контрударе, понесли катастрофические потери. *От более чем трех с половиной тысяч танков остались сотни*. Вырвать инициативу из рук противника не удалось.

Бои шли уже неподалеку от Тарнополя. В ночь на 30 июня штаб Юго-Западного фронта переехал в Проскуров. Приграничное сражение было проиграно. 30 июня последовал приказ Ставки, в котором войскам Юго-Западного фронта предписывалось до 9 июля занять оборону на рубеже Коростенского, Новоград-Волынского, Шепетовского, Староконстантиновского и Проскуровского укрепленных районов. Фронт отходил на старую границу...

Причины поражения наших механизированных корпусов в приграничных сражениях противоречивы, сложны и многообразны. Негативно отразился на ходе боевых действий ввод их в сражение по мере подхода к рубежу сосредоточения, по частям. Сыграла свою роковую роль немецкая авиация, буквально висевшая над полем боя.

Но куда более значимо и отсутствие взаимодействия между нашими танковыми, стрелковыми и авиационными подразделениями. Нередко мехкорпуса действовали на свой страх и риск, в отрыве от стрелковых частей, практически без поддержки авиации.

Немцы воевали иначе. Когда надо, они рассыпались, перерезая наши коммуникации, давя тылы, но умели быстро собраться в кулак и нанести сокрушительный таранный удар[47]. *Без авиационной поддержки немецкие танкисты вообще не наступали.* Танковые дивизии Клейст старался не распылять и использовал лишь на решающем направлении, на острие главного удара. При этом фланги, как правило, прикрывала пехота, пробить которую без предварительной артиллерийской и авиационной подготовки наши танкисты в большинстве случаев не могли[48].

Когда же мы имели успех, немцы уступали поле боя и обходили выдвинувшиеся советские войска с флангов, стараясь окружить. Попытки продолжить наступление, а зачастую и пробиться обратно наталкивались на сильную противотанковую оборону. Постепенно под воздействием вражеской авиации уничтожалась техника, и в первую очередь бензовозы и транспорт. Лишившись горючего, а с ним и подвижности, попавшие в ловушку мехкорпуса, становились мишенью для немецких летчиков.

Не следует также забывать, что в большинстве случаев немцы могли эвакуировать *(и эвакуировали)* поврежденную технику, и после ремонта определенный процент подбитых машин возвращался в строй. Мы же такой возможности были лишены. В лучшем случае, материальная часть уничтожалась[49]. «Бэтушки» обливали бензином и сжигали, в корму «КВ» закладывали мощный заряд тола, замки артиллерийских орудий закапывали в землю или топили в болотах. *Из окружения выходили уже без техники...*

Вполне резонным выглядит предположение некоторых современных авторов, что советское командование просто *не умело* наладить надлежащим образом управление столь крупными бронетанковыми соединениями. Во всяком случае, распорядиться имевшимися огромными силами с должным эффектом оно не смогло[50].

Нелишне упомянуть, какие уродливые формы это управление зачастую принимало. Помните эпизод, когда после двух полученных один за другим, прямо противоположных друг другу приказов подразделения 8-го, в частности, мехкорпуса глубокой ночью вынуждены были сначала отойти с занимаемых позиций, а затем вернуться на них? О том, что произошло на следующее утро, рассказывает бывший заместитель командира корпуса по политической части генерал Н.К. Попель:

«...К девяти часам утра 27 июня корпус представлял собой три почти изолированные группы[51]. По-прежнему держали занятые рубежи дивизии Герасимова[52] и Васильева. Между ними – пятнадцатикилометровый разрыв... Полкам Мишанина[53] нелегко дались и наступление, и ночной отход, и бомбежка. Роты разбрелись по лесу и лишь с рассветом собрались южнее Брод. Это и была третья группа нашего корпуса.

Дмитрий Иванович (командир 8-го мехкорпуса генерал-майор Д.И. Рябышев. – *А.Б.*) разложил на пеньке карту и склонился над ней, зажав в зубах карандаш. За спиной у нас... стоял Цинченко...[54] Цинченко-то и заметил кавалькаду легковых машин, ощупью едущих по лесной дороге.

– Товарищ генерал!

Рябышев обернулся, поднял с земли фуражку, одернул комбинезон и несколько торжественным шагом двинулся навстречу головной машине. Из нее выходил невысокий черноусый военный (речь идет о корпусном комиссаре Вашугине. – *А.Б.*). Рябышев вытянулся:

– Товарищ член Военного совета фронта...

Хлопали дверцы автомашин. Перед нами появлялись все новые и новые лица – полковники, подполковники[55]. Некоторых я узнавал – *прокурор, председатель Военного трибунала...* Из кузова полуторки, замыкавшей колонну, выскакивали бойцы...[56]

Тот, к кому обращался комкор, не стал слушать рапорт, не поднес ладонь к виску. Он шел, подминая начищенными сапогами кустарник, прямо на Рябышева. Когда приблизился, посмотрел снизу вверх в морщинистое скуластое лицо командира корпуса и сдавленным от ярости голосом спросил:

– За сколько продался, Иуда?

Рябышев стоял в струнку перед членом Военного совета, опешивший, не находивший, что сказать, да и все мы растерянно смотрели на невысокого, ладно скроенного корпусного комиссара.

Дмитрий Иванович заговорил первым:

– Вы бы выслушали, товарищ корпусной...

– Тебя, изменника, полевой суд слушать будет. Здесь под сосной выслушаем и у сосны расстреляем...

...Я не выдержал и выступил вперед:

– Можете обвинять нас в чем угодно. Однако потрудитесь прежде выслушать.

– А, это ты, штатный адвокат при изменнике...

Теперь поток ругательств обрушился на меня.

Все знали, что член Военного совета не выносит, когда его перебивают. Но мне нечего было терять. Я воспользовался его же оружием. То не был сознательный прием. Гнев подсказал.

– Еще неизвестно, какими соображениями руководствуются те, кто приказом заставляет отдавать врагу с боем взятую территорию.

Корпусной комиссар остановился... В голосе члена Военного совета едва уловимая растерянность:

– Кто вам приказал отдавать территорию? Что вы мелете? Генерал Рябышев, докладывайте.

Дмитрий Иванович докладывает. Член Военного совета вышагивает перед нами, заложив руки за спину... Он смотрит на часы и приказывает Дмитрию Ивановичу:

– Через двадцать минут доложите мне о своем решении.

Он быстро отходит к машине, а мы втроем: Рябышев, Цинченко и я – садимся у пня, на котором так и лежит придавленная двумя камнями карта. У Дмитрия Ивановича дрожат руки и влажно блестят глаза.

Корпусной комиссар не дал времени ни на разведку, ни на перегруппировку дивизий. Чем же наступать?

Рябышев встает и направляется к вышагивающему в одиночестве корпусному комиссару.

– Корпус сможет закончить перегруппировку только к завтрашнему утру.

Член Военного совета от негодования говорит чуть не шепотом:

– Через двадцать минут решение – и вперед.

– Чем же «вперед»?

– Приказываю немедленно начать наступление. Не начнете, отстраню от должности, отдам под суд.

...Приходится принимать самоубийственное решение – по частям вводить корпус в бой.

...Создается подвижная группа в составе дивизии Васильева, полка Волкова и мотоциклетного полка. Основные силы закончат перегруппировку и завтра вступят в бой.

– Давно бы так. – Член Военного совета исподлобья смотрит на Дмитрия Ивановича. – Когда хотят принести пользу Родине, находят способ...

Рябышев молчит. Руки по швам. Глаза устремлены куда-то поверх головы корпусного комиссара.

Член Военного совета прикладывает узкую белую руку к фуражке.

– Выполняйте. А командовать подвижной группой будет Попель.

Корпусной комиссар поворачивается ко мне:

– Займете к вечеру Дубно – получите награду. Не займете – исключим из партии[57] и расстреляем...»[58]

Таким вот образом «ставил» себя корпусной комиссар Вашугин. Только «двадцатиминутные» его приказы стоили большой крови.

Подвижная группа Попеля устремилась вперед, ворвалась в Дубно и была блокирована там немцами. Из трехсот с лишним танков назад к своим пробились... *два!* Узнав об этом, Вашугин застрелился. Возможно, его мучили угрызения совести. Но не могу исключить и того, что после разгрома 8-го мехкорпуса члену Военного совета померещилось вдруг, как кто-то, может быть, *самый главный*, поинтересуется, за сколько продался он, *бывший* корпусной комиссар Вашугин.

Этого жесткого неглупого человека, судя по всему, мало волновала судьба окружающих. Перед поездкой в мехкорпуса он зашел к Хрущеву. Предложил написать Сталину, чтобы последний заменил командующего Юго-Западным фронтом Кирпоноса, который якобы

слаб и «совершенно непригоден для выполнения функций командующего»[59]. При этом называлась кандидатура Пуркаева, которого накануне Вашугин, по существу, обвинил в трусости[60]. Да и когда окружение группы Попеля и плачевное состояние всего 8-го корпуса стали свершившимся фактом, этот потерявший самообладание человек, перед тем как покончить с собой, говорил окружающим, что мы – погибли. Что все идет, «как во Франции»[61]. Готовил он себя явно к другой войне, в которой корпуса после накачки командного состава пошли бы вперед, искрошили немцев *и подтвердили бы его, Вашугина, право безоговорочно распоряжаться судьбами и жизнью тысяч людей.* А получилось иначе. Корпуса пошли и как танковые соединения... перестали существовать. Но у нас ведь не бывает, чтобы не было виноватых. То, что могли предложить Мехлис, Вашугин, некоторые другие, для этой войны не годилось. После незаслуженных оскорблений, отчаявшись и сжав зубы, можно пойти в атаку и даже отбросить врага, но воевать, находясь под стрессом, воевать не неделю, не месяц – четыре долгих года невозможно. Нет таких людей, чтобы выдержали.

Видно, понял товарищ Вашугин, что фронту все меньше требуются надсмотрщики и все больше – грамотные, инициативные командиры всех степеней и званий. А до тех пор, пока все наносное, порожденное и обусловленное чисткой сохранится, события действительно будут развиваться, «как во Франции».

Та армия, неизменным атрибутом которой являлся Вашугин, *обречена была на поражение*. Но уже рождалась в муках бесконечного отступления новая армия. Тоже со спецификой, с известными издержками... Не без самодурства. Но главное, боеспособная. Та, что, в конце концов, зацепилась раз, другой, уперлась окончательно и неудержимо двинулась на запад. Та, в которой приказ вводить в бой танковые полки по частям просто не мог быть отдан.

А может, и совесть заговорила у человека. Посчитав себя виновником произошедшего, по сути, виновником гибели людей, сам себя осудил. И сам привел приговор в исполнение. Бывало и такое.

Всякое бывало.

Бытует мнение, что «отступления от социалистической законности» держали в узде и непосредственно касались лишь нерадивых начальников и простых людей якобы «не трогали». К сожалению, это не так, к тому же *все это* неизбежно спускалось вниз и расцветало там пышным цветом. Психика людей если и не была заметно деформирована, то, вне всякого сомнения, приобретала определенную специфику. Армию это затронуло даже в большей степени.

Выясняется, что отношения между командирами и личным составом в той, предвоенной, армии были далеко не столь просты и однозначны, как это принято считать.

Пенежко в своих мемуарах описывает вот какой случай. Командир танкового батальона капитан Скачков, проводя поиск, попал с остатками своей части в засаду. Немцы пропустили советские танки и расстреляли их в упор. Пять человек, в том числе и Скачков, отсиделись в пшенице и под утро 30 июня прибыли на командный пункт 34-й танковой дивизии. При этом у Скачкова петлиц на гимнастерке не оказалось.

Предоставляю слово самому Пенежко: «...Я не обратил внимания, что у него на гимнастерке не было петлиц, а Васильев, увидя Скачкова в таком виде, не стал слушать его доклада.

– Куда вы дели знаки различия? – спросил полковник.

– Когда пробивались обратно, снял с целью маскировки, – ответил Скачков.

Впервые я увидел Васильева в гневе. Он страшно побледнел:

– Как вы смели оскорбить меня, своего старшего командира, явившись ко мне в таком виде? И почему вы живы, если на глазах своих подчиненных отреклись от чести носить знаки различия командира армии советского народа?

Я думал, что он сейчас ударит его, он несколько раз забрасывал руки назад, стараясь сдержаться, и отвернулся с гримасой гадливости, исказившей лицо.

– Товарищ полковник, разрешите! – раздался голос из группы танкистов, привезенных мною вместе со Скачковым.

Поворачиваюсь с удивлением. Мне нравится открытое, смелое лицо с белокурым вихром, выбившимся из-под шлема этого стройного танкиста, старшины Удалова, в туго перетянутой ремнем черной керзовой куртке. «Но как он смеет в такой момент выступать перед командиром дивизии с защитой *явного негодяя*!» – думаю я.

Да, негодяя. Вчера он был моим командиром, а вот сейчас он стоит, опустив голову, и у меня к нему нет даже жалости, одно презрение.

– В том, что наш командир жив, виноваты мы, его экипаж! – сказал старшина Удалов.

– То есть как?! – спросил Васильев.

– Разрешите по порядку, товарищ полковник, – сказал Удалов. – Выскочили мы из подбитой машины и кинулись в пшеницу. Он отбежал от нас и сорвал с себя петлицы. Мы *посоветовались* с башнером и вынесли решение: *расстрелять как предателя*. Но потом решили – исполнение приговора отложить до постановления суда. Так что, товарищ полковник, если вы удивляетесь, почему он жив, то мы должны принять вину на себя. А что он понимал, что делал, так это точно, иначе зачем он, когда сюда подъезжали, все мою керзовую куртку просил?

– О! А это что? – раздался голос подошедшего Попеля.

Васильев стал докладывать, в чем дело. Попель перебил его:

– Все ясно, – сказал он так спокойно, как будто ждал этого. – Ваш командир? – обратился он к Удалову.

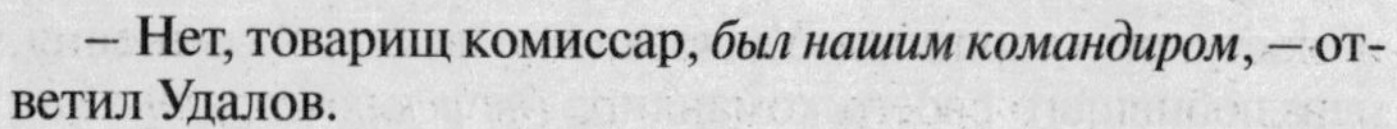

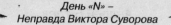

– Нет, товарищ комиссар, *был нашим командиром*, – ответил Удалов.

– Правильно, – сказал Попель, – был, но больше не будет. Не так ли, товарищ полковник?

– Если он отрекся от звания, которое ему дал народ, значит, он отрекся и от народа, – ответил Васильев.

Попель приказал коменданту штаба отвести Скачкова к прокурору для расследования и предания суду военного трибунала.

Когда Скачкова уводили, я подумал, что его расстреляют, но меня это нисколько не взволновало»[62].

Скачкова не расстреляли. Попель не придумал ничего лучшего, чем передать бывшего капитана в распоряжение старшины Удалова. Пенежко без тени смущения, воспринимая это как должное, описывает, как старшина с явным удовольствием поучал недавнего своего командира. Несчастный Скачков, лишившийся звания и чести, подвергающийся непрестанным унижениям, совершил героический поступок. В атаке он, кадровый командир, первым ворвался на батарею противника, сбил с ног заряжающего и ценой своей жизни спас танк Пенежко от выстрела в упор.

Его гибель старшина Удалов сопроводил следующими «глубокомысленными» словами: «Так оно и бывает в солдатской жизни. Выдержишь в острый момент, значит, твой верх, живи и будь здоров. Вот у нас Скачков два раза не выдержал. Один раз от трусости, а второй раз такая храбрость его разобрала, что голову потерял, пропал не за понюх табаку»[63].

Уже мертвому плюнул в душу. Видно, чем-то насолил ему бывший командир.

Знаю, найдется немало людей, которые скажут, что происшедшее отнюдь не дикость, а, напротив, признак нерушимости РККА. Спору нет. В том, что отдельные советские командиры и политработники в безвыходной ситуации, опасаясь быть расстрелянными немцами на месте, срывали с себя знаки различия, хорошего мало[64]. Однако и поступок старшины Удалова, вне всякого сомнения, невзлюбившего своего командира *(не исключено, что как раз за высокую требовательность)*, выждавшего момент и отыгравшегося на нем, иначе как мерзостью не назовешь.

Во всяком случае, говорить о спайке, той спайке и духе товарищества, который был характерен для танковых частей вермахта, судя по этим строкам, в отношении наших войск приходилось далеко не всегда. Как-то друзья-товарищи не закладывают друг друга начальству. Даже если один сохранил знаки различия, а второй – не уберег. Страшно ведь не то, что такое случалось... бывает. Но ведь все это выдавалось за эталон, должно было лишний раз подтвердить тезис о беззаветной преданности и нерушимости строя, а, если вдуматься, свидетельствовало как раз об обратном. Армия была тяжело больна. И румянец в данном случае не был признаком бодрости, а являлся первым симптомом загнанной вглубь болотной лихорадки...

Приведу еще один пример. И вновь сошлюсь на Пенежко. Уже находясь в окружении в районе Дубно, Попель, утверждает Пенежко, открыл «новую» тактику борьбы с немцами. Раньше, завидев врага, советские танкисты немедленно устремлялись в атаку. Бригадный комиссар первым якобы понял, что куда практичнее из-за укрытия не выходить и расстреливать врага с места. Однако командиру дивизии, который, кстати, и организовывал боевые действия, об этом он сказал далеко не сразу. Вот что пишет по этому поводу Пенежко: «...танки, по приказу Попеля, отбивали атаку огнем с места, из засад... Меня сначала очень удивило, почему Попель не сказал ему (Васильеву. – *А.Б.*) об этом. Я понял, в чем дело, только вернувшись с Васильевым на командный пункт...

Теперь мне ясно, что Попель, щадя командирское самолюбие Васильева, хотел, чтобы тот сам сделал этот вывод из очевидных фактов успеха *нового для нас* тактического приема»[65].

Неясно только, сколько десятков наших танков было

уничтожено, пока командир дивизии сделал этот самый вывод. С другой стороны, начинаешь понимать, почему за неделю боев мехкорпуса потеряли большую часть техники, в то время как немцы сумели наступательный потенциал сохранить.

Даже если все это в какой-то степени легенды, обусловленные временем публикации, нельзя не заметить, на что ориентировался читатель, к чему его призывали и что считали абсолютными ценностями. Нетрудно также представить, каким духом была пронизана армия и какая червоточина подтачивала ее изнутри.

Так или иначе, но следует признать, что с 24 по 27 июня на Юго-Западном фронте сложилась вполне благоприятная для разгрома ударной группировки противника обстановка. Танковая группа Клейста, глубоким клином врезавшаяся в наши боевые порядки, подставила под удар подошедших к рубежу сосредоточения мехкорпусов не только растянутые фланги, но и тыл. Здесь мы имели более чем двукратное превосходство в танках[66]. Однако воспользоваться благоприятными факторами советское командование не сумело.

Нетрудно представить, как развивались бы события, отдай Сталин приказ нанести пресловутый превентивный удар и перейти границу. Чтобы охватить фланги более-менее крупной группировки противника, мехкорпусам пришлось бы предварительно преодолеть немецкую оборону. Даже если отдельным советским танковым частям это и удалось, вне всякого сомнения, они были бы отсечены от главных сил, как это произошло с подвижной группой Попеля под Дубно. Возможно, неделю-полторы Красная Армия могла бы ценой больших потерь, под непрерывным воздействием вражеской авиации теснить немцев на отдельных участках, но, не сомневаюсь, очень скоро противник выбил бы большую часть наших танков, и все вернулось бы на круги своя.

Вывод напрашивается сам собой, и он неутешителен. *Вести летом 41-го успешные наступательные действия в течение длительного времени, сберегая при этом людей и технику хотя бы в той мере, чтобы удержать достигнутый успех, мы не умели. Еще не умели...*

Примечания

[1] Один лишь полностью укомплектованный 15-й механизированный корпус имел едва ли намного меньше машин, чем *вся* 1-я танковая группа Клейста. В 8-м мехкорпусе к 22 июня было 932 танка (!). – *Рябышев Д.И.* Первый год войны, с. 5.

[2] Баграмян И.Х. Так начиналась война, с. 93.

[3] Всего в составе фронта тридцать две стрелковые, две кавалерийские, десять авиационных дивизий и восемь механизированных корпусов (по две танковые и одной моторизованной дивизии в каждом). Однако далеко не все соединения были расквартированы в непосредственной близости от границы.

[4] Командующий – генерал-майор танковых войск М.И. Потапов. К началу войны ему исполнилось 39 лет. Участвовал в боевых действиях на Халхин-Голе, где командовал танковой бригадой.

[5] Командующий – генерал-лейтенант И.Н. Музыченко. В должности командира стрелковой дивизии принимал участие в боях на Карельском перешейке.

[6] Командующий – генерал-лейтенант Ф.Я. Костенко.

[7] Ныне г. Черновцы.

[8] Командующий – генерал-майор П.Г. Понеделин.

[9] Находилась в оперативном подчинении командующего 6-й армии.

[10] До конца июня венгры активности не проявляли.

[11] До Кирпоноса Киевским Особым военным округом командовал Жуков. А еще ранее – Фрунзе, Якир, Тимошенко.

[12] Оба погибли в сорок первом. Павлова вместе с группой командиров Западного фронта Сталин расстрелял. Кирпонос пал в бою при попытке прорыва из окружения.

[13] Вот что пишет по этому поводу Жуков: «Не зная точно положения в 3-й, 10-й и 4-й армиях, не имея полного представления о прорвавшихся бронетанковых группировках противника, командующий фронтом генерал армии Д.Г. Павлов часто принимал решения, не отвечавшие обстановке. Вместо того чтобы принять меры по организации обороны на рубежах старых укрепленных районов и в районе Минска, он бросил войска 13-й армии из-под Минска в район Лиды, которые попали под удар врага. В результате Минск со стороны Молодечно оказался открытым, а в это время в районе Молодечно уже были части 3-й танковой группы противника» (Жуков Г.К. Воспоминания и размышления. Т. 2, с. 35).

[14] Баграмян И.Х. Так начиналась война, с. 49. Любопытно, что ни сам Баграмян, ни начальник штаба фронта генерал М.А. Пуркаев не были

согласны с командующим. Они полагали, что наша оборона выдержит удары немцев. К сожалению, прав оказался Кирпонос.

[15] Хрущев Н.С. Воспоминания, с. 95.

[16] Как уже отмечалось, согласно мобилизационному плану, бригаде надлежало выдвинуться на Львовское направление, в район развертывания 6-й армии. Однако, перед тем как начать движение, Москаленко доложил об этом командарму-5. Потапов на свой страх и риск переподчинил бригаду, являвшуюся резервом Главнокомандования, себе и поставил задачу – прикрыть танкоопасное направление. *Москаленко на свой страх и риск решил подчиниться.*

[17] Утром 22 июня в месте своего расквартирования на западной окраине Владимира-Волынского находилась 41-я танковая дивизия 22-го мехкорпуса. Согласно мобилизационному плану, дивизии предписывалось двигаться к Ковелю, куда выдвигались и основные силы корпуса – 19-я танковая и 215-я моторизованная дивизии. Командир 41-й танковой полковник П.П. Павлов принял решение выполнять предписание Красного пакета и, отойдя от границы на восток, открыл немцам дорогу на Луцк. По пути следования дивизия попала в болотистую местность и застряла там. Впоследствии Павлов был от должности отстранен. Хочу еще раз подчеркнуть: в первые же часы войны план прикрытия во многом уже перестал отвечать реалиям создавшейся обстановки. Поэтому и воевали «не по плану». Отсюда – и неразбериха, и известная импровизация.

[18] Здесь был смертельно ранен осколком снаряда примкнувший к бригаде вместе со своим штабом командир 22-го мехкорпуса генерал-майор С.М. Кондрусев. В командование корпусом вступил начальник штаба генерал-майор В.С. Тамручи.

[19] Командованию так и не удалось деблокировать принявшие на себя первый удар 124-ю и два полка 87-й стрелковой дивизии. 28 июня им был передан приказ уничтожить и закопать технику и пробиваться на Ковель. К несчастью, к этому времени Ковель уже был оставлен нашими войсками. Однако остатки дивизий вырвались из окружения.

[20] Командовал корпусом полковник И.И. Федюнинский.

[21] 23 июня немцам удалось нащупать стык между Рава-Русским и Перемышльским укрепленными районами и вклиниться в нашу оборону. Однако судьба приграничного сражения решалась не здесь. Оставление после пяти-семидневных упорных боев указанных укрепрайонов обусловлено не фронтальным давлением немцев, а прорывом и вынужденным общим отходом Юго-Западного фронта.

[22] Таковой ее сделал Власов, ушедший перед войной на корпус.

[23] Баграмян И.Х. Так начиналась война, с. 130.

[24] Во второй половине дня 24 июня 135-я стрелковая генерала Ф.Н. Смехотворова совместно с 19-й танковой и 215-й моторизованной дивизиями 22-го мехкорпуса нанесла контрудар в общем направлении на Владимир-Волынский. Хотя развития контрудар не имел, противник был остановлен.

[25] С тяжелыми боями эти соединения отошли на восточный берег р. Стырь. Положение спасла подоспевшая сюда 131-я моторизованная дивизия 19-го механизированного корпуса генерала К.К. Рокоссовского.

[26] Не принял участие в контрударе и втянувшийся в бои 4-й мехкорпус 6-й армии, наряду с 8-м считавшийся наиболее боеспособным. А 16-й механизированный и 17-й стрелковый корпуса из состава 12-й армии изъяла Ставка. На их базе впоследствии была сформирована и передана в состав Южного фронта 18-я армия.

[27] Баграмян И.Х. Так начиналась война, с. 113.

[28] Выдвигалась идея – под прикрытием уже втянувшихся в бои соединений организовать силами стрелковых и механизированных корпусов Второго эшелона прочную оборону на линии старых укрепрайонов в глубине полосы действий фронта, остановить на этом рубеже противника, измотать его и тем самым выиграть время для подготовки общего контрнаступления. На фоне тех событий, которые имели место в действительности, – мысль более чем здравая.

[29] Как мы успели уже убедиться, откровенное нежелание командующего вступать в конфликт с высоким начальством предопределило в итоге как его собственную судьбу, так и участь всего Юго-Западного фронта.

[30] Следует признать, и в этом была своя логика. Ведь поставить мехкорпуса в оборону на деле означало заведомо отдать инициативу противнику. Другое дело, что обстановка на фронте менялась едва ли не каждые несколько часов, и то, что казалось разумным сегодня, через сутки-двое просто теряло смысл.

[31] 22-й механизированный корпус должен был при поддержке 135-й стрелковой дивизии разгромить владимир-волынскую группировку противника и деблокировать окруженные полки 87-й стрелковой дивизии. 24-й механизированный корпус оставался в резерве командующего.

[32] Баграмян И.Х. Так начиналась война, с. 119.

[33] Хрущев свидетельствует, что поначалу Жуков пребывал в хорошем настроении, держался бодро и уверенно (Хрущев Н.С. Воспоминания, с. 100).

[34] Баграмян И.Х. Так начиналась война, с. 126, 127.

[35] Корпуса к 25 июня подойти не успели.

[36] 7-я моторизованная дивизия 8-го мехкорпуса к этому времени находилась у Буска, а 8-я танковая 4-го мехкорпуса лишь начала выдвигаться из района западнее Львова и могла подойти к месту сражения не ранее чем через сутки.

[37] В этот день вражеская авиация разбомбила наблюдательный пункт корпуса. Большие потери понес штаб, тяжелое ранение получил и командир корпуса Карпезо. Командование принял его заместитель полковник В.С. Ермолаев.

[38] На вопрос, что было бы лучше, постараться ударить по немцам *всеми* силами второго эшелона или же под прикрытием уже втянувшихся в бои соединений организовать оборону на тыловых рубежах, *ответа не*

существует. Если бы немцев не удалось разгромить во встречном бою, дорога на Житомир и Киев была бы для них открыта. В то же время не было никаких гарантий, что, получив в свои руки инициативу, Клейст не смог бы взломать нашу оборону. К сожалению, на практике получилось нечто среднее. Стрелковые корпуса второго эшелона стали в оборону, механизированные – продолжали наносить мало согласованные друг с другом контрудары, пока не потеряли почти всю технику и не исчерпали свои наступательные возможности.

[39] Баграмян И.Х. Так начиналась война, с. 136.

[40] Оно состоялось вечером 26 июня.

[41] Баграмян И.Х. Так начиналась война, с. 140, 141.

[42] Это отмечает и Хрущев. Перед отъездом в Ставку Жуков в разговоре с Никитой Сергеевичем отметил, что командующий слабоват, но, поскольку *лучших нет*, надо его поддерживать (Хрущев Н.С. Воспоминания, с. 100).

[43] Рокоссовский К.К. Солдатский долг, с. 16.

[44] По решению Ставки 16-я, а несколько позже и 19-я армия Второго стратегического эшелона перебрасывались на Западный фронт.

[45] Энергичный Лукин подчинил себе остатки отступивших подразделений и создал из офицеров орган управления. Появившееся новое войсковое объединение в сводках и донесениях стало именоваться группой Лукина. Вскоре в нее влилась отошедшая сюда 213-я мотострелковая дивизия.

[46] К 29 июня 9-й мехкорпус был оттеснен к шоссе Луцк – Ровно, 19-й – отбивался от немцев уже на окраинах Ровно.

[47] Подобные навыки не получишь на учениях, умалчивают о них и уставы. Это – искусство боя, приобретенное немецкими танкистами за два года войны. В 44-м в Белоруссии и у нас получалось не хуже.

[48] Собственно, в том и заключалось преимущество немцев в первый период войны. Они способны были наносить сокрушительные, рассекающие нашу оборону удары и в то же время умели создавать заслоны, пробиться сквозь которые не могли даже лучшие наши танковые соединения. Конечно же, добиться этого им во многом позволяла авиация, *но разве это что-то меняет?*

[49] Впрочем, немало боевых машин немцам удалось захватить целыми и невредимыми.

[50] Мне возразят, Кирпоносу *не дали* осуществить его план организации обороны. Ставка *заставила* командующего наносить не лучшим образом подготовленные контрудары, в ходе которых мехкорпуса потеряли почти все танки. Директивные, в большинстве нереальные сроки наступления неизбежно вели к тому, что танковые части подходили и наносили удары разновременно, фронт бил немцев не сжатым кулаком, а растопыренными пальцами. *Но мы-то говорим о советском командовании вообще, в широком смысле этого слова...* В то же время не справлялось и командование более низкого уровня. Так, Пенежко описывает случай, когда наша танковая часть пыталась атаковать немцев, продвигаясь по

торфяному болоту. В результате почти все машины застряли и были расстреляны артиллерией противника (Пенежко Г. Записки советского офицера. Кн. 1, с. 24). Об этом и говорил Жуков. Дело тут не в лихости и не в беспечности, а просто не отрабатывалась экстремальная ситуация. На учениях, где все получалось будто само собой, подобного попросту не могло произойти. Произошло в бою. И не подъехали тягачи. Да и вытаскивать было уже нечего – танки догорали.

[51] Не в последнюю очередь из-за упомянутых, исключающих друг друга приказов, вызвавших бесцельные ночные метания накануне атаки, и, как следствие, неразбериху и переутомление личного состава.

[52] Командовал 7-й моторизованной дивизией 8-го мехкорпуса.

[53] Генерал Т.А. Мишанин и полковник И.В. Васильев командовали соответственно 12-й и 34-й танковыми дивизиями 8-го мехкорпуса.

[54] Ввиду убытия накануне войны полковника Ф.Г. Каткова в отпуск, должность начальника штаба 8-го мехкорпуса временно занимал подполковник А.В. Цинченко. О каком превентивном ударе речь, если выезжает в отпуск начальник штаба наиболее боеспособного и укомплектованного механизированного корпуса?! Кстати, корпус находился как раз в Львовском выступе. Якобы на острие удара.

[55] А штаб тем временем задыхался без связи. Для того чтобы выяснить обстановку и передать в войска приказы, приходилось отрывать от исполнения служебных обязанностей не только работников оперативного и разведывательного отделов, но зачастую и случайно оказавшихся в штабе офицеров. Понятно, что выезжать в войска в составе кавалькады Мехлиса или того же Вашугина было куда безопаснее.

[56] Нетрудно догадаться, какого «рода войск»...

[57] Членов партии у нас не судили и не расстреливали. Сперва исключали.

[58] Попель Н.К. В тяжкую пору, с. 136, 137, 139–141.

[59] Хрущев Н.С. Воспоминания, с. 102.

[60] Баграмян И.Х. Так начиналась война, с. 116.

[61] Хрущев Н.С. Воспоминания, с. 104.

[62] Пенежко Г. Записки советского офицера. Кн.1, с. 149, 150. Нетрудно заметить, что сам автор целиком и полностью на стороне Попеля и Васильева. Однако я бы на его месте, прежде чем садиться в танк, повнимательнее пригляделся к членам экипажа и сто раз проверил, надежно ли пришиты петлицы и не расшатались ли на них кубари.

[63] Там же, с. 165.

[64] Впрочем, менялись времена, менялись и нравы. И вот уже Еременко описывает, как действовал начальник оставленного в занятом фашистами Могилеве дивизионного госпиталя (невозможно было эвакуировать из окруженного города *четыре тысячи* раненых) В.П. Кузнецов: «В то время, когда наши части вели напряженные бои с противником, стремясь выйти из окружения, в госпитале началась напряженнейшая работа по «превращению» коммунистов в беспартийных, командиров и политработников – в рядовых. Она была проделана в течение одной ночи. Этим Кузнецов и его коллеги спасли от зверской расправы сотни

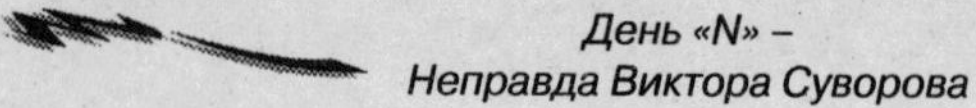

командиров, политработников, коммунистов и комсомольцев. Основную работу сделал сам Виктор Петрович» (Еременко А.И. В начале войны, с. 174). Как видим, ни слова о «предательстве». Напротив, трезвый взгляд на реалии войны.

[65] Пенежко Г. Записки советского офицера. Кн. 1, с. 157, 158.

[66] Против пяти танковых и четырех моторизованных дивизий 1-й танковой группы Клейста в одних лишь пяти привлекаемых к контрудару мехкорпусах было десять танковых и пять моторизованных дивизий.

Глава 16

ЕСЛИ ЗАВТРА ВОЙНА (ОКОНЧАНИЕ)

Подготовка нападения на великую державу – весьма сложный и продолжительный по времени процесс. Понятно, что подобные решения не афишируются, но в то же время круг посвященных не столь уж и узок. И тоталитарные режимы не являются исключением, скорее, наоборот. Решение может принять группа лиц, или даже один человек, но исполнителей высшего уровня – *сотни*. И разрабатывать конкретные военные операции и держать при этом в неведении генералитет невозможно.

К тому же подобные решения не принимаются *и не передаются* на словах. Остаются не только воспоминания, но и документы. Стенограммы совещаний, рапорты, доклады, наконец, приказы. Чем ближе начало вторжения, тем больше и больше людей получают доступ к достоверной информации, и тем больше появляется документов, нацеливающих войска на вторжение.

«Подготовка к войне не просто накопление техники... надо заранее разработать оперативные планы и довести их до исполнителей. Да и это лишь самое начало. Исполнители должны разработать свои оперативные документы и, главное, научиться действовать по ним. Для этого нужно время и время»[1].

Думаю, не требует доказательств тот факт, что за две недели до *предполагаемого В. Суворовым* нашего вторжения[2] должен был существовать утвержденный план боевых действий. Военачальники, вплоть до командиров дивизий, должны были не просто знать дату начала войны, но и быть ориентированы на выполнение конкретного боевого задания с указанием рубежей сосредоточения и развертывания подразделений, ближайшей и дальнейшей задачами. Подобные приказы не могут быть отданы устно.

Видимо, читатель уже догадался, к чему я клоню. *Документации, кричащей о скорой войне, должно быть столько, что утаить ее уже невозможно.*

Генштаб должен быть завален картами, на которых красные стрелы уверенно вторгаются в Польшу и Румынию. Соответственно, каждый оператор обязан быть в курсе дела и, вероятнее всего, должен подписать соответствующий документ о неразглашении. У командармов подобных карт поменьше, еще меньше их у командиров корпусов и дивизий, *но они есть!* Причем в сопровождении текстовой части. Сверху вниз идет ориентация, снизу вверх – доклад о принятом решении. Все фиксируется. Штабы всех уровней и прежде всего оперативные отделы должны в этот период работать по двадцать часов в сутки. Это хлеб операторов.

Круг посвященных все расширяется, их уже многие тысячи. И надо полагать, свои соображения начальники штабов излагают командиру не по телефону. Решение принято, командир оглашает боевой приказ. Без двух-трех подписей под соответствующим текстом он останется пустыми словами. Наступает период, когда приходится вводить в курс дела командиров полков. Им ведь тоже надо произвести рекогносцировку, принять решение, утвердить его, перегруппировать батальоны, организовать взаимодействие, поставить задачу комбатам и командирам средств усиления. И все – на бумаге. С подписью и печатью. Наступает момент, когда командир роты (*и взвода!*) раскрывает планшетку и наносит заостренным грифелем оптимистичные пунктиры будущих атак. О Красных пакетах я уже не говорю. Там, если допустить, что идет подготовка к превентивному удару, через строчку должны упоминаться Кенигсберг, Мемель, Люблин, Констанца...

И все это – только в армии.

Во всех трех своих книгах В. Суворов, по сути, не приводит ни *одного* документа, в котором говорилось бы о превентивном ударе[3].

А между тем такой документ существует. Речь идет о черновике докладной записки, направленной Сталину Жуковым и Василевским с предложением напасть на Германию первыми[4]. Вот выдержки из этого документа, позволяющие говорить о его сути:

«Председателю Совета Народных Комиссаров
от 15 мая 1941 г.
Соображения по плану стратегического развертывания
Вооруженных сил Советского Союза

I

...Учитывая, что Германия в настоящее время держит свою армию отмобилизованной, с развернутыми тылами, она имеет возможность **предупредить** нас в развертывании и нанести внезапный удар. Чтобы предотвратить это, считаю необходимым ни в коем случае не давать инициативы действий германскому командованию, **упредить** противника в развертывании и атаковать германскую армию в тот момент, когда она будет находиться в стадии развертывания и не успеет еще организовать фронт и взаимодействие родов войск.

II

Первой стратегической целью действий Красной Армии поставить – разгром главных сил немецкой армии, развертываемых южнее Брест – Демблин и выход к 30-му дню севернее рубежа Остроленка, р. Нарев, Ловичь, Лодзь, Крейцбург, Опельон, Оломоуц.

Последующей стратегической целью – наступать из района Катовице в северном или северо-западном направлении, разгромить крупные силы врага центра и северного крыла Германского фронта и овладеть территорией бывшей Польши и Восточной Пруссии.

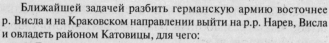

Ближайшей задачей разбить германскую армию восточнее р. Висла и на Краковском направлении выйти на р.р. Нарев, Висла и овладеть районом Катовицы, для чего:

а) Главный удар силами Юго-Западного фронта нанести в направлении Краков – Катовице, отрезав Германию от ее южных союзников.

б) Вспомогательный удар левым крылом Западного фронта нанести в направлении на Варшаву – Демблин с целью сковывания варшавской группировки и овладеть Варшавой, а также содействовать Юго-Западному фронту в разгроме люблинской группировки.

в) Вести активную оборону против Финляндии, Восточной Пруссии, Венгрии, Румынии и быть готовыми к нанесению ударов против Румынии при благоприятной обстановке.

Таким образом, Красная Армия начинает наступательные действия с фронта Чижев – Людовлено силами 152 дивизий против 100 германских, на других участках государственной границы предусматривается активная оборона.

...Детально группировка сил показана на прилагаемой карте»[5].

Казалось бы, на ловца и зверь бежит. Вот что надо ставить во главу угла, вот от чего плясать. Но нет. В. Суворов о существовании отнюдь не гипотетических, а вполне реальных разработок нашего *наступления* словно бы и не догадывается. Ему бы главу, а то и две, посвятить черновикам Василевского, детально проанализировать текст, разложить все по полочкам и тогда уже с чистой совестью заявить во всеуслышание: «Не я утверждаю, *документы неопровержимо доказывают* – план превентивного удара по Германии был!» Но... молчит автор «Ледокола». Своим вниманием докладную записку Жукова и Тимошенко игнорирует. *В чем же дело?!*

А все предельно просто. *Настоящий, реальный проект плана нападения на Германию, представленный на рассмотрение Сталину и им отвергнутый, само его существование В. Суворова не устраивает.* И вот почему.

На первый взгляд приведенный текст однозначно

свидетельствует о том, что в советском Генеральном штабе *могли* разработать план превентивного удара по немцам. Но так ли это?

Прежде всего обратим внимание на дату представления документа – *15 мая.* До декларируемого В. Суворовым срока нападения (6 июля) остается чуть более полутора месяцев. При этом следует учесть, что направленные Сталину наброски – еще отнюдь не утвержденный вождем, принятый к осуществлению план. Не маловато ли времени для того, чтобы выработать окончательный директивный документ и развернуть в соответствии с ним войска?

Вот, например, как было у немцев. О разработке плана вторжения в Советский Союз Гальдер[6] получил указания от Гитлера и Браухича[7] 22 июля 1940 года, *за десять месяцев* до предполагаемого нападения[8]. И столь длительный срок, отводимый для подготовки агрессии, не случаен. О том, как и в какие сроки общий замысел превращался в *принятый к исполнению план*, рассказывает В.Карпов: «Сначала... документы писались от руки, чтобы не посвящать машинисток. Затем, если даже перепечатывали, то всего в нескольких экземплярах. Каждая копия была на особом учете. Передавались эти экземпляры для ознакомления только из рук в руки или через доверенного офицера, причем пакет опечатывался специальными печатями и хитрыми приспособлениями, чтобы о его содержании не мог узнать никто, кроме адресата. Каждый, ознакомившийся с текстом, заносился в специальный список, чтобы в случае утечки сведений можно было установить, кто именно проболтался или выдал тайну...

Каждый из документов разрабатывался иногда *длительное* время, его созданию предшествовали указания Гитлера, затем появлялись варианты, проекты, разработанные Генштабом, потом шли обсуждения на высоком уровне. И, наконец, рождалась окончательная директива, руководствуясь которой армия начинала действовать»[9].

Полностью отработанный план «Барбаросса» Гитлер подписал лишь 18 декабря, *почти через пять месяцев после начала его разработки*. И еще пять месяцев отводилось немцами для построения оперативной группировки войск у наших границ.

То же самое было и у нас. От руки писал Василевский черновые наброски докладной записки, и для Сталина напечатали один-единственный машинописный экземпляр. Но на этой, самой первой стадии мы и остановились. Не было совещаний, обмена мнениями, новых согласований, вариантов, проектов... Ничего этого не было хотя бы уже потому, что просто не оставалось уже времени. *Такие вещи не делаются в спешке*, и, чтобы мы *могли успеть*, подобный документ должен был появиться, по крайней мере, на два-три месяца раньше.

Если же речь идет об экспромте, а я убежден, что именно так и было, то тем более очевидным становится: *не существовало не только никакого плана превентивного удара, но и замысла Сталина по завоеванию Европы*[10]. Не Гитлер был создан Сталиным. Напротив, последний смог осуществить осторожную, с оглядкой, экспансию, используя последствия таранных ударов вермахта.

Как ни странно, упомянутая докладная записка не только не подтверждает, если вдуматься, «теорию» В. Суворова, но одним лишь своим существованием ставит ее под большое сомнение. И автор «Ледокола» это понимает. Если бы он стал ссылаться на черновики Василевского, если бы попытался прямо заявить, что советское наступление должно было развиваться в соответствии с общим замыслом упомянутой докладной записки, то, по существу, он расписался бы в том, что *никаких наступательных планов в СССР разработано не было!*

На мой взгляд, дело обстояло так. Происходила, да и не могла не происходить, утечка *реальной* информации. Не только Сталину на стол, но и в Генштаб попадали *все чаще* разведсводки, в которых подтверждалось, что эшелоны идут с запада на восток, и вермахт скапливается постепенно у наших границ. Что нападения следует ожидать во второй половине мая – начале июня. Жуков, хотя и находился под прессом сталинского авторитета, тем и отличался от большинства других наших военачальников, что не только сохранил трезвый взгляд на вещи, но и мог отстаивать свою точку зрения на самом высоком уровне.

Надеюсь, хоть что-то в характере Сталина мне понять удалось. Зримо представляю, как далеко за полночь он сидит у себя в кабине, а перед ним – несколько машинописных листков. Вождь перечитывает их. Раз, другой. Разворачивает и внимательно рассматривает карты, где многочисленные красные стрелы с ромбиками механизированных корпусов внутри с подозрительной легкостью переносят линию будущего фронта от границы к Лодзи и Оломоуцу. И снова перечитывает текст. Сопоставляя, вникая постепенно в суть документа и замысла генштабистов. Заманчиво, что и говорить. Если бы не одно но...

Сталин помнит 18-й год. Помнит, как, разложенная его партией, русская армия обнажила фронт, и немцы хлынули неудержимым потоком на восток, сметая островки сопротивления. Масштабы национальной катастрофы оказались столь велики, столь явными были основные виновники происшедшего, что само существование большевистского режима висело на волоске. Жуков и *некоторые другие* уверены в себе? Это не так уж и плохо. Вот только Сталин в них не уверен. Халхин-Гол перечеркнула Финляндия, да и не сравнишь его с головокружительными успехами вермахта, завоевавшего половину Европы и разгромившего считавшуюся сильнейшей на континенте французскую армию. Если немцы, задыхаясь в кольце фронтов, сумели сбить Россию с ног, что же они сделают с нами сейчас, когда схватка пойдет один на один? И даже если мы победим, скольких жертв это потребует и на какой срок затянется война? Царизм пал именно потому, что государство и народ не выдержали безысходности военного лихолетья. Кто знает, что случится с ним, Сталиным, и выстраданным им режимом личной власти, если полыхнут вечно тлеющие угли скрытого до поры недовольства? И как поведут себя в экстремальной ситуации те, кто обязан режим этот оберегать? Не решат ли они в какой-то момент, что все рухнуло и пора сменить ориентацию и приступить к дележу оставшейся бесхозной власти?

Так стоит ли рисковать?!

Возможно, Сталин какое-то время и колебался, и выжидал. Но наступил июнь, прошли указанные в разведывательных донесениях сроки, а немцы все не нападали.

И Сталин, избалованный отсутствием какой-либо критики, привыкший к бесконечным слащавым восхвалениям и услужливому поддакиванию окружающих, уверился, что, отбросив планы превентивного удара, в очередной раз не ошибся, что на него немцы не нападут. Партийный аппаратчик, Сталин не любил лобовых столкновений. Ему не нужна была война с победоносной Германией, он не хотел ее и в глубине души надеялся, что уже только поэтому конфликта удастся избежать. Сталин выбрал свою дорогу, с которой уже не свернул. Хуже того, по ней заставил идти и высшее военное руководство. Катастрофа становилась неизбежной...

Обратимся, однако, к существу замысла наших генштабистов. Что же, собственно, предлагалось? Если приглядеться повнимательнее, нельзя не заметить, что план был разработан в самых общих чертах. Предполагалось, ограничившись активной обороной на второстепенных участках, нанести основной удар силами Юго-Западного фронта прямо на запад и частью сил Западного фронта в общем направлении на Варшаву. В то же время ни слова не говорилось о том, каким образом и за счет чего советские войска смогли бы на 30-й день войны с боями преодолеть половину расстояния от границы до Берлина, а в районе Опельон (*ныне Ополе*) перейти довоенную границу рейха[11].

В плане «Барбаросса», в частности, подобным вопросам уделено особое внимание. Вот некоторые выдержки: «...Основные силы русских сухопутных войск, находящиеся в Западной России, должны быть уничтожены в смелых операциях посредством глубокого, быстрого выдвижения танковых клиньев. Отступление боеспособных войск противника на широкие просторы русской территории должно быть предотвращено...

...Театр военных действий разделяется Припятскими болотами на северную и южную части. Направление главного удара должно быть подготовлено севернее Припятских болот. Здесь следует сосредоточить две группы армий.

Южная из этих групп, являющаяся центром общего фронта, имеет задачу наступать особо сильными танковыми и моторизованными соединениями из района Варшавы и севернее ее и раздробить силы противника в Белоруссии... с тем, чтобы во взаимодействии с северной группой армий, наступающей из Восточной Пруссии в общем направлении на Ленинград, уничтожить силы противника, действующие в Прибалтике...

Группе армий, действующей южнее Припятских болот, надлежит посредством концентрических ударов, имея основные силы на флангах, уничтожить русские войска, находящиеся на Украине, еще до выхода последних к Днепру»[12].

Как видим, лаконичный текст дает предельно четкую ориентировку. Учтено практически все, ничего не упустили немецкие генштабисты из виду. Ландшафт будущего театра военных действий не просто принят во внимание, в соответствии с ним строится оперативная группировка вермахта на границе.

Не случайно плану «Барбаросса» В. Карпов посвятил следующие строки: «Я много раз читал и перечитывал план «Барбаросса», и, признаюсь честно, меня каждый раз поражало – если на минуту отвлечься от агрессивной бессовестности и коварства этого плана – высокое военно-штабное мастерство его составителей... я знаю, как весома и значительна каждая строка в директивном документе, какой скрупулезной работой это достигается, какой огромный багаж знаний и опыта надо иметь, чтобы в несколько слов или фраз вложить большой смысл, да так, чтобы все, кто будет читать и исполнять, правильно тебя поняли – иначе взаимодействие исполнителей пойдет вразброд, а их, этих исполнителей, сотни, непонимание же и разброд могут стоить десятков, а то и сотен тысяч человеческих жизней»[13].

О набросках Василевского при всем желании этого не скажешь. По существу, определен лишь общий стратегический замысел, но о тактике наступления, о способе выполнения поставленной задачи – ни слова. Да и с чисто военной точки зрения документ вызывает большие сомнения. Достаточно отметить, что предусматривался одновременный выход к Лодзи, Опельону и Оломоуцу. Иными словами, был запланирован одинаковый темп наступления для равнинной и горной местностей. О «глубоких танковых клиньях», движущей силе современной маневренной войны, не упоминалось. Из этого можно заключить, что предполагалось либо постепенно выдавливать немцев на запад, либо продвигаться вперед, последовательно проводя наступательные операции локального масштаба с незначительной глубиной прорыва. Такую тактику применяли противоборствующие стороны в Первую мировую. Вот только прошло с тех пор почти четверть века...

Но главное не в этом. Как можно понять из текста, соединения, наносившие основной удар, должны были уйти далеко на запад, в то время как на флангах советские войска ограничивались активной обороной. Случись такое, и главные силы РККА неизбежно попадали в огромный оперативный мешок, что, без сомнения, привело

бы к катастрофе. Как мы уже убедились, немцы в с
первом способны были после встречного боя проры
оборону мехкорпусов, тем более разметали бы они з
домо слабые заслоны, разбросанные вдоль непоме
растянутых флангов.

На мой взгляд, предложенный Сталину план ст
дал существенным недостатком: *от реалий этой во*
он был бесконечно далек. Вермахт изначально рассм
ривался не более чем пассивный объект воздейств
наших армий, и это было едва ли не решающее заблу
дение...

Возникает вопрос: как могли Жуков, Василевски
Шапошников, наконец, не заметить столь заманчиво
перспективы охвата центральной группировки противника танковыми клиньями, наносящими удары по сходящимся направлениям из Белостокского и Львовского выступов?[14] Возможно, они посчитали, что подобная операция слишком масштабна и рискованна, но не исключаю и того, что наше высшее военное руководство оценивало возможности мехкорпусов куда более здраво, чем это принято считать, и тот же Жуков понимал, что прорваться с боями на глубину в несколько сот километров им просто не под силу[15].

А возможно, все было несколько иначе, и инициатива исходила не из Генштаба, а от встревоженного угрожающими разведсводками Сталина. В этом случае становится понятным поверхностный характер плана. Вождь не мог дать генштабистам много времени. И Ватутин с Василевским, понимая, что на разработку оперативного наступательного плана потребуются многие недели и даже месяцы, восприняли приказ Жукова в
кратчайший срок разработать общий замысел нашег
превентивного удара как первый шаг, пролог к долго
и кропотливой работе. И постарались показать Стали
ну, насколько опасным может оказаться нападение н
мцев в нынешнем состоянии армий прикрытия. Впол
объяснимо и оптимизм генштабистов. Зная, что до

мент пойдет на самый верх, в тексте они не могли поставить наступательные возможности РККА под сомнение.

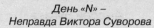

Вместе с тем нельзя не отметить и сильную сторону докладной записки. *Она нацеливала высшее военное руководство на приведение Вооруженных сил в боевую готовность*. Катастрофа произошла ведь не потому, что немцы застали войска врасплох, но во многом из-за того, что *оперативная группировка, по существу, выстроена не была*[16], *и войска вынуждены были с первых же часов втягиваться в тяжелые бои не на определенных планом рубежах, а непосредственно в местах расквартирования, там, где застала их война*. Отсюда – и очаговый характер нашей обороны, отсутствие взаимодействия и неразбериха первых дней. Надо отдать должное советским генштабистам. Они не только видели опасность, но даже планировали упредить немцев в развертывании.

К сожалению, на 15 мая такая возможность была уже упущена. К этому времени значительная часть германской армии успела развернуться у наших границ. Остальные подтягивались с Балкан, по существу, под надежным прикрытием. Другое дело, что войска, будь они приведены в состояние боевой готовности, заблаговременно *стали бы на границе* и организовали взаимодействие и фронт, могли бы оказать немцам куда более организованное и эффективное сопротивление.

Противник все равно прорвал бы своими танковыми таранами нашу оборону, но понес при этом куда большие потери и утратил наступательные возможности куда раньше. Для того чтобы не пробил, необходимо было не заниматься пустой бравадой, а готовиться к тому, что оборона *может* не выдержать, что немцы будут стараться разорвать наш фронт, окружить и уничтожить армии Первого эшелона. Нужно было, основываясь на опыте первых двух лет *пока еще чужой* войны, искать, найти и внедрить в войска контрмеры против этой тактики противника. Нужно было не зарываться головой в песок,

а принять тот факт, что война может начаться в любой момент, и быть готовым не стереть в лагерную пыль лучших наших разведчиков, не отметать в подозрительной слепоте их предупреждения с ходу, а анализировать конкретные планы гитлеровцев. К сожалению, всего этого сделано не было. И не в последнюю очередь из-за того, что судьбоносные решения принимала весьма ограниченная группа лиц, компетенция которых вызывает определенные сомнения.

А зачастую и один человек.

Так или иначе, но Сталин проект плана нападения на Германию не утвердил. Не вписались черновики Василевского и в «теорию» В. Суворова. Отчасти не вписались...

Последний предложил собственную интерпретацию якобы существующего плана превентивного удара. Вот что он пишет: «...в 1941 году представилась возможность повторить Канны против Германии...

Для проведения вторжения *по приказу Жукова*[17] во Львовском и Белостокском выступах были сосредоточены ударные группировки...

...советским войскам в Прибалтике (Северо-Западный фронт) ставились ограниченные задачи. Удар из Белостокского выступа сулил больше: впереди укрепленных районов нет, а реки в среднем течении не так широки. Потому войскам Западного фронта ставились решительные цели[18].

Но самый главный удар – из Львовского выступа: укреплений впереди нет, реки в верхнем течении узкие, вдобавок правый[19] фланг наступающей советской группировки прикрыт горами... Удар из Львовского выступа... отразить невозможно...

...он давал возможность развивать наступление на Берлин или на Дрезден...

Жуков планировал и еще один удар, как мы знаем[20], неотразимый и смертельный. В Румынию...

А кроме этого – вспомогательные удары на Кенигсберг, удары двух горных армий через Карпаты и Трансильванские Альпы, высадка пяти воздушно-десантных корпусов...»[21]

Нетрудно заметить, что вариант В. Суворова во многом совпадает[22] с общим замыслом докладной записки Василевского. То же направление главного удара – из Львовского выступа через Южную Польшу к Оломоуцу и Опельону. Та же решительность, граничащая не просто с недооценкой, но *с незнанием* противника[23].

Однако некоторые, и весьма существенные, детали автор «Ледокола» добавил от себя[24]. Прежде всего речь идет о готовящемся якобы крупном оперативном окружении немцев. Понятно, что если и возможно было за месяц с небольшим разгромить вермахт, то лишь путем окружения и уничтожения *значительной* группировки противника. Отсюда – и «новые Канны», и клещи... Однако В. Суворов сам себе противоречит. Если Василевский предлагал частью сил Западного фронта нанести удар в направлении Варшавы[25], то В. Суворов «ставит» ему иную задачу – *Сувалки!* После этого ни о каком масштабном окружении немцев говорить уже не приходится. Удар Юго-Западного фронта без поддержки Западного неизбежно становится изолированным. Так ударил Клейст, и его спасла авиация. Юго-Западный фронт, дойди он даже не до Катовице – до Тарнува, от окружения и разгрома не спасло бы ничто. Если же В. Суворов имеет в виду клещи в районе Сувалков, то это вызывает лишь новые вопросы. Ведь до Сувалков от границы не более *десяти-пятнадцати (!)* километров. Кого, по мысли В. Суворова, могла окружить Красная Армия восточнее города. Дивизию? Полк?..

Я все не мог понять, зачем понадобились В. Суворову Сувалки. Логичнее было бы Западному фронту вместе с войсками Кирпоноса нанести удар по сходящимся направлениям и где-нибудь под Радомом действительно замкнуть огромное кольцо. И думаю, что, в конце концов, понял. Он вынужден соотносить свои воззрения с реальными событиями. Павлов ведь действительно, правда, без особого успеха, нанес 23 июня контрудар именно в направлении на Сувалки[26]. Если наступательный план, утвержденный Сталиным, действительно существовал, командующий Западным фронтом, равно как и остальные, *не мог действовать вопреки ему*. Если допустить, что, как утверждает В. Суворов, с началом боевых действий Красная Армия вовсе не контратаковала, *а пыталась наступать*, если более детально проработать замысел по окружению крупной группировки противника[27], то неизбежно возникает вопрос, отчего же генерал армии Павлов даже и не пытался «наступать» на юго-восток, а все, что было под рукой, бросил в северном направлении? И приходится В. Суворову упоминать и «новые Канны для Германии», и Сувалки. Пусть документально *ничего* не подтвержено[28], пусть одно противоречит другому, зато *все сходится*. У Суворова в «плане» «сверхмощный удар» в направлении на Сувалки, и, смотрите-ка, Западный фронт контратаковал в том же направлении. *Можно ли подобным образом, заменяя причину следствием, хоть что-то доказать?*

Упоминание о вспомогательных ударах на Кенигсберг и через Карпаты наводит на мысль о том, что, по мнению В. Суворова, Красная Армия должна была бы наступать по всей линии границы. Дело не в том, что даже в сорок пятом для того, чтобы прорваться к Кенигсбергу, пришлось обойти и отрезать Восточную Пруссию. Фронтальное наступление – даже не вчерашний, *позавчерашний* день. Таким способом можно выдавить противника с занимаемой территории, но, удержав фронт, сохранив боеспособность, последний неизбежно сам перейдет к активным действиям. Немцы наступали иначе. Сосредотачивали танковые группировки, наносили удар чудовищной силы на относительно узком участке фронта, рвали оборону, давили тылы, окружали и уничтожали массы наших войск. *Это умение в конечном итоге и приносило им успех.* До тех пор пока мы не нашли, *чем ответить*...

Красной нитью проводит В. Суворов мысль о предполагаемом продвижении в глубь Румынии и быстром захвате нефтяных промыслов Плоешти. Для этих целей предполагалось якобы использовать не только 9-ю, но и прибывающую с Северного Кавказа 19-ю армию Конева. При этом 9-й стрелковый корпус генерал-лейтенанта П.И. Батова, дислоцированный в Крыму, должен был десантироваться в порту Констанцы[29].

Эту заслуживающую внимания идею захвата румынских нефтепромыслов в самом начале войны В. Суворов отстаивает во всех своих книгах. Но, согласитесь, перспективность замысла[30] и то, что замысел этот нашел отражение в оперативных планах, отнюдь не одно и то же.

Какие же доказательства намечавшегося удара по Румынии приводит В. Суворов? Цитирую: «...в первой половине июня 1941 года в Советском Союзе создавалась самая мощная армия мира, но она создавалась НЕ НА ГЕРМАНСКОЙ ГРАНИЦЕ.

...9-я сверхударная армия создавалась исключительно как армия наступательная...

...9-я армия находилась под Одессой, но... в ее составе... была создана горнострелковая дивизия. Какие горы под Одессой? 30-ю Иркутскую ордена Ленина трижды Краснознаменную имени Верховного Совета РСФСР горнострелковую дивизию 9-й армии можно было использовать по назначению только в Румынии...

...мощной была 19-я армия, тайно перебрасываемая с Северного Кавказа... Присутствие горнострелковых дивизий в армии не случайно. 19-я армия, самая мощная армия Второго стратегического эшелона, тайно развертывалась НЕ ПРОТИВ ГЕРМАНИИ.

В этом проявляется весь советский замысел: самая мощная армия Первого стратегического эшелона – против Румынии, самая мощная армия Второго стратегического эшелона – прямо за ее спиной, тоже против Румынии.

...Начиная с 22 июня авиация Черноморского флота вела активные боевые действия в интересах Дунайской военной флотилии с целью открыть ей путь вверх по течению реки. 25–26 июня надводные боевые корабли Черноморского флота появились в районе румынского порта Констанца и провели интенсивный артиллерийский обстрел с явным намерением высадки морского десанта. В то же время Дунайская военная флотилия начала десантные операции в дельте Дуная»[31].

Иными словами, тот факт, что «против» Румынии сосредотачивались «сверхударные» 9-я и 19-я армии, что в их составе – горнострелковые дивизии, что Черноморский флот совершил набег на Констанцу, а Дунайская флотилия высадила десанты на румынский берег Килийского гирла, якобы доказывает существование плана широкомасштабного вторжения в Румынию и быстрого захвата нефтяных полей Плоешти. Но так ли это?

В. Суворов любит давать яркие броские эпитеты. *Ударными* он называет и 12-ю, и 26-ю армии[32]. *А какие они ударные?* На 22 июня в полосе 26-й «ударной» армии три стрелковые и одна авиационная дивизии, 8-й мехкорпус, один артполк и два зенитных артдивизиона. В полосе 12-й «горной ударной» сил побольше. Здесь развернуты шесть стрелковых и две авиадивизии, 16-й мехкорпус и пять зенитных артдивизионов. *Но если рубеж обороны 26-й армии не превышает с загнутыми флангами 130 километров, то части 12-й – растянуты вдоль границы почти на пятьсот километров*. Количественный состав разный, а плотность войск – почти одинаковая. При этом стрелковых соединений, мягко говоря, недостаточно. И пусть в составе армий – по мехкорпусу, не следует забывать, что большинство советских танков не могли успешно участвовать в собственно ударах из-за слабого вооружения и бронирования, да и без поддержки пехоты танковые части не в состоянии были закрепить успех, даже и добейся они такового.

В равной степени это может быть отнесено и к 9-й армии[33], чьи дивизии прикрывали почти 600-километровый участок границы, и к 19-й[34], которая во Втором эшелоне была левофланговой, южнее которой, от Кременчуга до самого Перекопа дислоцировались лишь незначительные гарнизоны.

Прежде чем называть войсковое объединение ударным, тем более сверхударным, неплохо бы соотнести его боевые возможности с протяженностью занимаемого рубежа. Тогда все становится на свои места.

Если вдуматься, не может вызвать особого удивления и наличие горнострелковых дивизий в указанных соединениях. 12-й и 26-й армиям сам Бог велел, они занимают оборону в Карпатах. Да и 9-я – находилась вовсе не «под Одессой», а прикрывала участок границы от Липкан до устья Дуная. А Липканы – практически предгорья Восточных Карпат. Не спорю, горы на румынской территории. Но мы же, не планируя ударить первыми, *не собираемся и отступать до Волги.* Не век же нам обороняться. Нельзя же, занимая оборону перед горами, создавать соединения для ведения боев в условиях горной местности в процессе наступления. О таких вещах следует позаботиться заранее.

В. Суворов выдает вполне естественную нацеленность[35] на то, чтобы, отразив удар, перенести военные действия на территорию противника, за разработку наступательных планов и якобы лихорадочную подготовку превентивного удара. Но если наличие горнострелковых дивизий в составе армий прикрытия свидетельствует о намерении Сталина ударить первым, и прежде всего по Румынии, то, скажем, табельное оружие на руках у охранников банка должно по идее свидетельствовать о том, что они *обязательно* откроют огонь по посетителям.

Приведенные примеры, которые никто и не собирается оспаривать, как видим, вовсе не подтверждают наличия наступательных планов, *как, впрочем, и не опровергают этого.*

Опровергает другое. Если собирались вторгнуться в Румынию и оставить немцев без горючего, что же помешало? Если Черноморский флот должен был высадить корпус Батова в Констанце[36]*, отчего же, подойдя к городу, не высадил? Если плацдарм в устье Дуная*[37] *захватывался для последующих наступательных действий, то почему же не были тут же переброшены на него мехкорпуса и не двинулись на Плоешти?*

Ссылки на то, что Гитлер нанес удар первым и тем отвел угрозу от Румынии, несостоятельны. Дело в том, что не только в полосе 9-й армии, *но на всем протяжении границы южнее Перемышля противник активности не проявлял.* Были, конечно, попытки захвата мостов, где-то румынская рота переправилась на наш берег и была переловлена в плавнях. Вела огонь артиллерия. Бомбили... Но все это – *не то.* Достаточно упомянуть, что во всем округе в первый день войны от бомбежек погибли *всего лишь три (!)* наших самолета[38]. Более благоприятной ситуации для вторжения в Румынию, чем та, которая сложилась в первые дни войны, и придумать невозможно. Мехкорпуса Юго-Западного фронта не просто сковывали в течение недели ударную силу вермахта на юге, 1-ю танковую группу, но в какие-то моменты пытались перехватить инициативу. И пока Клейст не прорвал фронт, не могла двинуться вперед и 11-я немецкая армия, обреченная до поры на пассивное выжидание. Да, 19-я армия Конева, как и большинство частей 16-й армии Лукина, были переброшены на Западный фронт. Но что же не ударила «сверхударная» 9-я, что же два ее мехкорпуса не рванулись к Плоешти?[39] Немцы стояли в центре боевого порядка, по флангам – 3-я и 4-я румынские армии, боеспособность которых сам В. Суворов оценивает так: «...Гитлер говорил, что в критической обстановке румынские войска подведут. Это блестящим образом подтвердилось под Сталинградом»[40]. Кстати, подобная ситуация сложилась именно под Сталинградом. 6-я армия Паулюса в центре, а на флангах румынские и итальянские части. Но то был ноябрь 42-го...

В июне 41-го даже не попытался Южный фронт продвинуться в глубь территории Румынии. А такой удар в самом начале войны имел шансы на успех и мог причинить немцам существенные неприятности. Возможно, они продолжали бы действовать по плану и, постепенно продвигаясь к Минску и Киеву, заставили бы советское командование отвести войска. Но не исключено, что противник сам вынужден был срочно перебрасывать дивизии на юг, ослабив давление на главном направлении, где собственно и решалась судьба приграничного сражения.

Однако дальше десанта в устье Дуная, скорее разведки боем, и обстрела Черноморским флотом Констанцы дело не пошло. Более того. В. Суворов об этом, естественно, не упоминает. Но и знаменитая директива №3, ставившая перед отдельными фронтами хотя и ограниченные, но наступательные задачи, требовала на флангах, в том числе и в Румынии, ограничиться обороной[41]. И это, на мой взгляд, со всей очевидностью свидетельствует: не только никаких конкретных планов вторжения в советском Генштабе не разрабатывалось, но не было и уверенности, что даже при благоприятном стечении обстоятельств удастся опрокинуть противника и перенести боевые действия на его территорию.

И все же, если мы действительно собирались напасть первыми, если в Белостокском и Львовском выступах и в Бессарабии действительно были сосредоточены и готовы к широкомасштабным наступательным действиям ударные советские группировки, *отчего же начало войны сложилось для нас столь трагически?* В. Суворов объясняет это следующим образом. Войска якобы скучились у границы и, подвергшиеся внезапному нападению, были разгромлены.

В частности[42], он ссылается на боевые действия 164-й дивизии. Вот что он пишет: «...Германская армия нанесла удар.

Рассмотрим последствия удара на примере 164-й стрелковой дивизии... В этом районе[43] две реки: пограничный Прут и параллельно ему на советской территории – Днес. Если бы дивизия готовилась к обороне, то в междуречье лезть не следовало, а надо было вырыть окопы и траншеи на восточном берегу Днестра, используя обе реки как водные преграды... В междуречье не держать ни складов, ни госпиталей, ни штабов, ни крупных войсковых частей, а лишь небольшие отряды и группы подрывников и снайперов.

Но 164-я дивизия (как и все остальные дивизии) готовилась к наступлению и потому Днестр перешла...

Немцы нанесли удар, на пограничной реке захватили мост... и начали переправлять свои части. А мосты позади советских дивизий – разбомбили...

И советские дивизии оказались в западне. Массы людей и оружия... Но оборону никто не готовил, траншей и окопов никто не рыл. Отойти нельзя – позади Днестр без мостов. И начинается разгром...»[44]

Иными словами, для организации обороны следовало бы выбрать рубеж на удалении от 70 до 120 километров от границы, заранее отдав врагу немалую часть советской территории. Предложить такое Сталину, думаю, не осмелился бы даже Жуков. Да и с чисто военной точки зрения подобное решение представляется весьма и весьма сомнительным, так как войска в Львовском выступе были бы уже не просто охваченными, но с южного фланга практически обойдены. Значит, и здесь пришлось бы заранее отвести войска на линию Тарнополь – Броды, оставив без защиты Львов. В нашей стране выстроить оборону подобным образом было попросту невозможно. Идеологическая нацеленность на то, что враг не сможет захватить «ни пяди» нашей земли, что война будет быстрой, бескровной и сражения автоматически перенесутся на его территорию, успела стать догмой не только для партаппарата, но и для политорганов в армии.

Когда начальник штаба Юго-Западного фронта Пуркаев на Военном совете в первый же день войны вполне доказательно обосновал невозможность наступательных действий и предложил организовать оборону, измотать противника и тем самым создать предпосылки для последующего контрудара, произошло следующее.

«На минуту воцарилось молчание... Первым заговорил корпусной комиссар.

– Все, что вы говорите, Максим Алексеевич, – он подошел к карте, – с военной точки зрения, может быть, и правильно, но политически, по-моему, совершенно неверно! Вы мыслите как сугубый военспец: расстановка сил, их соотношение и так далее. А моральный фактор вы учитываете? Нет, не учитываете! А вы подумали, какой ущерб нанесет тот факт, что мы, воспитывавшие Красную Армию в высоком наступательном духе, с первых дней войны перейдем к пассивной обороне, без сопротивления оставив инициативу в руках агрессора! А вы еще предлагаете допустить фашистов в глубь советской земли!..

Переведя дыхание, член Военного совета (все тот же товарищ Вашугин. – *А.Б.*) уже более спокойно добавил:

– Знаете, Максим Алексеевич, друг вы наш боевой, если бы я вас не знал как испытанного большевика, я подумал бы, что вы запаниковали»[45].

О какой обороне на линии старой границы речь?! Войска в любом случае должны были защищать передовые рубежи вне зависимости от их конфигурации и оперативной целесообразности. Иное просто не вписывалось в бравурный тон государственной идеологии.

Но, к сожалению, одно дело официальная пропаганда и совсем другое – реальная подготовка и боевые возможности войск.

Что касается 164-й стрелковой дивизии, то следует отметить, что ей действительно трудно было *отступить*. Обороняться же... Не все ли равно, взорвана за спиной часть мостов или нет, *если оборона крепка*. К тому же В. Суворов забывает упомянуть, что на этом участке фронта немцы перешли к активным действиям лишь *1 июля!* У командования оставалось время как на то, чтобы самим форсировать Прут и ворваться в Румынию, так и на то, чтобы «отрыть окопы».

Не лобовым ударом брали немцы, напротив, фронтальных столкновений старались избегать. Они прорывали нашу оборону на флангах, с ошеломляющей быстротой охватывали ту или иную группировку советских войск, все попытки прорыва пресекали противотанковыми заслонами на лесных просеках и, в конце концов, если не уничтожали, то рассеивали окруженных. *Они умели все это делать, так как почти два года этим лишь и занимались!*

Красная армия же, истекая кровью, отбиваясь из последних сил, *создавая там, на границе, предпосылки будущей победы,* лишь только начинала постигать азы современной войны. Вырвавшиеся во главе израненных бойцов командиры лишь приглядывались к тактике противника, лишь делали первые выводы...

В. Суворов говорит о скученности наших войск на границе, а ее не было, скученности. Главные силы армий прикрытия находились на удалении зачастую в сотни километров от пограничного рубежа. Баграмян пишет: «...Все наши войска второго эшелона, которые выдвигаются из глубины в полосу 5-й армии, находятся на различном удалении от границы: 31-му и 36-му стрелковым корпусам нужно пройти 150–200 километров. Это займет минимум пять-шесть суток, учитывая, что пехота следует пешим порядком[46]. 9-й и 19-й механизированный корпуса сумеют сосредоточиться и перейти в наступление против вражеской главной ударной группировки не раньше чем через трое-четверо суток. И лишь 4, 8 и 15-й механизированные корпуса имеют возможность перегруппироваться в район сражения через один-два дня»[47].

Войска готовились к наступательной войне, утверж-

дает В. Суворов, и поэтому оказались неготовыми к войне оборонительной. Этот посыл вызывает большие сомнения. Вот какую мысль высказал Штеменко задолго до того, как у В. Резуна оформилась идея «Ледокола»: «Утверждается, например, что из-за неверного якобы понимания характера и содержания начального периода войны у нас неправильно обучались войска боевым действиям именно в этот период.

Утверждение столь же смелое, сколь и невежественное. Ведь понятие «начальный период войны» – категория оперативно-стратегическая, никогда не оказывавшая сколько-нибудь существенного влияния на обучение солдата, роты, полка, даже дивизии. И солдат, и рота, и полк, и дивизия действуют, в общем-то, одинаково в любом периоде войны. Они должны решительно наступать, упорно обороняться и умело маневрировать во всех случаях, независимо от того, когда ведется бой: в начале войны или в конце ее. В уставах на сей счет никогда не было никаких разграничений. Нет их и сейчас»[48].

Что касается оперативного, якобы наступательного построения войск, то и здесь есть что возразить. *Не было оно наступательным.* Мехкорпуса не были собраны в компактные группировки, а стояли разбросанные, как вдоль границы, так и в глубину, во фронтовом резерве либо во втором эшелоне армий прикрытия. Если бы в выступах у нас действительно были сконцентрированы ударные танковые группировки, и обороняться, возможно, было бы легче. Не пришлось бы тратить время на передислокацию войск и выдвижение к рубежу развертывания. Прорвавшийся противник, охватывая наши силы, сам подставлял под удар фланг, а зачастую и тылы. Будь мехкорпуса в этот момент действительно собраны в один кулак, их контрудары могли оказаться куда более эффективными.

Авиация действительно понесла невосполнимые потери. Но скученность ее была вызвана чем угодно, только не готовностью к нанесению удара. С рассредоточенных, многочисленных фронтовых аэродромов нападать легче. *Задействованными в этом случае окажутся куда больше взлетно-посадочных полос, и соответственно время на взлет эскадрилий сократится на порядок. И удары при этом будут наноситься волнами с интервалами в несколько минут.* А теперь представьте себе, что с одного аэродрома в короткий срок должны подняться в воздух сотни самолетов. Одна поломка на взлетной полосе, и... все стало. А в такой ситуации время становится решающим фактором.

Нет, не из-за нацеленности на превентивный удар погибла в первые же часы значительная часть нашей авиации. Поразительная беспечность одних командиров, нежелание ставить под удар свою карьеру и жизнь – других и опасение Сталина *оказаться непонятым* немцами предопределили происшедшее...

Неблагодарное это занятие – *прогнозировать прошлое*. Но – приходится.

Представим на минуту, что все обстояло именно так, как описывает в своих работах В. Суворов. Что мы готовы уже были начать вторжение, но Гитлер упредил Красную Армию на две недели и сорвал сталинский замысел. Представим себе, что Гитлер не упредил.

Что бы было?

Прежде всего следует отметить, что о достижении тактической внезапности не может быть и речи. Озадачить и перенацелить командиров, выстроить наступательную оперативную группировку за две оставшихся недели *в принципе*, по-видимому, было возможно. Но сохранить переброску к границе сотен тысяч солдат и тысяч танков в тайне от противника не удалось бы ни при каких обстоятельствах. Обстановка на Западной Украине и в Белоруссии, в Бессарабии и в особенности в Прибалтике складывалась более чем благоприятная для создания агентурной разведывательной сети. Значительная часть населения была отнюдь не в восторге от «восстановления» советской власти и охотно шла на сотрудничество с немцами, воспринимая поначалу возможный их приход едва ли не как освобождение. К тому же в последние предвоенные месяцы резко активизировала свою деятельность авиация противника, совершившая с января 41-го до начала войны 152 пролета на нашу территорию[49]. Фактически к весне немецкие самолеты, ведя воздушную разведку, вторгались в наше воздушное пространство зачастую на значительную глубину, едва ли не ежедневно. Стоило мехкорпусам двинуться к границе, стоило авиации начать рассредоточение на полевые аэродромы, и это немедленно стало бы известно немецкому Генштабу.

Как бы отреагировал противник, наблюдая выдвижение и развертывание для скорого удара десятков наших танковых и стрелковых дивизий, предугадать невозможно. Скорее всего, немцы все же упредили бы Красную Армию. В то время как мехкорпуса еще только *могли* получить соответствующий приказ, вермахт завершал последние приготовления. В этом случае события развивались бы по аналогии с тем, как все произошло в реальности. Разве что наша оборона оказалась бы более устойчивой и организованной[50].

Но могли немецкие генералы и выждать, выдержать паузу. *Ведь сосредоточение в Белостокском и Львовском выступах большинства наших механизированных корпусов было им только на руку!* Скажу больше, на руку противнику были бы и наши наступательные действия. В этом случае вермахту не надо было тратить усилия на прорыв нашей обороны и охват советских войск. Вклинившись на вражескую территорию, они сами втягивались в мешок, подставляя под удар фланги. До какого-то момента противник отступал перед фронтом советских войск, *но не на флангах*, а потом, с легкостью перехватив пути отхода, замкнул бы кольцо нами же созданного окружения. Так немцы действовали в танковом сражении под Дубно, то же приключилось и с армией Власова. Собственно, подобное нередко имело место на советско-германском фронте в первые год-полтора войны. То здесь, то там немцам удавалось проводить частные окружения наших частей и срезать вклинения.

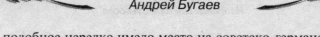

А мы вот до самого Сталинграда *не умели*. Ни в районе Демянска, ни даже под Ельней.

В той же степени все это может быть отнесено и к авиации. Не думаю, что удалось бы застать Люфтваффе врасплох. И рано или поздно немецкие летчики-истребители, ***имевшие лучшую подготовку и двухлетний боевой опыт,*** завоевали бы господство в воздухе. А вслед за этим сотни «юнкерсов» и «хейнкелей» стали бы терзать наши войска, громя колонны, сжигая боевые машины и бензовозы. И проталкивая свои танковые клинья. На восток...

Есть все основания полагать, что и в случае «превентивного» удара, на первых порах, испытав горечь поражения, нам пришлось бы отступить. Ведь если под Дубно пять мехкорпусов, занимая выгодную позицию на флангах немецкого клина, нанося концентрические удары с разных сторон, не смогли не только разгромить, но и обескровить танковую группу Клейста, разве удалось бы им большее, случись прорываться через оборонительные порядки немцев и самим, вытянувшись огромным клином, подставить под удар обнаженные фланги? Если, находясь в более чем благоприятной ситуации, не смогли мы продвинуться на 20—30 километров, о какой «глубокой операции», о каком Оломоуце речь?

Гитлер сумел застать нас врасплох, утверждает В. Суворов, потому что напал вопреки законам логики и здравого смысла. Вот если бы Красная Армия ударила первой, то уже в августе Берлин стал советским. Под Курском в ходе превентивного артналета советская артиллерия, казалось, сровняла передний край противника с землей, а немцы пошли и прорвали нашу оборону и были остановлены лишь во встречном танковом бою под Прохоровкой.

Неужели не приходит В. Суворову в голову мысль, что все происшедшее в этом мире *не случайно* и были веские причины, чтобы столь масштабные события стали именно таковыми, какими мы их знаем?

Немцы ведь не потому напали первыми, что опасались удара в спину, а просто чувствовали себя на порядок сильнее и не сомневались, что в течение 8–10 недель с СССР будет покончено. Да и Сталин ведь допустил ряд необъяснимых ошибок не оттого, что хотел, чтобы стране были нанесены новые страшные раны, а режим его власти оказался на волосок от гибели. Он уверился, что слабее.

Это только кажется, что, напади мы первыми, и инициатива перешла бы в руки советского командования. Нет... Инициативой противник владел изначально, захватив ее задолго до начала военных действий. На 15 мая, в день, когда Сталину на стол легла докладная записка Жукова, мы даже не начали еще перебрасывать войска к границе. Ждали, как решит вождь. Немцы же могли нанести удар в любой момент, почти все у них было готово. Так уж устроен этот мир. *В нем нападает сильнейший.*

И еще. Не будем кривить душой. Нападающая сторона, как правило, имеет определенные начальные преимущества. Вполне допускаю, что с военной точки зрения превентивный удар был вполне целесообразен, и в этом случае мы вступили бы в войну в более благоприятной обстановке.

Но не следует забывать и другого. От Перемышля до Сталинграда многие сотни километров и без малого полтора года тяжелейшей войны. В приграничном сражении мы имели большое преимущество в технике, но потерпели поражение. После бомбежек, изнуряющих беспорядочных отходов, после катастрофических окружений от былого превосходства не осталось и следа. Не хватало не то что снарядов – винтовок! К зиме не только танки, но и противотанковые ружья высшее командование распределяло по фронтам *поштучно!* За счет чего же мы выстояли и даже сумели, опрокинув, отбросить немцев от Москвы? Только за счет того, что на защиту Отечества поднялся народ. Война стала личным делом каждого. Как в окопах, так и у станков. Женщины в тылу работали по четырнадцать часов в сутки не потому, что рядом незримо присутствовал НКВД, а просто от того, сколько они дадут фронту мин или снарядов, напрямую зависело, вернутся ли домой их мужья. И солдаты бросались с гранатами под танки и отогнали-таки фашистов от столицы вовсе не по указке Сталина. *Отступать уже было некуда.* Поражение же означало рабство и скорую гибель. Гибель не отдельных людей – государства и наций, составляющих его основу.

Каждый человек несет в себе вектор определенного мировоззрения и жизнедеятельности. Собственно функционирование государства и определяется равнодействующей этих векторов. Понятно, что модуль вектора Сталина огромен. У членов Политбюро гораздо меньше, но тоже велик. А вектор рядового гражданина едва заметен, да только их, рядовых, двести миллионов. И у каждого свои интересы и своя направленность. Жизнь потратил Сталин на то, чтобы выстроить их в колонны и заставить двигаться в указанном направлении. Но... разве можно контролировать броуновское движение?

Когда же вермахт устремился в глубь страны, когда отряды СС вкупе с отщепенцами начали сжигать белорусские деревни, когда стало ясно, чем обернется «новый порядок», именно миллионы рядовых граждан на фронте и в тылу сделали все возможное, а зачастую и невозможное, чтобы отстоять независимость Родины. Удивительным образом векторы жизнедеятельности подавляющего большинства населения и власти совпали, и только лишь их равнодействующая позволила выстоять в критической ситуации и выстрадать сталинградский перелом.

Не в последнюю очередь это произошло еще и потому, что слишком уж очевидной и не спровоцированной была агрессия немцев. На этот раз наше дело было действительно *правым*.

А напади мы первыми? Ворвись Красная Армия в Люблин? Разверни идеологический аппарат дежурную агитацию, уверяющую, что немецкие рабочие уже готовы свергнуть преступный режим и ждут лишь нас, чтобы взять власть в свои руки? И потом, когда поток победных реляций обернулся десятками тысяч похоронок и фронт неудержимо покатился к Днепру и за Днепр, *поднялся бы народ?!*

Мне возразят, людей легко обмануть. Официальная пропаганда внушила бы, что мы были спровоцированы и лишь ответили ударом на удар. Как ни странно это звучит, но *таким образом* обмануть нацию невозможно. Все знали мы о «деле» Тухачевского, догадывались о Катыни и о том, кто начал финскую войну, отнюдь не случайно столь непопулярную в народе. Догадывались и о войне афганской, едва ли более популярной.

Пока мехкорпуса продвигались бы вперед, это не играло особой роли. Но стоило только потерпеть поражение, стоило отступить, и псевдопатриотический угар сменился бы плохо скрываемым недовольством. Очень быстро правда вышла бы наружу, и не явилась ли она той последней каплей. Не было бы, разумеется, антисоветских восстаний, *но поднялся ли народ?* Смог ли он простить своих правителей, сумели бы люди отдать все силы для достижения Победы, зная, что их Родина – агрессор?

Стала бы эта война *Отечественной?*

И если нет, что было бы с нами?..

Примечания

[1] Кузнецов Н.Г. Накануне, с. 326.

[2] По утверждению В. Суворова, Красная Армия должна была перейти западную границу 6 июля 1941 года.

[3] Хотя В. Суворов ссылается на немалое количество различных документов военных лет, в них – ни слова, ни даже намека на то, что Советский

Союз собирался нанести превентивный удар по Германии. Остается сделать следующий вывод: либо автор посчитал, что система доказательств будет выглядеть более убедительно, если станет базироваться исключительно на его предположениях и аналитических выводах, либо... подтверждающей теорию В. Суворова документации попросту не существует.

[4] Собственно и документом эти листки назвать можно с большой натяжкой. Хотя в конце обозначены фамилии Тимошенко и Жукова, подписей нет. В написанном заместителем начальника оперативного управления Генштаба А.М. Василевским от руки тексте есть вставки и редакторская правка начальника этого управления Н.Ф. Ватутина. Можно предположить, что Нарком и начальник Генштаба подписали чистовой машинописный экземпляр, который и был представлен Сталину, и затерялся впоследствии в архивах либо же был уничтожен.

[5] Цит. по: Роман-газета. 1991, № 11, с. 86, 87. К сожалению, карты, переданные, по-видимому, Сталину с первым экземпляром текста, не стали достоянием общественности.

[6] Начальник Генштаба сухопутных войск.

[7] Главнокомандующий сухопутными войсками вермахта.

[8] Первоначально все приготовления планировалось закончить к 15 мая 1941 года.

[9] Карпов В. Маршал Жуков, его соратники и противники в годы войны и мира. Роман-газета. 1991, № 11, с. 84.

[10] Невозможно доказать недоказуемое. Если подобный замысел имел место, к разработке плана, даже не превентивного удара, а нападения на Германию, следовало приступить еще в августе-сентябре сорокового, с тем чтобы в феврале-марте иметь не черновые наброски общего замысла, но законченную, утвержденную, надлежащим образом оформленную и принятую к исполнению войсками директиву на ведение боевых действий. А раз к разработке подобного плана *могли приступить* (отнюдь не значит, что приступили) лишь в середине мая 41-го, со всей определенностью можно утверждать: ни в сороковом, ни тем более в тридцать девятом о возможности войны с Германией и речи быть не могло. Никакой комбинации «гения всех времен и народов», нацеленной на завоевание мирового господства, не было и в помине!

[11] Даже если вести отсчет от Курской битвы, после которой наше преимущество вырисовалось окончательно, для того, чтобы выйти на указанные рубежи, нам потребовалось *полтора года* боев.

[12] Цит. по: Роман-газета. 1991, № 11, с. 92.

[13] Карпов В. Маршал Жуков, его соратники и противники в годы войны и мира. Роман-газета. 1991, № 11, с. 84.

[14] Если бы указанные действия на окружение крупной группировки противника планировались, подробное описание их проходило бы красной нитью в докладной записке Жукова и Тимошенко. Но об этом – ни слова.

[15] Склоняюсь все же к тому, что наши Вооруженные силы в 41-м году просто не умели провести столь масштабную операцию. В то же время, уверен, этот вариант при составлении докладной записки Сталину в Генштабе *обсуждался*, но был отклонен.

[16] Приведу слова Баграмяна: «Для того чтобы *эти* (передовые, расквартированные в 10–15 километрах от границы части. – *А.Б.*) заняли приграничные укрепления, им требовалось не менее 8–10 часов... А на приведение в боевую готовность и развертывание всех сил армий прикрытия Государственной границы планом предусматривалось *двое суток!*» (Баграмян И.Х. Так начиналась война, с. 92, 93). В то же время ожидалось, что «Германии для сосредоточения сил на советских границах потребуется 10–15 дней, Румынии – 15–20 дней, Финляндии.. – 20–25 дней» (Роман-газета, 1991, № 11, с. 79, 80). Этот серьезнейший просчет, а вовсе не мифическая подготовка к превентивному удару, и сыграл роковую роль.

[17] Одно лишь отсутствие этого приказа говорит само за себя. Ведь скрыть *столь масштабные приготовления* невозможно.

[18] О «решительности» этих целей можно судить по следующему отрывку: «...Западному фронту высшее командование ставит задачу – нанести сверхмощный удар в направлении польского города Сувалки. И для командующего Западным фронтом генерала армии Д.Г. Павлова это не сюрприз. Он и сам знает задачу своего фронта и задолго до московской директивы уже отдал приказ наступать на Сувалки... Западный фронт, его командующий и штаб, командующие армиями и их начальники штабов задолго до войны знали, что их ближайшая задача – окружение германской группировки в районе польского города Сувалки. Советский удар в направлении Сувалки готовился задолго до войны. Боевая задача была определена *всем* советским командирам. Конечно, командиры тактического уровня этих задач знать не имели права, но эти задачи в вышестоящих штабах были четко определены и сформулированы, опечатаны в секретные пакеты и хранились в сейфах каждого штаба *до батальона включительно*» (Суворов В. Ледокол, с. 330). Где же эти сотни и тысячи «секретных пакетов»? Неужели ни один (!) не сохранился?!.

[19] Видимо, опечатка. Во всяком случае, при выдвижении советских войск из Львовского выступа к Дрездену, тем более к Берлину, Карпаты и Судеты прикрыл бы *левый* фланг наступающих.

[20] Кто и откуда знает, мы не знаем.

[21] Суворов В. День М, с. 215, 216.

[22] Возможно, я и ошибаюсь, но создается впечатление, что В. Суворов все же знаком с планом Жукова – Василевского и, что его устраивало, почерпнул именно из этого источника.

[23] Если советские генштабисты предлагали *на тридцатый день войны* выйти к границам рейха, но на его территорию до поры не вступать, повернув войска на север для овладения Восточной Пруссией, то В. Суворов идет куда дальше. Параллельно с операциями в Померании, считает он, уже в августе сорок первого следовало взять Берлин.

[24] Во всяком случае, какого-либо документального подтверждения не только деталей наступательного плана, но и существования такового В. Суворов не приводит.

[25] При этом *могло* подразумеваться если не окружение группировки противника, то двусторонний охват.

[26] В его действиях есть своя логика. Во-первых, они целесообразны с военной точки зрения – мощный удар под основание танкового клина противника. Во-вторых, направление контрудара во многом определилось, исходя из реального расквартирования к началу войны привлекаемых к нему соединений. Но нельзя исключить и иные факторы. Нанося контрудар в северо-западном направлении, войска Западного фронта неизбежно выходят на мощную систему укреплений Восточной Пруссии. Бить в северо-восточном направлении – *значит наступать от границы в глубь советской территории*. Это чревато непредсказуемыми последствиями. Поэтому, вероятно, Павлов и ударил строго на север.

[27] При этом, повторюсь, главный удар Западный фронт должен был наносить в юго-западном направлении, чтобы соединиться с войсками Кирпоноса и замкнуть кольцо окружения в глубоком тылу немцев.

[28] В. Суворов утверждает, что Сталин *не оставлял следов*. Но речь ведь не о конспиративной деятельности. Не могли же оперативные планы разрабатываться в узком кругу ближайшего окружения. Не в условиях же застолья получали военачальники наступательные задачи. Да и чего ему было бояться, Сталину? Рухни режим, вряд ли судьба вождя зависела от наличия либо отсутствия компрометирующих его документов. Да к тому же, если представить, что была подчистую уничтожена *вся* документация, свидетельствующая о наличии планов превентивного удара, почему же сохранились другие документы – *о массовых, не виданных в истории человечества, репрессиях?!*

[29] Суворов В. День М, с. 206.

[30] А замысел действительно неплох. Захвати *и удержи* Красная Армия район Плоешти, в самом скором времени вермахт стал бы испытывать недостаток горючего.

[31] Суворов В. Ледокол, с. 149, 161, 251, 252, 328.

[32] Там же, с. 252.

[33] В ее составе 14-й, 35-й, 48-й стрелковые, 2-й конный, 2-й и 18-й механизированные корпуса. Командующий – генерал-полковник Я.Т. Черевиченко.

[34] В составе армии 25-й, 34-й стрелковые, 26-й механизированный корпуса и части усиления. Командующий генерал-лейтенант И.С. Конев.

[35] События показывают, что это была куда в большей степени идеологическая, нежели подкрепленная боевой подготовкой войск и стратегическим замыслом установка.

[36] На Черном море наше преимущество было подавляющим. Черноморскому флоту (к началу военных действий вместе с кораблями Дунайской военной флотилии имел в своем составе 1 линкор, 6 крейсеров, 3 лидера, 14 эсминцев, 47 подводных лодок, 4 канонерские лодки, 2 бригады

торпедных катеров, дивизионы тральщиков, сторожевых и противолодочных катеров) румыны могли противопоставить лишь 7 эсминцев и миноносцев, подводную лодку, 2 вспомогательных крейсера и 19 кораблей других классов (канонерские лодки, сторожевые, торпедные и минные катера). Немецких кораблей к началу войны на Черном море не было. Вплоть до эвакуации Одессы крупный морской десант мог быть высажен практически в любой точке румынского побережья.

[37] Как свидетельствует Н.И. Крылов, Дунайская флотилия во взаимодействии с частями 14-го стрелкового корпуса «высадила десанты на румынский берег Килийского гирла: один – на мыс Сатул-Ноу, откуда обстреливался противником Измаил, другой – в городок Килию Старую, напротив Килии Новой на нашем берегу. В первом случае высаживались пограничники и батальон чапаевцев (имеется в виду 25-я стрелковая Чапаевская дивизия. – *А.Б.*). во втором – уже целый полк, который занял три населенных пункта» (Крылов Н.И. Не померкнет никогда, с. 17, 18). От Измаила до Плоешти около двухсот километров, но зато местность равнинная и прикрывается одними лишь румынскими частями. Восточные Карпаты и 11-я полевая армия вермахта – севернее. Плацдарм у Килии Старой удерживался не сутки и даже не неделю... *До середины июля*, когда левый фланг Южного фронта, избегая окружения, начал отходить к Днестру.

[38] Крылов Н.И. Не померкнет никогда, с. 16.

[39] К тому же в районе Черновиц нависал над левым флангом румынской группировки противника 16-й механизированный корпус 12-й армии.

[40] Суворов В. Последняя республика, с. 163.

[41] История Великой Отечественной войны Советского Союза. 1941–1945. Т. 2, с. 30.

[42] Повторюсь, «объяснению» того факта, что, подтянув якобы к границе огромные силы, располагая несколькими танковыми группировками, изготовившись к удару, кадровая армия потерпела в приграничном сражении жестокое поражение, автор «Ледокола» посвятил всего несколько абзацев.

[43] Речь идет о правом фланге 9-й армии Южного фронта.

[44] Суворов В. Ледокол, с. 232, 233.

[45] Баграмян И.Х. Так начиналась война, с. 116.

[46] Согласно мобилизационному плану в случае начала военных действий большая часть автотранспорта, как для стрелковых, так и для механизированных корпусов, должна была быть привлечена из народного хозяйства. Осуществить передачу зачастую мы просто не успевали.

[47] Баграмян И.Х. Так начиналась война, с. 115.

[48] Штеменко С.М. Генеральный штаб в годы войны, с. 20.

[49] История Великой Отечественной войны Советского Союза. 1941–1945, с. 479.

[50] Вот каким представляла советская военная теория начало военных действий: «Вся организация обороны государственной границы исходила из предположения, что внезапное нападение противника исключено, что

решительному наступлению с его стороны будет предшествовать либо объявление войны, либо фактическое начало военных действий ограниченными силами...» (История Великой Отечественной войны Советского Союза. 1941–1945, с. 474). Логично предположить, что и армии прикрытия заняли бы оборону вдоль границы еще до того момента, как мехкорпуса, сосредоточившись, нанесли удар по врагу. В любом случае, войска не только были бы приведены в состояние боевой готовности, но и вышли на оборонительные рубежи вдоль границы, организовав взаимодействие и фронт.

Глава 17

ДЕНЬ «N»

Когда просматриваешь документы последних предвоенных дней, невольно удивляешься, как можно было не заметить, что немцы нападут буквально со дня на день. Все, кто имел доступ к информации, высшие офицеры и командиры тактического уровня приграничных округов, генштабисты, разведчики в этом практически не сомневались.

Все, кроме Сталина...

В первой декаде июня Кирпонос, убедившись, что немцы заканчивают последние приготовления и, по существу, *уже изготовились*, приказал передовым подразделениям выдвинуться к границе и занять оборонительные рубежи. И вот какая директива пришла из Генштаба:

«Командующему войсками
Киевского Особого военного округа

Начальник погранвойск НКВД СССР генерал Хоменко *донес*[1], что начальники укрепленных районов получили указание занять Предполье.

Донесите для доклада наркому обороны, на каком основании части укрепленных районов КОВО получили приказ занять Предполье. Такие действия могут немедленно спровоцировать немцев на вооруженное столкновение и чреваты всякими последствиями.

Такое распоряжение немедленно отмените и донесите, кто конкретно дал такое самочинное распоряжение.

10 июня 41 г. Жуков»[2].

Во избежание новых попыток приведения войск в боевую готовность уже на следующий день подобное же строгое указание направляется и в другие приграничные округа: «Полосу Предполья без особого на то указания полевыми и уровскими частями не занимать».

16 июня на стол Сталину ложится донесение наркома госбезопасности В.Н. Меркулова: «Источник, работающий в штабе германской авиации, сообщает:

1. Все военные мероприятия Германии по подготовке вооруженного выступления против СССР полностью закончены, и удар можно ожидать в любое время...»

На перепроводительной донесения Сталин пишет следующее: «Товарищу Меркулову. Может, послать ваш источник к е... матери[3]. Это не источник, а **дезинформатор**. И. Ст.».

18 июня командующий войсками Прибалтийского Особого военного округа[4] отдает распоряжение о приведении в боевую готовность системы ПВО. 20 июня, *за два дня до вторжения*, он получает следующее предупреждение:

«Вами без санкции наркома дано приказание по ПВО о введении положения номер два. Это значит провести по Прибалтике затемнение, чем и нанести ущерб промышленности. Такие действия могут проводиться только с разрешения правительства. Сейчас ваше распоряжение вызывает различные толки и нервирует общественность. Требую немедленно отменить отданное распоряжение, дать объяснение для доклада наркому»[5].

21 июня Берия докладывает Сталину: «Я вновь настаиваю на отзыве и наказании нашего посла в Берлине Деканозова, который по-прежнему бомбардирует меня «дезой» о якобы готовящемся Гитлером нападении на СССР. То же радировал и генерал-майор В.И. Тупиков, военный атташе в Берлине. Этот *тупой*[6] генерал утверждает, что три группы армий вермахта будут наступать на Москву, Ленинград и Киев, ссылаясь на берлинскую агентуру».

На обобщенном донесении этой самой агентуры о войне Лаврентий Павлович поставил резолюцию: «В последнее время *многие* работники поддаются на наглые провокации и сеют панику. Секретных сотрудников Ястреба, Кармен, Верного *за систематическую дезинформацию* стереть в лагерную пыль как пособников международных провокаторов, желающих поссорить нас с Германией. Остальных строго предупредить».

Вечером того же дня на донесении военного атташе при правительстве Виши Суслопарова о том, что Германия нападет на СССР 22 июня, Сталин начертал: «Эта информация является английской провокацией. Разузнайте, кто автор этой провокации, и накажите его».

В эти же самые часы Жукову позвонил начальник штаба Киевского Особого военного округа генерал-лейтенант М.А. Пуркаев. Доложил следующее:

– К пограничникам явился немецкий фельдфебель, перебежал с той стороны, утверждает, что он наш друг и доброжелатель, поэтому сообщает: немецкие войска выходят в исходные районы для наступления, которое начнется утром 22 июня.

Жуков и Тимошенко немедленно выезжают в Кремль.

Вот что пишет сам Георгий Константинович: «Захватив с собой проект директивы войскам[7], вместе с наркомом и генерал-лейтенантом Н.Ф. Ватутиным мы поехали в Кремль. По дороге договорились во что бы то ни стало добиться решения о приведении войск в боевую готовность.

И.В. Сталин встретил нас один. Он был явно озабочен.

– А не подбросили ли немецкие генералы этого перебежчика, чтобы спровоцировать конфликт? – спросил он.

– Нет, – ответил С.К. Тимошенко. – Считаем, что перебежчик говорит правду.

Тем временем в кабинет И.В. Сталина вошли члены Политбюро[8]. Сталин коротко проинформировал их.

– Что будем делать? – спросил И.В. Сталин.

Ответа не последовало.

– Надо немедленно дать директиву войскам о приведении всех войск приграничных округов в полную боевую готовность, – сказал нарком[9].

– Читайте! – сказал И.В. Сталин.

Я прочитал проект директивы. И.В. Сталин заметил:

– Такую директиву сейчас давать преждевременно, может быть, вопрос еще уладится мирным путем. Надо дать короткую директиву, в которой указать, что нападение может начаться с провокационных действий немецких частей. Войска приграничных округов не должны поддаваться ни на какие провокации, чтобы не вызвать осложнений.

Не теряя времени, мы с Н.Ф. Ватутиным вышли в другую комнату и быстро составили проект директивы наркома.

Вернувшись в кабинет, попросили разрешения доложить.

И.В. Сталин, прослушав проект директивы и сам еще раз его прочитав, внес некоторые поправки и передал наркому для подписи.

Ввиду особой важности привожу эту директиву полностью:

«Военным советам ЛВО, ПрибОВО, ЗапОВО, КОВО, ОдВО.
Копия: Народному комиссару Военно-морского флота.

1

В течение 22–23.6.41 г. возможно внезапное нападение немцев на фронтах ЛВО, ПрибОВО, ЗапОВО, КОВО, ОдВО. Нападение может начаться с провокационных действий.

2

Задача наших войск – не поддаваться ни на какие провокационные действия, могущие вызвать крупные осложнения. Одновременно войскам Ленинградского, Прибалтийского, Западного,

Киевского и Одесского военных округов быть в полной боевой готовности, встретить возможный внезапный удар немцев и их союзников.

3

Приказываю:

а) в течение ночи на 22.6.41 г. скрытно занять огневые точки укрепленных районов на Государственной границе;

б) перед рассветом 22.6.41 г. рассредоточить по полевым аэродромам всю авиацию, в том числе и войсковую, тщательно ее замаскировать;

в) все части привести в боевую готовность. Войска держать рассредоточенно и замаскированно;

г) противовоздушную оборону привести в боевую готовность без дополнительного подъема приписного состава. Подготовить все мероприятия по затемнению городов и объектов;

д) никаких других мероприятий без особого распоряжения не проводить.

Тимошенко. Жуков.
22.6.41 г.».

С этой директивой Н.Ф. Ватутин немедленно выехал в Генеральный штаб, чтобы тотчас же передать ее в округа. Передача в округа была закончена в 00.30 минут 22 июня 1941 года...

Испытывая чувство какой-то сложной раздвоенности, возвращались мы с С.К. Тимошенко от И.В. Сталина.

...Директива, которую в тот момент передавал Генеральный штаб в округа, могла запоздать и даже не дойти до тех, кто завтра утром должен встретиться лицом к лицу с врагом»[10].

Жуков выразился неточно. *Не могла не запоздать!*

В частности, штаб Юго-Западного фронта закончил прием «этой очень важной, но, к сожалению, весьма пространной директивы»[11] лишь в половине третьего ночи, когда до нападения немцев оставалось менее полутора часов. Как уже упоминалось, для того, чтобы занять приграничные укрепления, советским частям потребовалось бы в лучшем случае 8–10 часов[12]. Не следует забывать и о том, что отдельные подразделения были разбросаны друг от друга зачастую на десятки километров. «Соединения приграничных округов, предназначенные для прикрытия границы, находились от нее на большом удалении. Непосредственно вблизи границы, в 3–5 километрах за линией пограничных застав, располагались лишь отдельные роты и батальоны этих соединений. Например, в полосе обороны 5-й стрелковой дивизии 11-й армии вперед были выдвинуты лишь три стрелковых батальона, а главные силы дивизии стояли в лагере в 50 километрах от границы. Главные силы 126-й стрелковой дивизии этой же армии размещались в 70 километрах от границы»[13]. Первый удар приняли на себя пограничники[14]. Их неразбериха не коснулась. Им по уставу положено пресекать вторжение на нашу территорию врага, независимо от количества «нарушителей» и времени суток. Заставы и пресекали как могли.

Но дело не только в том, что директива безнадежно, по крайней мере на сутки, а скорее, на месяц-полтора запоздала. Противоречивый текст очень многими был воспринят как указание не дать себя спровоцировать *любой ценой*. Вот, например, свидетельство Хрущева: «Когда мы получили сведения, что немцы открыли огонь, из Москвы было дано указание не отвечать огнем. Это было странное указание, а объяснялось оно так: возможно, там какая-то диверсия местного командования немецких войск или какая-то провокация, а не выполнение директивы Гитлера. Это говорит о том, что Сталин настолько боялся войны, что сдерживал наши войска, чтобы они не отвечали врагу огнем»[15]. Можно было бы предположить, что Никита Сергеевич несколько сгустил краски, но об этом же говорят и другие: «Часов около пяти меня разыскал адъютант Озерова. По телефону из штаба корпуса, сообщил он, приказано ни в коем случае не ввязываться в бой, так как это не война, а провокация. Я молча кивнул в ответ и продолжал делать то же, что делали все мы, — ждать.

...Меня вновь разыскал адъютант Озерова. Усталым и каким-то безразличным голосом он прокричал мне в ухо все тот же приказ штаба корпуса: не отвечать, не ввязываться, не давать втянуть себя в провокацию.

Это уже выглядело издевательством. Война началась – объявленная или необъявленная, теперь это не имело значения, в бой втянулись все наши наличные силы, первая линия стояла насмерть, неся жестокие потери, а кто-то на другом конце телефонного провода продолжал повторять одно и то же.

Вместе с адъютантом по длинному ходу сообщения... я двинулся к блиндажу полковника. Комдив, странно невозмутимый в эти минуты, стоял в окопчике, заложив руки за спину.

– Федор Петрович! – окликнул я его. – Да что они там в самом-то деле!

Он даже не повернул головы.

– Это ты о немцах?

– О штабе корпуса. Об этом их приказе.

– А!.. Это я нарочно велел тебе доложить. Чтоб ты в курсе был, если придется отвечать.

– За что отвечать?

– Не знаю. Так они говорят. «Советуем не ввязываться, будете отвечать за последствия».

Я только выругался да развел руками»[16].

Известны случаи, когда отдельные соединения, «стараясь не ввязываться» и не отвечать на огонь, были смяты немцами с ходу и рассеяны. По свидетельству генерал-майора П.П. Собенникова, командовавшего тогда 8-й армией Прибалтийского Особого военного округа, даже позднее, когда передовые подразделения армий прикрытия вошли в боевое соприкосновение с противником, многие части не были ориентированы в обстановке. В частности, 48-я стрелковая дивизия, выдвигавшаяся из Риги к границе, была подвергнута бомбардировке, атакована прорвавшимися наземными войсками немцев и разгромлена[17].

Но вернемся к событиям той ночи.

В 24 часа 21 июня Кирпонос доложил Жукову[18], что еще один перебежчик, солдат 222-го пехотного полка 74-й пехотной дивизии, переплыл речку, явился к пограничникам и сообщил, что немецкие войска перейдут в наступление в 4 часа утра.

В 3 часа 30 минут 22 июня начали поступать первые сообщения о бомбардировке противником наших городов.

Вновь предоставлю слово Жукову:

«Нарком приказал мне звонить И.В. Сталину. Звоню. К телефону никто не подходит. Звоню непрерывно. Наконец слышу сонный голос генерала Власика (начальника управления охраны):

– Кто говорит?

– Начальник Генштаба Жуков. Прошу срочно соединить меня с товарищем Сталиным.

– Что? Сейчас?! – изумился начальник охраны. – Товарищ Сталин спит.

– Будите немедля: немцы бомбят наши города, началась война.

Несколько мгновений длится молчание. Наконец в трубке глухо ответили:

– Подождите.

Минуты через три к аппарату подошел И.В. Сталин.

Я доложил обстановку *и просил разрешения начать ответные боевые действия(!)*. И.В. Сталин молчит. Слышу лишь его тяжелое дыхание.

– Вы меня поняли?

Опять молчание.

– Будут ли указания? – настаиваю я.

Наконец, как бы очнувшись, И.В. Сталин спросил:

– Где нарком?

– Говорит по ВЧ с Киевским округом.

– Приезжайте с Тимошенко в Кремль. Скажите Поскребышеву, чтобы он (вновь. – *А.Б.*) вызвал всех членов Политбюро.

...В 4 часа 10 минут Западный и Прибалтийский особые военные округа доложили о начале боевых действий немецких войск на сухопутных участках округов.

В 4 часа 30 минут утра мы с С.К. Тимошенко приехали в Кремль. Все вызванные члены Политбюро были уже в сборе...

И.В. Сталин был очень бледен и сидел за столом, держа в руках ненабитую табаком трубку.

Мы доложили обстановку. И.В. Сталин *недоумевающе* сказал:

– Не провокация ли это немецких генералов?

– Немцы бомбят наши города на Украине, в Белоруссии и Прибалтике. Какая же это провокация? – ответил С.К. Тимошенко.

– Если нужно организовать провокацию, – сказал И.В. Сталин, – то немецкие генералы бомбят и свои города...[19] – И, подумав немного, продолжал: – *Гитлер наверняка не знает об этом(!)*.

Звоните в германское посольство, – обратился он к В.М. Молотову.

В посольстве ответили, что посол граф фон Шуленбург просит принять его для срочного сообщения.

Принять посла было поручено В.М. Молотову.

...Мы тут же просили И.В. Сталина дать войскам приказ немедля организовать ответные действия и нанести контрудары по противнику.

– Подождем возвращения Молотова, – ответил он.

Через некоторое время в кабинет быстро вошел В.М. Молотов и сказал:

– Германское правительство объявило нам войну.

И.В. Сталин молча опустился на стул и глубоко задумался.

Наступила длительная, тягостная пауза.

Я рискнул нарушить затянувшееся молчание и предложил немедленно обрушиться всеми имеющимися в приграничных округах силами на прорвавшиеся части противника и задержать их дальнейшее продвижение.

– Не задержать, а уничтожить, – уточнил С.К. Тимошенко.

– Давайте директиву, – сказал И.В. Сталин. – Но чтобы наши войска, за исключением авиации, нигде пока не нарушали немецкую границу.

Трудно было понять И.В. Сталина. Видимо, он все еще надеялся как-то избежать войны. Но она уже стала фактом. Вторжение развивалось на всех стратегических направлениях.

...В 7 часов 15 минут 22 июня директива № 2[20] наркома обороны была передана в округа. Но по соотношению сил и сложившейся обстановке она оказалась нереальной. Наши войска не могли не только уничтожить прорвавшиеся части противника, но не имели физической возможности даже задержать их»[21]. К этому времени три ударные танковые группировки немцев уже прорвали нашу оборону и устремились на восток. Лишь дивизии Клейста втянулись в бои с подходившими из глубины мехкорпусами Юго-Западного фронта и были остановлены под Ровно почти на неделю.

Однако если директива № 2 в целом отвечала ситуации, то о следующей этого не скажешь. Принятая уже в отсутствие выехавшего на Юго-Западный фронт Жукова, нацеливавшая командующих трех пограничных округов на проведение наступательных операций на глубину 100–150 километров директива № 3, по существу, лишала командующих инициативы. Контрудары были нужны, только с их помощью, в принципе, можно было остановить врага. Но контрудары – *подготовленные*, опирающиеся на прочную оборону.

К сожалению, испытавшие сильнейший болевой шок рецепторы огромного боевого механизма отказали. Уже в первой половине дня командующие фронтами частично или полностью потеряли связь с войсками. Помимо прочего, это было чревато и тем, что в Генштаб не могла быть отправлена объективная информация. То, как началась война, не вписывалось в довоенные идеологизированные представления. Истинные масштабы надвигающейся катастрофы в первые дни штабами замалчивались[22]. Видимо, надеялись, что глубокие прорывы немцев – не более чем десант, и в ближайшее время удастся выправить ситуацию. Не случайно в оперативной сводке Генштаба на 10 часов вечера 22 июня положение на фронте изображалось как вполне благополучное, не вызывающее тревоги. Утверждалось, в частности, что «германские регулярные войска в течение 22 июня вели бои с погранчастями СССР, имея незначительный успех на отдельных направлениях. Во второй половине дня, с подходом передовых частей полевых войск Красной Армии, атаки немецких войск на преобладающем протяжении нашей границы отбиты с потерями для противника»[23]. Опираясь на далекие от реалий выводы, исходя из неправильной оценки складывающейся ситуации, состояния и возможностей наших войск, и отдал нарком Тимошенко в 9 часов 15 минут 22 июня военным советам Северо-Западного, Юго-Западного и Западного фронтов директиву № 3, которая предписывала разгромить ударные группировки противника и в ближайшие сутки перенести военные действия на его территорию.

А немецкие танкисты, заняв оборону, прикрывшись охранениями, выслав вперед разведку, устраивались на отдых в глубоком нашем тылу, в 50–60 километрах от границы. Чтобы вышвырнуть их за пределы страны, потребовалось почти три года...

Истории известны лидеры, добившиеся абсолютной власти и возомнившие себя земными богами. Как правило, подобное заблуждение дорого им обходилось. Сталин к этой категории не относится. Слишком уж, почти до самого конца, развито было у вождя чувство самосохранения, слишком много смертей и покореженных людских судеб сопровождали его восхождение на Олимп, чтобы Иосиф Джугашвили мог себе позволить оторваться от реальности.

Если план превентивного нападения действительно

существовал, Сталин не мог проигнорировать зримые приготовления немцев. Поставьте себя на его место. Войска начинают выдвигаться к границе, наступательная группировка лишь обозначается, до удара – две с половиной недели. И вдруг, одно за другим, – сообщения о том, что противник сам нападет через два-три дня. Высшие военачальники не скрывают, что информация представляется им более чем достоверной, а главное, что само по себе говорит о многом, проявляют нежданную настойчивость. Любой человек, даже не политик, тем более не глава огромной державы, не мог *не допустить*, что немцы разгадали его замысел и стараются *упредить*. И отсутствие бараньих тулупов в вермахте не может перевесить *самой возможности* подобного развития событий.

Что должен был предпринять Сталин в этом случае? Ответ очевиден – укрепить, насколько возможно, оборону, развернуть войска, занять укрепрайоны, *организовать фронт*. Пусть напасть *неожиданно* уже не удастся, но и немцы встретят не изолированные друг от друга гарнизоны мирного времени, а изготовившуюся армию, под прикрытием которой мехкорпуса сосредоточатся, развернутся и, проломив фронт, пойдут вперед.

Сталин же, напротив, сделал все возможное, чтобы части РККА выглядели и являлись на деле небоеготовыми. И это объясняется лишь одним. *Никакого плана нападения на Германию не было!* Более того, вождь даже мысли не допускал, что война вообще возможна. Противостояние с сильным противником один на один не входило, да и не могло входить, в его планы. Подписывая в августе 39-го пакт, Сталин рассчитывал, и не без оснований, что ему еще долго удастся играть на противоречиях между Гитлером и западными демократиями. Кто же думал, что Гитлер не ограничится демонстрацией силы, не довольствуется «малым», а ринется в драку в надежде завоевать весь мир?

Сталин уверен был, что обманет, переиграет *любого*. Стравить враждебные группировки и, оставаясь в стороне, наблюдать, как они станут уничтожать друг друга, – вот его стиль. Лобовое же столкновение с фашизмом, в котором победителя определить заранее *(в лучшем для нас случае!)* было невозможно, представлялось ему катастрофой. Вождь тешил себя надеждой, что и Гитлеру подобный конфликт – *невыгоден*, но в то же время чувствовал, что чего-то он, Сталин, не понимает. Что Гитлер *способен* напасть. Волею судеб немцам удалось выковать и в скоротечных кампаниях закалить страшное оружие, которое на какое-то время сделало их сильнейшими на континенте. И на первых порах нам нечего было им противопоставить...

Диктаторские режимы могут выжить, лишь идя от победы к победе. В отличие от Гитлера, сумевшего одурачить *нацию*, на кого мог опереться поработивший собственный народ Сталин? В лучшем случае, *до поры*, на несколько сот тысяч кровью повязанных с его режимом управленцев. Диктаторы любимы, пока они удачливы и сильны, но и сильны, пока любимы. Любая серьезная неудача, просто война на истощение без надежд на скорую легкую победу ставят режим на грань краха. Стоит огромному зданию дать сильную, *видимую с улицы* трещину, как любовь народная оборачивается ненавистью.

Все это Сталин понимал, войну с немцами изначально воспринимал как смертельную угрозу и делал все, по его мнению, возможное, чтобы ее избежать. Отсюда и наивные мысли о провокации немецких высших военных чинов, о том, что Гитлер «не знал». Отсюда и упорное нежелание *вопреки всему* предпринять действия, которые *могли быть восприняты как недружественные*. Отсюда и вспышки ярости в отношении тех, кто, занимая укрепления на границе, пытаясь организовать оборону, мог, по мнению Сталина, дать повод немецким генералам начать боевые действия. Да и отвык уже Сталин от того, что события могут выйти из-под контроля и что-то пойдет «не по его».

В середине мая, тщательно все продумав, Сталин принял *окончательное* решение: ***в таких условиях***[24] ***воевать с немцами ему не с руки***.

Другой вопрос, при каких обстоятельствах Сталин *мог бы решиться?*

Что было нужно для того, чтобы в один прекрасный день Красная Армия перешла западную границу и устремилась в Европу?

Уверенность Сталина в легкой быстрой победе! Не больше... но и никак не меньше. После чистки, после очевидного упадка дисциплины, после Финской, а главное, после фантастически скоротечных побед вермахта такой уверенности у вождя не было, *да и быть не могло!*

Вот если бы немцы устремились на Острова и были бы остановлены на побережье. Зарылись бы в землю, опутали позиции колючей проволокой. Если бы англичане, сбросив итальянцев в море, высадились на Апеннинах и пошли на Рим. *Если бы на востоке не осталось значительных сил*, тогда, *возможно*, Сталин и предпринял бы какие-то шаги[25].

История не терпит сослагательного наклонения. Как могли бы развиваться события, нам знать не дано. Зато мы знаем, *как развивались*.

22 июня произошло то, что предотвратить было уже невозможно. Под грохот разрывов и лязг танковых гусениц вступал в свои права самый страшный для нас день.

День «N»...

Примечания

[1] Слово-то какое запросто употреблялось в официальных документах. Или приучили людей, что в факте доноса нет ничего зазорного? Обратили внимание, кто *донес*? Не случайно пограничные войска подчинялись Наркомату внутренних дел.

[2] Как уже упоминалось, указание пресечь инициативу подчиненных Жуков получил от Сталина. Вместе с тем нельзя не учитывать, что Сталин если не как стратег, то как удачливый, обладающий дьявольским чутьем политический деятель пользовался непререкаемым авторитетом. Он

был абсолютно убежден, что войны удастся избежать, и это не могло не отразиться на взглядах тех, с кем вождь соприкасался. Вот слова самого Жукова: «Не скрою, нам тогда (перед войной. – *А.Б.*) казалось, что в вопросах войны, обороны И.В. Сталин знает не меньше, а больше нас, разбирается глубже и видит дальше. Когда же пришлось столкнуться с трудностями войны, мы поняли, что наше мнение по поводу чрезвычайной осведомленности и полководческих качеств И.В. Сталина было ошибочным» (Жуков Г.К. Воспоминания и размышления. Т. 1, с. 345).

[3] В оригинале, конечно же, никаких точек нет.

[4] Командующий ПОВО генерал-полковник Ф.И. Кузнецов.

[5] Цит. по: Роман-газета. 1991, № 11, с. 87.

[6] Вновь та же лексика. Как видим, подобные эпитеты – не исключение, а норма, свидетельствующая об уровне культуры, не только и не столько помощников, сколько главы огромного государства.

[7] Проект директивы о приведении войск в полную боевую готовность и развертывании первых эшелонов армий прикрытия был подготовлен заранее. Возможно, с какого-то момента в Генштабе уже не сомневались в скором нападении немцев. Но, скорее всего, допуская, что Сталин прав и войны удастся избежать, вместе с тем *пытались* сделать все возможное, чтобы удары немцев не застали армию врасплох.

[8] Получив информацию от Жукова и ожидая его и наркома приезда, Сталин вызвал и членов Политбюро. Однако, принимая судьбоносные решения, он не посчитал нужным посоветоваться с кем-либо из своего окружения. Впрочем, никто из них высказать свою точку зрения, если таковая и была, не рискнул.

[9] Возможно, этот человек был неудачливым военачальником, возможно, не до конца соответствовал требованиям надвигающейся войны. Но что бы ни говорили о Тимошенко, следует отдать ему должное. Нам не дано представить, каких усилий стоило наркому не просто не поддакнуть в очередной раз, но *возразить* вождю. Однако ему хватило твердости и ответственности за судьбу армии и страны.

[10] Жуков Г.К. Воспоминания и размышления. Т. 1, с. 386–389.

[11] Баграмян И.Х. Так начиналась война, с. 92. Пространный текст, по-видимому, обусловил длительную дешифровку.

[12] Тех, кто имеет либо имел отношение к армии, не удивит, что на сбор отводилось не менее 2–3 часов. В бытность мою в строительном батальоне из 17 офицеров и прапорщиков телефон имел лишь я один. Повезло с квартирой. Во время контрольных проверок командный состав оповещал и собирал помощник дежурного по части – старший сержант. Не думаю, чтобы за 43 года положение *ухудшилось*.

[13] История Великой Отечественной войны Советского Союза. 1941–1945. Т. 2, с. 9, 10.

[14] В. Суворов утверждает, что накануне войны погранвойска были отведены от границы для последующего участия в намечающемся якобы нашем вторжении в качестве полицейских и охранных сил. Как и всегда, в подтверждение своих слов он не приводит ни одного документа. Да

и можно ли доказать недоказуемое? По всей границе заставы дрались до последнего человека, зачастую, заняв круговую оборону, продолжали сопротивление несколько суток. Это – факт.

[15] Хрущев Н.С. Воспоминания, с. 95.

[16] Севастьянов П.В. Неман – Волга – Дунай, с. 15, 16.

[17] История Великой Отечественной войны Советского Союза 1941–1945. Т. 2, с. 12.

[18] Как свидетельствует Георгий Константинович, в ту ночь никто не спал. Тимошенко и начальник Генштаба «неоднократно говорили по ВЧ с командующими округами... и их начальниками штабов, которые, кроме Д.Г. Павлова, находились на своих командных пунктах» (Жуков Г.К. Воспоминания и размышления. Т. 2, с. 8).

[19] А мог бы добавить: «Мы же, *когда надо было*, обстреляли красноармейцев у Майнилы».

[20] В директиве, в частности, приказывалось: «1. Войскам всеми силами и средствами обрушиться на вражеские силы и уничтожить их в районах, где они нарушили советскую границу. Впредь до особого распоряжения наземными войсками границу не переходить. 2. Разведывательной и боевой авиацией установить места сосредоточения авиации противника и группировку его наземных войск. Мощными ударами бомбардировочной и штурмовой авиации уничтожить авиацию на аэродромах противника и разбомбить основные группировки его наземных войск. Удары авиацией наносить на глубину германской территории до 100–150 км, разбомбить Кенигсберг и Мемель. На территорию Финляндии и Румынии до особых указаний налетов не делать».

[21] Жуков Г.К. Воспоминания и размышления. Т. 2, с. 8–11.

[22] Справедливости ради следует отметить, что зачастую командующие фронтами просто не владели обстановкой. В частности, о том, что основные силы Западного фронта охватываются с флангов ударными группировками противника, в Генштабе узнали далеко не сразу.

[23] История Великой Отечественной войны Советского Союза 1941–1945. Т. 2, с. 29.

[24] Не следует забывать, что на Дальнем Востоке готовилась к войне Япония, союзник немцев по Оси. Нетрудно было предположить, что в случае начала боевых действий Квантунская армия обрушилась бы на нас с тыла. Данные разведсводок не могли прояснить ситуацию в принципе. Сами японцы, генералитет, *не знали еще,* в каком направлении будет развиваться экспансия. Окончательное решение о нападении на Великобританию и США было принято лишь 5 ноября на императорской конференции.

[25] Не исключаю, впрочем, и того, что вождь, как и летом 40-го, ограничился бы демонстрацией силы и приращением территории и на открытый конфликт с Гитлером не пошел.

Эпилог

ОППОНЕНТА НАДО УВАЖАТЬ...

Когда перечитываешь работы В. Суворова, невольно поражаешься, каким видит автор Сталина. Последний якобы не просто творил европейскую историю, но и буквально держал руку на ее пульсе. Противников и партнеров он, по утверждению В. Суворова, рассматривал не как наделенных свободой воли субъектов, но лишь как объект приложения своих устремлений, при этом возможные их действия автором «Ледокола» попросту игнорируются. Так кукловод смотрит на марионеток. Но ведь мир не кукольный театр.

Не было никакого плана завоевания Европы с использованием в качестве ударной силы Гитлера. Сталин вовсе не организовывал события, напротив, как и многие другие, шел у них на поводу. Предоставлялась возможность, и он охотно раздвигал границы своей империи. Но лишь в том случае, если считал это абсолютно безопасным делом. Когда же перспектива столкнуться один на один с Германией стала реальностью, вождь, уничтоживший как по заказу цвет армии, испугался. Да и было отчего.

Военный потенциал не может дать *немедленные* результаты, да и оценить его уровень не так уж и просто. Военные же успехи, равно как и неудачи, всегда налицо, именно по ним судят, сравнивая силы противоборствующих сторон. И такое сравнение было отнюдь не в пользу СССР. Повторюсь, за два предвоенных года Красная

Армия *с бою* и с тяжелейшими потерями взяла полоску Карельского перешейка. Вермахт же захватил почти всю Европу, сокрушив при этом версальских победителей. Французскую армию, считавшуюся сильнейшей, уничтожил, англичан – вышвырнул с континента.

Все предпринятые Сталиным действия – не часть «гениального замысла», а следствие рокового заблуждения. Он посчитал, что достаточно убедить Гитлера в своей лояльности и миролюбии, и немцы не нападут. И было сделано все возможное, чтобы не просто показать, что войска на границе небоеготовы, но и реально сделать их таковыми.

Последствия известны...

«...уважай противника, старайся понять его доводы, старайся извлечь пользу даже из гнева своих *врагов*»[1].

Пусть В. Суворов далеко не всегда следует своему же призыву[2], с тем, что оппонента нужно уважать, трудно не согласиться.

И когда утверждают, что без Сталина мы проиграли бы войну, я не отрицаю, жесточайшая централизованная власть сыграла определенную положительную роль. Но если на защиту Отечества не поднялся бы народ, ни Сталин, ни армия чиновников сделать ничего бы не смогли. Человека можно заставить выдалбливать ломом мерзлый грунт и выдавать на-гора оговоренные кубометры дров. Но стоять у станка по 14–16 часов в сутки и при этом изготавливать *пригодную к употреблению* продукцию, тем более умирать за Родину заставить нельзя!

И чем хуже шли дела на фронте, тем ближе сходились интересы правящей верхушки и широких народных масс. В какой-то момент они удивительным образом почти совпали. Пусть на короткое время, но возник такой резонанс, что немцы были отброшены от Москвы. То же повторилось и под Сталинградом, да и под Курском.

Не думаю, впрочем, что в отсутствие Верховного Главнокомандующего армия воевала бы хуже. Не случайно же почти все крупные неудачи постигали армию тогда, когда вождь принимал стратегические, порой ошибочные решения, как и в самом начале, единолично. Ни для кого не секрет, что причиной гибели наших армий под Киевом, например, стало в том числе и его прямое вмешательство. А все удачи случались, когда Сталин, по сути, отдавал бразды армейского правления профессионалам. Когда он понял, что так *для всех* будет лучше, и уже не вмешивался почти, не мешал...

Но тот факт, что именно Сталин, а вернее, созданный им бюрократический режим, летом 41-го подвел страну к черте, не вызывает сомнения. И дело тут не в ошибках и роковой бездеятельности. Когда во главе государства становится человек с абсолютной, ничем и никем не ограниченной властью в руках, страна уже обречена. Когда все решения принимает один-единственный, а эксперты не анализируют ситуацию, а в страхе стараются угадать и искусственно обосновать его решение, страна обречена. Когда оппозиции не существует и просто некому возразить, оспорить, предотвратить последствия роковых неизбежных ошибок, рано или поздно все оканчивается катастрофой.

Скажу больше, так уж устроен мир. В нем абсолютная власть тяготеет к спринту. Марафон же ей не под силу. Стоит одному человеку или группе лиц прибрать к своим рукам *всю полноту власти,* и возможность распоряжаться судьбами миллионов очень быстро оборачивается кровавыми разборками между недавними соратниками, истерией доносительства и расстрелов, а вслед за ними и террором не столько против уничтоженной уже оппозиции, сколько против собственного народа. Бесконечно далекая от широких народных масс правящая верхушка всегда озабочена лишь одним – сохранить свою монополию на власть[3]. В условиях, когда законность и правопорядок заменены классовым чутьем и «революционной» целесообразностью, когда в отсутствие противовесов страна отдана на откуп ошалевших от вседозволенности чиновников, когда государство начинает пожирать самое себя, катастрофа, военная или экономическая, становится лишь вопросом времени.

Специфика нашей страны такова, что только здесь, благодаря казавшимся неисчерпаемыми природным ресурсам и терпению народному, государство с затратной экономикой, с почти полным отчуждением людей от собственности могло просуществовать *так долго*. Спору нет, при Сталине, под хозяйской дланью, бюрократический аппарат функционировал куда эффективнее. Но также очевидно и то, что именно в этот период он окончательно оформился и осознал себя «как класс», усилился и окреп настолько, что вскоре сам уже управлял самодержцами. А в конечном итоге непомерным своим властолюбием, чудовищными амбициями и дремучей некомпетентностью[4] завел нас в то самое болото, из которого и не знает никто, как выбираться...

И когда В. Суворов утверждает, что великая война не являлась *Отечественной*, он не только пытается обесценить подвиг народный, не только возвеличивает во многом вполне земного, в общем-то, тирана, но и ставит под сомнение те светлые и героические страницы, которых и так немного было в нашей истории.

Автор «Ледокола» рассказывает, как учили его в академии ГРУ: «...обращай внимание на мелкие подробности, на мельчайшие. Только из них можно сложить четкое и объективное представление о происходящем»[5].

Все так. Но не слишком ли мелки «подробности»?

Вот, например, история с сапогами. В. Суворов утверждает, что в 1941 году десятки тысяч пар сапог были вывалены прямо на землю у границы *(сам-то он это наблюдать не мог, ему очевидец якобы рассказал)*. Это значит, красноармейцы перед «освободительным» походом должны были примерить кожаную обувку, чтобы вид иметь соответствующий там, за кордоном[6]. *Да ничего это не значит!* Кто видел, как «одевается» рота молодых солдат, со мной согласится. На все про все отводится час. Повзводно заходят бойцы в помещение вещево-

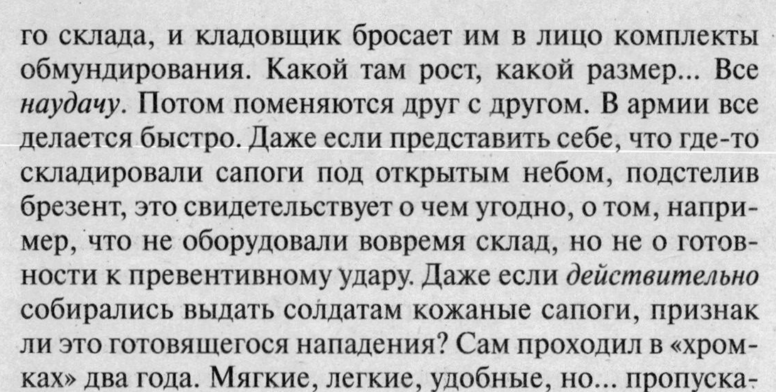

го склада, и кладовщик бросает им в лицо комплекты обмундирования. Какой там рост, какой размер... Все *наудачу*. Потом поменяются друг с другом. В армии все делается быстро. Даже если представить себе, что где-то складировали сапоги под открытым небом, подстелив брезент, это свидетельствует о чем угодно, о том, например, что не оборудовали вовремя склад, но не о готовности к превентивному удару. Даже если *действительно* собирались выдать солдатам кожаные сапоги, признак ли это готовящегося нападения? Сам проходил в «хромках» два года. Мягкие, легкие, удобные, но... пропускают влагу, да и подошва протирается до дыр. Хороши для парадов, но в повседневной носке, тем более в полевых условиях, надежная, неприхотливая «кирза» даст заметную фору.

Вот еще «довод». Сталин не принимал Парад Победы потому якобы, что «праздновать товарищу Сталину было нечего и радоваться не было повода. *Вторая мировая война была проиграна(!)*. Сталин это знал»[7]. Вот уж нет. Было чему радоваться. Тому, например, что ноги унес, что *выжил*. Он-то, Сталин, уже на второй день посчитал, что все кончено. Вот, например, как оценивает его близкое к истерике состояние Хрущев: «Война началась. Но каких-нибудь заявлений Советского правительства или же лично Сталина пока что не было... То, что выступил Молотов, а не Сталин, – почему так получилось? Сталин тогда не выступил. *Он был совершенно парализован...*

...Когда началась война, у Сталина собрались члены Политбюро... Сталин морально был совершенно подавлен и сделал такое заявление: «Началась война, она развивается катастрофически. Ленин оставил нам пролетарское Советское государство, а мы его про...» Буквально так и выразился. «Я, – говорит, – отказываюсь от руководства», – и ушел. Ушел, сел в машину и уехал на «ближнюю» дачу. «Мы, – рассказывал Берия, – остались... Посовещались и решили поехать к Сталину, чтобы вернуть его к деятельности... Когда мы приехали к нему на дачу, то я (рассказывает Берия) по его лицу увидел, что Сталин очень испугался. Полагаю, Сталин подумал, не приехали ли мы арестовать его за то, что он отказался от своей роли и ничего не предпринимает для организации отпора немецкому нашествию?..

...Он находился в состоянии шока»[8].

Желание разглядеть в Сталине «демоническую» фигуру[9] толкнуло некоторых известных и вполне заслуженных историков к мысли, что таким образом вождь решил попугать своих соратников, продемонстрировать, что без него они – ничто. Власть – скользкая штука. Завоевать ее, растолкав хитростью и локтями бесчисленных конкурентов, не просто, потерять же – минутное дело. Если бы Сталин склонен был к подобным «демонстрациям», до войны он попросту не дожил. Да и впоследствии, вплоть до Сталинграда, не раз давал он понять, что в победу не верит. Вот слова того же Хрущева: «Где-то в июле или августе... меня вызвали в Москву... Командный пункт находился тогда на станции метрополитена возле Кировских ворот. Пришел я туда. Там стояла кушетка. Сталин сидел один на кушетке. Я подошел, поздоровался. Он был совершенно неузнаваем. Таким выглядел апатичным, вялым. А глаза у него были, я бы сказал, жалкие какие-то, просящие...

Помню, тогда на меня очень сильное и неприятное впечатление произвело поведение Сталина. Я стою, а он смотрит на меня и говорит: «Ну, где же русская смекалка? Вот говорили о русской смекалке. А где же она сейчас в этой войне?»[10] Такие высказывания простительны капризному ребенку, но не Верховному Главнокомандующему. *И после всего этого Сталина не удовлетворили результаты войны?!* Трудно поверить...

В. Суворов же с легкостью выстраивает логическую цепочку. Раз Верховный не принимал парад[11], значит, был недоволен итогами войны. Раз был недоволен, значит, рассчитывал на большее. И, раз так, значит, готовил в сорок первом превентивный удар. Убедительно?

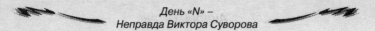

Весьма сомнительным представляется и следующее утверждение: «До 30 июня 1941 года Жуков настаивал на наступлении и требовал от командующих фронтами только наступления»[12]. *Не наступления он требовал, а сосредоточенных контрударов по ударным танковым группировкам противника, проникшим в глубь нашей территории на сотни километров!*

Но возможная критика, кажется, мало заботит автора «Ледокола». «В ход» идет *все*. Песня «Священная война» и плакат «Родина-мать». Отсутствие Звезды Героя на кителе Сталина и откровения Власова, протоколы допросов которого В. Суворов также не приводит. Рейды подводных лодок и даже катастрофическое завершение приграничного сражения. Все якобы неопровержимо свидетельствует об агрессивном характере наших планов.

И на базе этого «фундамента» выстроена вся «теория», согласно которой школьники-осовиахимовцы превращаются в сто пятьдесят тысяч воздушных асов, способных в несколько минут уничтожить *все* Люфтваффе, да в миллион парашютистов, которые, если высадятся *разом*, перебьют хребет вермахту еще до осени, скромный «Су-2» – в «крылатого Чингисхана», а «бэтушка» – в супертанк прорыва. Сталин при этом представляется едва ли не национальным героем, которому насмешка судьбы не дала построить «светлое будущее» на Европейском континенте, а советский народ – не более чем преданным и послушным исполнителем хозяйской воли.

Дальше – больше.

«Мы не хотим верить Гитлеру в том, что он планом «Барбаросса» *защищал* Германию от *предательского(!)* удара советских войск на Бухарест и Плоешти»[13], – стыдит В. Суворов. Будто речь идет об умеренном демократическом лидере, а не о чудовище, пожравшем десятки миллионов жизней. Может, вторгаясь в Польшу, Данию, Норвегию, Голландию, Бельгию, раздавив Францию, Югославию, Грецию, он также защищал Германию от чьего-то предательского удара?! Да и книгу свою «Майн кампф», в которой нацеленность на мировое господство и уничтожение славянских наций, написал он задолго до того, как СССР мог даже потенциально угрожать Германии...

И, наконец, как апофеоз, неприметные строчки вывода: «...Хочется ли нашему Президенту найти такой документ, который покажет, что вина Иосифа Сталина в развязывании Второй мировой войны ничуть не меньше вины Адольфа Гитлера? Если найдут листочек со сталинским планом, то городу Калининграду придется вернуть настоящее имя, *а сам город – законному владельцу*»[14].

Как все просто. Если следовать его логике, то и Польше следует поступиться южной частью бывшей Восточной Пруссии, Вроцлавом и Щециным. Поляки ведь тоже в тридцать девятом сосредоточили все почти наличные силы вдоль западной границы – наверняка хотели ворваться в Берлин. У французов тоже рыльце в пушку, разве не они, объявив войну Германии, спровоцировали Вторую мировую? Территориальных приобретений в Европе почти не имели? Отдавайте Страсбург.

Любой нормальный человек скажет: все это бред. Европа слишком дорого заплатила за то, что позволила кровавому маньяку заняться переделкой границ. Все устоялось и обустроилось, *люди привыкли*. Не стоит ворошить прошлое *всуе*, это чревато самыми непредсказуемыми последствиями. Любые территориальные изменения должны созреть, но и тогда их осуществление будет обусловлено обоюдным согласием заинтересованных сторон, но никак не смутными догадками и весьма сомнительными выводами.

Если соответствующих документов нет, мы можем лишь догадываться о том, что *думал* тот или иной политический деятель, и любые, даже доказательные, умозаключения так догадками и останутся. Да и мало ли кто и что думал?

В. Суворов пытается привнести «свежие» веяния и в

область юриспруденции. Судите сами: «Историки до сих пор не ответили нам на вопрос: кто же начал советско-германскую войну[15]. При решении этой *проблемы(!)* историки-коммунисты предлагают следующий критерий: кто первым выстрелил, тот и виновник. Почему бы не использовать другой критерий? Почему бы не обратить внимание на то, кто первым начал мобилизацию, сосредоточение и *оперативное развертывание(!)*, т.е. кто все-таки первым потянулся к пистолету?»[16]

Иными словами, в развязывании войны виноват не тот, кто начал боевые действия, а тот, кто якобы собирался открыть огонь[17]. Этот «постулат» и служит фундаментом базовой логической цепочки: Сталин был единоличным хозяином огромной страны с неисчерпаемыми людскими и природными ресурсами, военными традициями и потенциалом, значит, *мог* напасть первым. Мог, следовательно, *наверняка собирался*. Собирался, но не напал, значит, его упредили. А раз так, Советский Союз и есть агрессор, *Калининград надо переименовывать и отдавать!*

Насколько все это *доказательно*, судить читателю. Я свою точку зрения, как мог, высказал и доводы в ее защиту привел. Еще в конце восьмидесятых, ознакомившись с отдельными главами «Ледокола», чего скрывать, вызвавших большой интерес, еще и не думая даже, что возьмусь опровергать его суждения, я все же не мог с ним согласиться. По одной простой причине: *агрессор так войну не начинает, агрессор встречного боя не проигрывает!* Не изменил свою точку зрения и поныне.

Надо уважать оппонента, надо отдавать ему должное. Надо отдать должное и В. Суворову. Он показал себя весьма гибким аналитиком. Да и не все в его работах вызывает чувство протеста. Особенно же впечатляет владение автора «Ледокола» информацией по составу армий, корпусов, дивизий, а зачастую и полков, поистине энциклопедическая подборка данных, характеризующих Вооруженные силы накануне войны. А главное, он наглядно показал, к чему приводят попытки придать историческим событиям определенный оттенок, добавить идеологическую нагрузку, исказить насколько возможно негативные примеры и, напротив, выпячивать сверх всякой меры то, что, по мнению партийных историков, могло служить делу воспитания «нового человека». Уверен, вся недосказанность и расплывчатый характер информации о событиях тех трагических дней, который один только и позволил В. Суворову высказать свою «догадку», – от желания, чтобы все и вся «работало на социализм»[18]. Вызывает уважение и объем работы, проделанной В. Суворовым, и его целеустремленность.

И все же... Все же...

В своей рецензии к «Ледоколу» симпатизирующий идеям В. Суворова Буковский пишет: «...мы изумляемся, *читая Суворова*, что к 1941 году Красная Армия имела 5 корпусов парашютно-десантных войск, около миллиона тренированных парашютистов. Где, когда успел Сталин подготовить такую армаду, *да еще незаметно для всех*?»[19] Уж так замаскировал вождь свои «приготовления», что никто, удивительное дело, их и не заметил. *А было ли что маскировать?*

В. Суворов заходит в темную комнату, но не ищет черную кошку. Он просто заявляет, что она там есть...

А в открытую автором «Ледокола» просторную нишу устремляются тем временем другие ниспровергатели канонов. Со своими «открытиями» и более чем оригинальными идеями. Вот, например, на какое наткнулся недавно высказывание:

«Странное бездействие вождя усматривают в его слепоте, в недалекости, в том, что он излишне передоверился «пакту о ненападении», в «парализованности кролика перед удавом»... в самоуверенности, в сознательной и халатной преступности, в желании выиграть время для переоснащения армии и тому подобном... Но Сталин... прекрасно догадывался о неизбежном столкновении с Гитлером. Тогда чем же он руководствовался, если даже в июне 41-го года запретил войскам западных округов сбивать немецкие самолеты, которые уже нарушали границы СССР?

А тем, что вождь хотел выиграть войну... только по *своему* (выделено автором. – *А.Б.*) плану, и ни по какому другому. И он действительно был «шахматистом», просчитывающим будущие события на несколько ходов вперед. Но сам этот расчет был уже нечеловеческий. Сталин разыгрывал партию с Черчиллем, будучи абсолютно равнодушным к предстоящим миллионным жертвам своих подданных, не желая при этом просчитать какой-либо иной вариант грядущей войны. Он, как говорится, «зациклился» на Англии, и это холодное упрямство Сталина можно объяснить лишь его параноидальной и уже глубоко больной личностью.

В результате ценой гигантских человеческих и материальных потерь, но зато удовлетворив свое маниакальное тщеславие, вождь все-таки «переиграл» Черчилля. Тот, как политик, продолжительное время испытывал двойственные чувства: он мечтал «видеть германскую армию в могиле, а Россию на операционном столе», однако 26 мая 1942 года был принужден Сталиным определиться и подписать советско-английский договор о союзе в войне против Германии и о взаимопомощи»[20].

Получается, Иосифа Виссарионовича куда больше заботили не результаты войны, а то, чтобы подписать союз с Англией. И якобы лишь ради этого упершийся «шахматист» Сталин подставил под разгром кадровую армию и открыл дорогу немцам к Москве и Ленинграду. Думаю, комментарии излишни.

К сожалению, история и идеология *пока еще* неразделимы. И когда те или иные исторические события используются для подтверждения своих взглядов – надо быть настороже. Когда же историю подгоняют под идеологию, это может обернуться чем угодно.

И уже по-иному воспринимаешь следующие строки: «Кадровый военный, каким был Жуков, не предавался эмоциям... Недобрая усмешка пробегала по его лицу, когда ему попадались снимки тех, кто разогнал французские и английские войска: *пустоглазые* парни в куцых мундирах мышиного цвета, с автоматами. Из коротких голенищ торчат запасные обоймы, на головах знакомые ему по фронту той войны каски *омерзительной* формы. Каждый из них *ничто*, но вместе – победители!..»[21]

Понятно, что отдельные историки, равно как и отдельные издательства, могут быть излишне политизированы. Но допустимо ли вкладывать в уста исторической личности едва ли не программу своего движения, допустимо ли отождествлять свои убеждения с *мыслями* столь масштабного человека, тем самым низводя его до уровня пропагандиста националистических идей?

Откуда эта мелкая ущербная злоба? Где хоть строчкой, хоть намеком дал Жуков повод предположить, что подобным образом оценивал немецких солдат. *Не мог Жуков так думать!* Все, что мы знаем о нем, свидетельствует – не мог. К противнику Георгий Константинович относился уважительно. Не дано мне узнать его мысли, но слова маршала приведу: «Надо будет, наконец, посмотреть правде в глаза и не стесняясь сказать о том, как оно было на самом деле. Надо оценить по достоинству немецкую армию, с которой нам пришлось столкнуться с первых дней войны. Мы же не перед дурачками отступали по тысяче километров, а перед сильнейшей армией мира. Надо ясно сказать, что немецкая армия к началу войны была лучше нашей армии, лучше подготовлена, выучена, вооружена, психологически более готова к войне, втянута в нее. Она имела опыт войны, и притом войны победоносной. Это играет огромную роль»[22]. «...Я противник того, чтобы отзываться о враге, унижая его. Это не презрение к врагу, это недооценка его»[23].

А недооценить немецких солдат, заранее представляя их «пустоглазыми ничтожествами», значило обречь себя на поражение...

Непомерное возвеличивание, прививаемая исподволь высокомерность, искусственная изоляция нации не может не обернуться в итоге ущербностью и отчужденностью. Все нации проходят по одному, в общем-то, пути. Вот только одни взрослеют раньше, а другие продолжают сочетать капризы переходного возраста с пудовыми кулаками.

Национализм, в любом своем проявлении, как и всякая идеология, основанная на создании образа врага, может принести сиюминутный успех, но в конечном счете неизбежно ведет к разрушению.

Прошло более полувека. Что же нам *до сих пор* таить в себе ожесточение? Войны развязывают диктаторы и правящие элиты, а солдаты... Солдаты кормят вшей в окопах и держат фронт. Потому что за спиной – Отечество. *Каким бы оно ни было...*[24]

Да, мы нанесли друг другу глубокие раны. Да, были чудовищные зверства. Но виновата в них и понесла ответственность преступная клика. Ничего не должно быть забыто, но стоит ли перекладывать взаимную неприязнь на плечи новых поколений. Тем более, немцы-то как раз повинились: «Не без нашей молчаливой поддержки вырос и окреп кровавый человеконенавистнический режим, принесший столько горя, смертей и разрушений. Простите, если сможете. *Никогда* этого не повторится». А мы? Продолжаем дискуссию, чего было больше в деятельности Сталина *(и Гитлера!)*, хорошего или плохого. И упаси боже усомниться в правильности *всего* совершенного. Оттого, наверное, так и живем.

А по улицам запросто расхаживают крепкие бритоголовые парни со стилизованной свастикой на рукаве. Почитывают на досуге «Майн кампф». Рассуждают о чистоте расы. И ведь ждут только лишь сигнала, чтобы взять в руки факелы и сжигать сваленные на площадях книги неугодных авторов...

Не думаю, чтобы в боевых частях даже в самом начале слишком уж популярны были идеи национал-социализма. Террор в отношении местного населения быстро разлагает армию. Вермахт же представлял собой грозную силу практически до последних дней. И надо честно признать, это был достойный противник. Выучка и дисциплинированность немецкого солдата достойны самых высоких оценок. Да и проявления массового, как принято у нас говорить, героизма имели место с обеих сторон.

Немецкие пехотинцы также, как один, поднимались в штыковые атаки. А когда их окружали, когда не оставалось надежды и никто из своих не мог увидеть последнего их подвига, отстреливались до последнего патрона, предпочитая сдаче в плен смерть. Немецкие десантники, уступая в численности, вступив в бой, едва обрезав лямки парашюта, оттеснили англичан в глубь Крита, дав тем самым возможность, приземлиться планерам с основными силами и очистить остров. Подводники неделями находились в рейдах и, пренебрегая опасностью, забирались в бухты вражеских баз. Жертвуя собой, почти без воздушного прикрытия вывезли немецкие моряки из Крыма и спасли от плена десятки тысяч солдат. Танкисты атаковали втрое, вчетверо превосходящего врага и добивались успеха. Снайперы задерживали продвижение *батальонов*. Летчики Люфтваффе вытянули начало этой войны, а затем, когда положение стало уже безнадежным, сопротивлялись, как могли. А был еще Эрих Хартман, сбивший последний по счету, *352-й(!)* самолет противника 8 мая 1945 года в небе над Бруэном. Вернувшийся на базу, сжегший материальную часть и отправившийся с подчиненными на запад, сдаваться американцам... Был лейтенант Прин, проведший свою подлодку по узкому фарватеру прямо в Скапа-Флоу и потопивший линкор «Ройал Оук» в его базе... Гарнизоны Сен-Назера и Лорьяна[25] держались почти год и капитулировали лишь после окончания войны.

И если наши альпинисты, сбросившие вражеские штандарты с Эльбруса, – герои, то те, кто их туда водрузил, – разве нет?

Так что же, делать вид, что всего этого не было?!

Тем более что мы-то в главном, в определяющем не уступили. *Не постояли за ценой...*

Ловлю себя на мысли, *как мало знаем мы об этой войне*. Она ведь не только в расстановке войск, озарениях и ошибках принимаемых решений. Не только даже в наступательных и оборонительных, удачных и катастрофически проигранных сражениях.

Война в жизни, быту, чувствах и ощущениях солдатских. Как оно было все *на самом деле* там, в окопах. Когда нужно было вставать во весь рост и с винтовкой наперевес идти вперед под пулями навстречу таким же фронтовикам и знать, что, если не убьешь ты, убьют тебя! Когда месяцами жили в землянках, а то и под открытым небом, в окопах, где вода – по колено. Когда, упершись, держали клочок земли, несколько разрушенных, горящих кварталов, и выстояли, и выстрадали перелом. Когда месили грязь в несчастливом весеннем наступлении, а немцы собрались с силами и ударили... Когда в последние дни, уже победив, продолжали умирать...

В этом смысле воспоминания лейтенанта-взводного и даже рядового пехотинца представляют не меньший интерес, чем работы крупных военачальников. К сожалению, даже лучшие, наиболее объективные и правдивые труды грешат заданной временем субъективностью. Цензура, в еще большей степени самоцензура, не могла не выхолостить из них все то, что не вписывалось в официальные представления. Не только все «негативное», но и любые проявления человеческого естества вымарывались беспощадно. И получалось, что, когда из двух дивизий одна в панике бежала, оголив фронт, а другая, приняв бой, погибала под бомбами, под гусеницами врывающихся в боевые порядки танков, считалось, что обе – «вышли из боя». Когда тысячи безоружных красноармейцев рассеивались по хуторам и толпами сдавались в плен, а сотня-другая, с винтовками, окопавшись вокруг «бэтушек», отстреливались до последнего, пропавшими без вести объявляли всех.

И из-за плотных штор официоза лишь проглядывала *окопная правда*, которая одна только *правдой* и остается.

И если не сейчас поделиться фронтовикам своей памятью, своим восприятием войны, рассказать не о том, как должно было быть, но *как было*, не придумывая, не приукрашивая ничего, ничего, пусть даже вызывающего чувства стыда, не скрывая, то *когда же*?

Боюсь только, что пройдет десяток лет, и мы лишимся этой возможности.

На этот раз уже навсегда.

г. Ростов-на-Дону, 1997–2000 гг.

Примечания

[1] Суворов В. День М, с. 12.

[2] Называя тех, кто разделяет его взгляды, «выдающимися историками», авторами «великолепных книг», *врагов* В. Суворов, мягко говоря, не жалует. Вот его собственные слова: «Защищая свою идею, я был вынужден огрызаться, обижать и оскорблять противников и оппонентов, а иногда – рвать глотки» (Суворов В. Ледокол, с. 7). Большинство советских генералов – участников войны он представляет как лгунов, пытающихся скрыть наши агрессивные устремления. Академик В.А. Анфилов, по его мнению, «всю жизнь молол чепуху» (Суворов В. Последняя республика, с. 450). Генералу армии М.А. Гарееву посвящены следующие строки: «Вопрос: а как же он ухитрился окончить две военные академии, да еще и с золотыми медалями? Что это: стандартный уровень выпускников Военной академии имени Фрунзе и Военной академии Генерального штаба? Или, может, генерал армии Махмут Гареев просто купил дипломы, медали, ученые степени и звания, воинские звания и медали?» (там же, с. 451). В том же духе – о Мерцалове, Кривошееве, Золотареве, Городецком, который «совершенно бессовестно лжет» (там же, с. 465). Волкогонова же В. Суворов расспрашивает с пристрастием, будто следователь на допросе: «Теперь расскажите, генерал-полковник, почему вы принимали участие в написании этой гадости?.. На чью мельницу воду льете, Дмитрий Антонович?.. И почему?» (там же, с. 463).

И такое отношение к «братьям-историкам» – не потому, что они «путают военные термины» или «не знают таблицы умножения» (там же, с. 452), а просто имели неосторожность идеи В. Суворова подставить под сомнение. А товарищ просто уважает оппонентов *по-своему*.

[3] Дело ведь не только в том, что человек, принимающий судьбоносные решения единолично и бесконтрольно, *может ошибиться*. Просто все его действия служат защите лишь его личных, и ничьих более, интересов. Армия, страна... история становятся не более чем орудиями его деяний, если хотите, предметами обихода. А люди – бессловесными винтиками огромного бессмысленно жестокого механизма.

[4] За что ни бралась отечественная бюрократия, все рассыпалось, все валилось из рук. Ради того, чтобы чиновничество имело возможность разворовывать тысячи, исчезали бессмысленно и бесследно, просачивались, будто вода в песок, многие миллиарды. Взрывались электростанции, тонули подводные лодки, а БАМ и Афганистан, разложившие Союз, не смогла вытянуть даже нефть Западной Сибири.

[5] Суворов В. День М, с. 10.

[6] Там же, с. 16.

[7] Суворов В. Последняя республика, с. 28.

[8] Хрущев Н.С. Воспоминания, с. 95, 96.

[9] Неприятно все же думать, что огромным государством мог безраздельно управлять *всего лишь* серый озлобленный человек с поведением и симптомами параноика. Да только в том-то и беда наша, что... *смог*.

[10] Хрущев Н.С. Воспоминания, с. 97, 98.

[11] Между тем вот что говорит об этом Жуков: «...я поехал на Центральный аэродром посмотреть, как идет подготовка к параду. Там встретил сына Сталина Василия. Он отозвал меня в сторону и рассказал любопытную историю:

– Говорю вам под большим секретом. Отец сам готовился принимать Парад Победы. Но случился казус. Третьего дня во время езды от неумелого употребления шпор конь понес отца по манежу. Отец, ухватившись за гриву, пытался удержаться в седле, но не сумел и упал. При падении ушиб себе плечо и голову, а когда встал – плюнул и сказал: «Пусть принимает парад Жуков, он старый кавалерист» (Жуков Г.К. Воспоминания и размышления. Т. 3, с. 308). Что, маршал все это выдумал? И если да, то зачем? Чтобы, как утверждает В. Суворов, задним числом скрыть нашу подготовку к внезапному нападению? Мог ли Жуков представить себе, что кому-либо когда-либо придет в голову связать начало войны с падением Сталина в манеже? Впрочем, у вождя могли быть и иные причины перепоручить проведение Парада Победы Жукову. Он, к тому времени – полубог, не мог, подобно простому смертному, быть действующим лицом, а должен был, загадочный и неприступный, лишь наблюдать со стороны. Одна лишь мысль, что падение может повториться *на параде*, исключала его участие.

[12] Суворов В. Ледокол, с. 332.

[13] Там же, с. 151.

[14] Суворов В. День М, с. 234.

[15] Уверен, В. Суворов – первый, если не единственный, у кого по этому поводу возникли какие-то вопросы.

[16] Суворов В. Ледокол, с. 257.

[17] Представьте ситуацию. На улице идут навстречу друг другу двое. Улыбаются – старые знакомые. Вдруг один сбивает другого на асфальт и, уже лежащего, начинает избивать ногами. Прибывшим стражам порядка доходчиво объясняет: «Он первым хотел меня ударить, видите, какая пряжка на ремне. А вдруг он решил бы использовать ее по прямому назначению? Что бы я тогда делал?» И кого же задержат полицейские? Если того, забитого до полусмерти, с пряжкой на ремне, то на следующий день на улицу лучше уже не выходить. Превентивные избиения, разумеется, с целью самозащиты, приобретут массовый характер. Перманентный удар в подбородок станет едва ли не правилом хорошего тона.

[18] Помните, как на том, *Первом* съезде один из народных депутатов в гневе выкрикивал с места: «Вы же нам говорили, что признание факта существования пакта Молотова – Риббентропа и секретных протоколов к нему *будет работать на социализм*. А сработало против! Заявить немедленно, что документы сфабрикованы внешним врагом!» Дословно привести его слова, к сожалению, не могу. Но суть, смею заверить, выражена точно. Как видим, о том, фиктивные это документы или настоящие, даже и речи нет. В расчет принимается лишь одно – на кого они будут работать. В том числе и отсюда – многие наши беды...

[19] Суворов В. Ледокол, с. 344.

[20] Лапшин А. Роковая схватка, с. 29, 30.

[21] Яковлев Н. Жуков, с. 85, 86.

[22] Цит. по: Роман-газета, 1991, № 12, с. 30.

[23] Симонов К. С/с. Т. 10, с. 474.

[24] Для немцев война не могла стать «отечественной» именно потому, что слишком уж явной была ставка Германии на агрессию. Гитлер бросил вызов всему миру и не скрывал этого. Пока вермахт шел от победы к победе, это не играло особой роли. Когда же Красная Армия остановила врага и, перехватив инициативу, пошла на запад, пелена нацистского дурмана начала постепенно спадать. Германия была обречена не в последнюю очередь и потому, что очевидно *неправым* было дело, за которое отдавали жизни немецкие солдаты. Как знать, напади Сталин первым, и возможно, и мы перешли бы ту грань, за которой война уже не могла стать *Отечественной*.

[25] Порты на северо-западе Франции.

Список цитируемой литературы

Баграмян И.Х. Так начиналась война. М., 1971.

П.И. Батов. В походах и боях. М., 1966.

А.М. Василевский. Дело всей жизни. М., 1983.

Великая Отечественная война Советского Союза. 1941–1945. Т. 2. М., 1961.

Великая Отечественная война Советского Союза. 1941–1945. М., 1970.

Великая Отечественная война 1941–1945. Энциклопедия. М., 1985.

Д.Волкогонов. Ленин. Кн. 1. М., 1994.

Вопросы стратегии и оперативного искусства в советских военных трудах (1917–1940 гг.). М., 1965.

Ф.Гальдер. Военный дневник. Т. 3. Кн. 1. М., 1971.

А.В. Горбатов. Годы и войны. М., 1980.

Гражданская война и военная интервенция в СССР. Энциклопедия. М., 1987.

Дуэ Дж. Господство в воздухе. М., 1935.

А.И. Еременко. В начале войны. М., 1964.

Г.К. Жуков. Воспоминания и размышления. Т. 1. М.: Новости, 1992.

История Великой Отечественной войны Советского Союза. 1941–1945. Т. 1, 2. М., 1961.

История Второй мировой войны. 1941–1945. Т. 3. М., 1974; Т. 4. М., 1975.

История Киева. Т. 2. Киев, 1964.

В.Карпов. Маршал Жуков, его соратники и противники в годы войны и мира. Роман-газета. 1991, № 11, 12.

Н.И. Крылов. Не померкнет никогда. М., 1969.

Н.Г. Кузнецов. Накануне. М., 1969.

А. Лапшин. Роковая схватка. М., 1997.

В.И. Ленин. Полное собрание сочинений. Изд. 5-е. Т. 45.

К.А. Мерецков. На службе народу. М., 1984.

А.Митяев. Книга будущих командиров. М., 1975.

К.С. Москаленко. На Юго-Западном направлении. М., 1969.

Г.Пенежко. Записки советского офицера. Кн. 1. М., 1947.

Н.К. Попель. В тяжкую пору. М., 1959.

Э.Радзинский. Сталин. М.: ВАГРИУС, 1997.

К.К. Рокоссовский. Солдатский долг. М., 1980.

Д.И. Рябышев. Первый год войны. М., 1990.

Самолеты Страны Советов. 1917–1970. М., 1974.

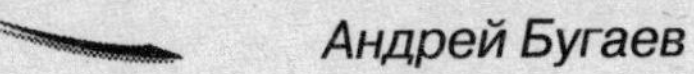

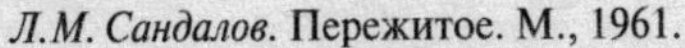

Л.М. Сандалов. Пережитое. М., 1961.
П.В. Севастьянов. Неман – Волга – Дунай. М., 1961.
К.Симонов. С/с. Т. 6. М., 1981; Т. 8. М., 1982; Т. 10. М., 1985.
А.Солженицын. Малое собрание сочинений. Т. 5. Архипелаг ГУЛАГ. Тт. I–II. М., 1991.
В. Суворов. Ледокол. М., 1993.
В. Суворов. День М. М., 1994.
В. Суворов. Последняя республика. М., АСТ, 1995.
М.Н. Тухачевский. Избранные произведения. Т. 1.
Н.С. Хрущев. Воспоминания. М.: ВАГРИУС, 1997.
У.Черчилль. Вторая мировая война. Т. 1. М., 1991.
И.П. Шмелев. История танка. 1916–1996. М., 1996.
И.П. Шмелев. Танки «БТ». М.: Хоббикнига,1993.
С.М. Штеменко. Генеральный штаб в годы войны. М., 1968.
Н.Яковлев. Жуков. М.: Молодая гвардия, 1992.

СОДЕРЖАНИЕ